빠작 초등 국어 문학 독해 **무료 스마트러닝**

첫째 QR코드 스캔하여 1초 만에 바로 강의 시청

둘째 최적화된 강의 커리큘럼으로 학습 효과 UP!

지문 분석 강의

- 문학 작품 갈래별 지문 분석을 통한 바른 감상법 강의 제공
- 동화, 시, 수필, 극 등 갈래별 작품 구성 요소와 배경지식 제공

빠작 초등 국어 **문학 독해 3단계** 강의 목록

빠작 초등 국어 문학 독해 3단계 **학습 계획표**

학습 계획표를 따라 차근차근 독해 공부를 시작해 보세요.
빠작과 함께라면 문학 독해, 어렵지 않습니다.

작품명	학습한 날			교재 쪽수	작품명	학습한 날			교재 쪽수
만년샤쓰 ❶	1일차	월	일	012 ~ 015쪽	은사다리 금사다리 ❸	21일차	월	일	092 ~ 095쪽
만년샤쓰 ❷	2일차	월	일	016 ~ 019쪽	돌로 만든 갓 ❶	22일차	월	일	096 ~ 099쪽
만년샤쓰 ❸	3일차	월	일	020 ~ 023쪽	돌로 만든 갓 ❷	23일차	월	일	100 ~ 103쪽
바위나리와 아기별 ❶	4일차	월	일	024 ~ 027쪽	돌로 만든 갓 ❸	24일차	월	일	104 ~ 107쪽
바위나리와 아기별 ❷	5일차	월	일	028 ~ 031쪽	행복한 왕자 ❶	25일차	월	일	108 ~ 111쪽
바위나리와 아기별 ❸	6일차	월	일	032 ~ 035쪽	행복한 왕자 ❷	26일차	월	일	112 ~ 115쪽
고은별 이고은별 ❶	7일차	월	일	036 ~ 039쪽	행복한 왕자 ❸	27일차	월	일	116 ~ 119쪽
고은별 이고은별 ❷	8일차	월	일	040 ~ 043쪽	칠판 앞에 나가기 싫어 ❶	28일차	월	일	120 ~ 123쪽
고은별 이고은별 ❸	9일차	월	일	044 ~ 047쪽	칠판 앞에 나가기 싫어 ❷	29일차	월	일	124 ~ 127쪽
강아지똥 ❶	10일차	월	일	048 ~ 051쪽	칠판 앞에 나가기 싫어 ❸	30일차	월	일	128 ~ 131쪽
강아지똥 ❷	11일차	월	일	052 ~ 055쪽	반딧불	31일차	월	일	134 ~ 137쪽
강아지똥 ❸	12일차	월	일	056 ~ 059쪽	푸른 하늘 속으로	32일차	월	일	138 ~ 141쪽
송아지가 뚫어 준 울타리 구멍 ❶	13일차	월	일	060 ~ 063쪽	돌아오는 길	33일차	월	일	142 ~ 145쪽
송아지가 뚫어 준 울타리 구멍 ❷	14일차	월	일	064 ~ 067쪽	바다	34일차	월	일	146 ~ 149쪽
송아지가 뚫어 준 울타리 구멍 ❸	15일차	월	일	068 ~ 071쪽	발가락	35일차	월	일	150 ~ 153쪽
나무 그늘을 산 총각 ❶	16일차	월	일	072 ~ 075쪽	연	36일차	월	일	154 ~ 157쪽
나무 그늘을 산 총각 ❷	17일차	월	일	076 ~ 079쪽	힘들다, 힘들어	37일차	월	일	160 ~ 163쪽
나무 그늘을 산 총각 ❸	18일차	월	일	080 ~ 083쪽	안네의 일기	38일차	월	일	164 ~ 167쪽
은사다리 금사다리 ❶	19일차	월	일	084 ~ 087쪽	오즈의 마법사	39일차	월	일	168 ~ 171쪽
은사다리 금사다리 ❷	20일차	월	일	088 ~ 091쪽	토끼의 재판	40일차	월	일	172 ~ 175쪽

초등 국어

문학 독해

3 단계
3·4학년

바른 독해의 빠른 시작,

〈빠작 초등 국어 독해〉를 추천합니다

독해 교재의 홍수 속에서 보석을 하나 찾은 느낌입니다. 『빠작 초등 국어 독해』는 **문학과 비문학을 나누어 초등학생 눈높이에 맞게 만든 독해 전문 교재**라는 생각이 드네요. 특히 지문의 핵심 내용을 이해하는 것은 물론 깊이 있는 배경지식까지 쌓을 수 있도록 섬세하게 구성한 점이 굉장히 마음에 듭니다. 『빠작 초등 국어 문학 독해』와 『빠작 초등 국어 비문학 독해』로 문학과 비문학의 독해 방법을 바르게 배워 보세요.

김소희 원장 | 한올국어학원

최근 수능에서 국어 영역이 가장 까다롭기로 유명합니다. 이런 국어를 잘하려면 무엇보다도 독해력을 길러야 합니다. 특히 문학은 작가가 전하는 주제를 파악하는 것이 중요합니다. 『빠작 초등 국어 문학 독해』는 다양한 갈래의 작품을 읽고, **작품의 구성 요소를 파악해 중심 내용을 스스로 정리해 보는 지문 분석 훈련**을 할 수 있어 좋습니다. 『빠작 초등 국어 문학 독해』로 까다로워진 수능 국어 영역을 지금부터 대비하시기 바랍니다.

하승희 원장 | 리딩아이국어논술학원

독해 능력은 글 읽기를 두려워하지 않는 데에서 출발합니다. 그리고 좋은 제재의 글을 읽으며 호기심과 즐거움을 느낄 때 독해는 완성되지요. 『빠작 초등 국어 비문학 독해』는 **영역별 다양한 제재의 지문과 사실적·추론적 사고력을 묻는 문제, 지문의 핵심 내용을 파악하는 지문 분석 훈련**으로 글을 정확하게 읽게 합니다. 또한 비문학 독해 비법을 충실히 담고 있어 낯설고 어려운 지문도 재미있게 읽을 수 있도록 이끌어 줄 것입니다.

김종덕 원장 | 갓국어학원

『빠작 초등 국어 독해』는 지문 독해, 지문 분석, 어휘 공부까지 탄탄한 구성이 눈길을 끄는 교재입니다. 특히 **비문학에서 영역을 세분화하여 지문을 수록한 것과 문학에서 온 작품을 다룬 것은 깊이 있는 독해를 가능하게** 할 것입니다. 다양한 글을 읽고 내용을 바르게 파악해야 하는 비문학과 작품을 읽고 제대로 감상해야 하는 문학의 독해력은 단기간에 높일 수 없습니다. 지금부터 『빠작 초등 국어 독해』와 함께 독해 연습을 부지런히 하길 추천합니다.

강행림 원장 | 수풀림학원

이 책을 검토하신 선생님

강명자 창원지역방과후교사	**배성현** 아카데미창논술국어학원	**이지은** 이지은의이지국어논술학원
강유정 참좋은보습학원	**설호준** 청암국어학원	**이지해** 이지국어학원
강행림 수풀림학원	**송설아** 한우리독서토론논술	**이창미** 박원국어논술학원
구민경 혜윰국어논술	**심억식** 천지인학원	**이현주** 토론하는아이들
권애경 해냄국어논술	**안수현** 안샘학원	**이화정** 창신보습학원
김나나 국어와나	**염현경** 박쌤과국어논술학원	**전민희** 토론하는아이들
김미숙 글과문장독서논술	**오연** 글오름국어언어논술학원	**전지영** 두드림에듀학원
김민경 리드인	**오영미** 천호하나보습학원	**조원식** 이석호국어학원
김소희 한올국어논술학원	**윤인숙** 윤쌤국어논술	**조현미** 국어날개달기학원
김수진 브레인논술교습소	**이대일** 멘사수학과연세국어학원	**하승희** 리딩아이국어논술학원
김종덕 갓국어학원	**이동수** 국동국어고샘수학학원	**한민수** 숙명창의인재교육
문주희 다독과정독논술학원	**이선이** 수논술교습소	**한수진** 리드앤리드논술학원
박윤희 장복논술	**이시은** 이시은논술	**허성완** st클래스입시학원
박창현 탑학원	**이용순** 한우리공부방	**홍미애** 이엠영수전문학원
박현순 뿌리깊은독서논술국어교습소	**이정선** 토론하는아이들	
방은경 열정학원	**이지영** 해랑	

바른 독해의 빠른 시작,

〈빠작 초등 국어 독해〉를 소개합니다

❶ 비문학과 문학을 분리하여 각각의 특성에 맞게 독해를 훈련하는 초등 국어 독해 기본서입니다.

❷ 설명문, 논설문 등 비문학 글의 종류별 지문 분석 훈련으로 바른 독해 학습이 가능합니다.

❸ 소설, 시, 수필 등 문학 작품의 갈래별 지문 감상 훈련으로 바른 독해 학습이 가능합니다.

빠작 비문학 독해

단계	대상	영역
1단계	1~2학년	언어, 실용/생활, 사회, 문화, 경제, 자연/과학, 기술, 예술, 인물, 안전/위생
2단계		
3단계	3~4학년	언어, 역사, 사회, 문화, 경제, 과학, 기술, 예술, 인물, 환경
4단계		
5단계	5~6학년	언어, 인문, 사회, 문화, 경제, 과학, 기술, 예술, 인물, 환경
6단계		

주요 키워드

- **1~2단계** 가족 (1단계 실용/생활), 낮과 밤 (2단계 자연/과학), 이 닦기 (2단계 안전/위생)
- **3~4단계** 문명 (3단계 역사), 물물 교환 (3단계 경제), 조선 건국 (4단계 역사)
- **5~6단계** 커피 (5단계 인문), 백신 (5단계 과학), 심리학 (6단계 인문)

빠작 문학 독해

단계	대상	갈래
1단계	1~2학년	창작·전래·외국 동화, 동시, 동요, 수필, 희곡
2단계		
3단계	3~4학년	창작·전래·외국 동화, 시, 현대·고전·외국 수필, 희곡
4단계		
5단계	5~6학년	현대·고전·외국 소설, 현대시, 고전 시조, 현대·고전 수필, 시나리오
6단계		

주요 작품

- **1~2단계** 아기의 대답 (1단계 시), 꺼벙이 억수 (2단계 창작 동화), 만복이네 떡집 (2단계 창작 동화)
- **3~4단계** 바위나리와 아기별 (3단계 창작 동화), 잘못 뽑은 반장 (4단계 창작 동화), 물새알 산새알 (4단계 시)
- **5~6단계** 이상한 선생님 (5단계 현대 소설), 고무신 (6단계 현대 소설), 풀잎에도 상처가 있다 (6단계 현대시)

비문학과 문학,

바른 독해 방법이 다릅니다

비문학의 바른 독해 방법

비문학은 핵심 주제를 파악하고 글쓴이의 관점을 이해하는 것이 중요합니다.

비문학은 지식이나 정보 또는 자신의 의견을 전달하는 글의 특성이 있기 때문에, 전체 글의 핵심 주제, 문단별 핵심 내용, 글쓴이의 관점 등을 이해하며 읽는 훈련을 해야 합니다. 따라서 비문학을 바르게 읽고 이해하려면 글의 전체 구조를 그려볼 수 있어야 하고, 글 전체의 중심 내용과 문단별 중심 내용 그리고 핵심 주제를 찾아보는 연습이 필요합니다.

설명문의 일반 구조

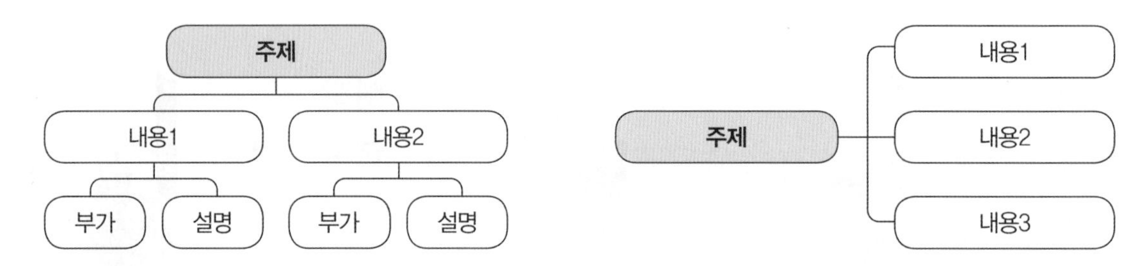

논설문의 일반 구조

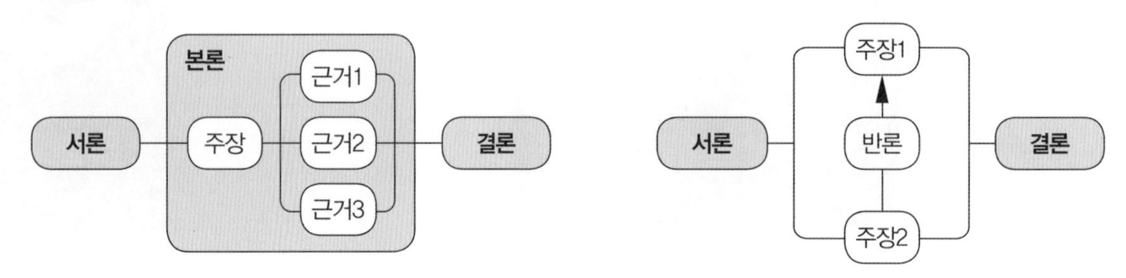

비문학은 정보 전달의 목적이 있기 때문에 다양한 지식과 정보를 쌓아야 합니다.

비문학은 어린이 신문이나 잡지 등을 통해 지식과 정보를 쌓는 것이 독해에 도움을 줍니다. 또한 독해 교재를 학습하면서 비문학 지문의 내용을 깊이 있게 이해하는 것도 중요합니다.

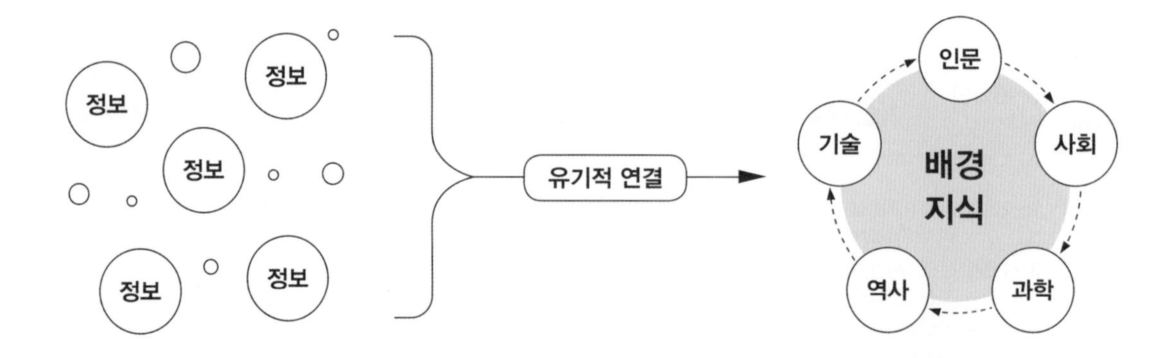

문학의 바른 독해 방법

문학은 갈래별 구성 요소를 이해하고 작품을 감상하는 것이 중요합니다.

문학은 소설, 시, 수필, 희곡 등 갈래에 따라 작품을 구성하는 요소가 다르기 때문에 갈래별 특징을 이해하고 작품을 감상하는 것이 중요합니다. 따라서 문학 작품을 읽고, 갈래에 따른 구성 요소를 중심으로 작품의 중요 내용을 정리하는 훈련이 필요합니다. 이때 온작품을 읽으면 작품 내용을 더욱 깊이 있게 이해할 수 있습니다.

갈래별 구성 요소

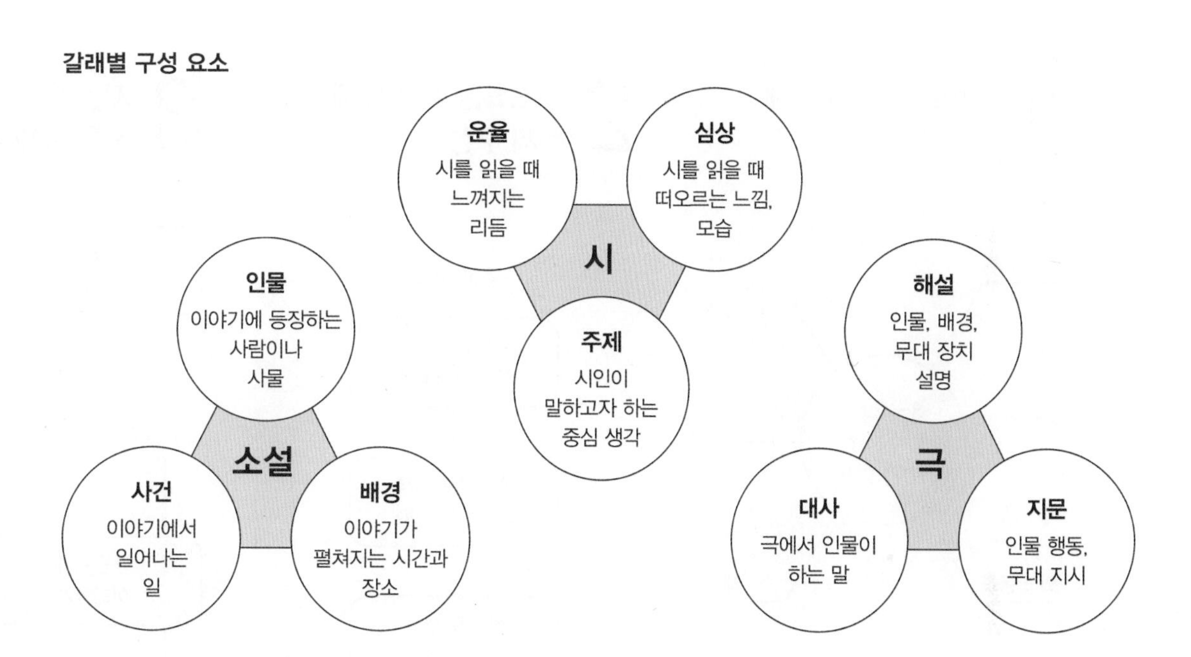

문학 작품을 감상하기 위해서 시대적 배경을 이해하고, 내용 흐름을 파악해야 합니다.

문학 작품을 읽을 때 작품이 쓰인 시대적 배경이나 작가의 삶과 관련지어 감상하면 작가가 전하고 싶은 주제를 파악하는 데 도움이 됩니다. 또 글의 내용 흐름을 제대로 파악하는 것도 중요합니다.

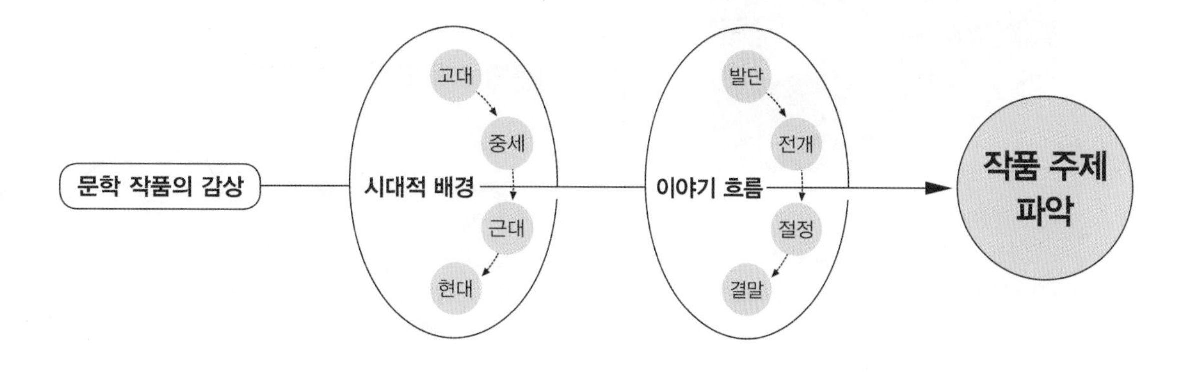

빠작 초등 국어 문학 독해 3단계

구성과 특징

빠작 초등 국어 문학 독해 3단계는 초등 3~4학년 학생들이 문학 작품을 읽고 내용을 정확하게 이해하는 훈련 중심으로 구성하였습니다. 특히 창작 동화, 전래 동화, 외국 동화, 시, 수필, 희곡 등 다양한 갈래의 작품을 읽고, 지문 분석 훈련을 통해 바른 독해 학습을 할 수 있습니다.

1 차별화된 문학 독해 지문 구성

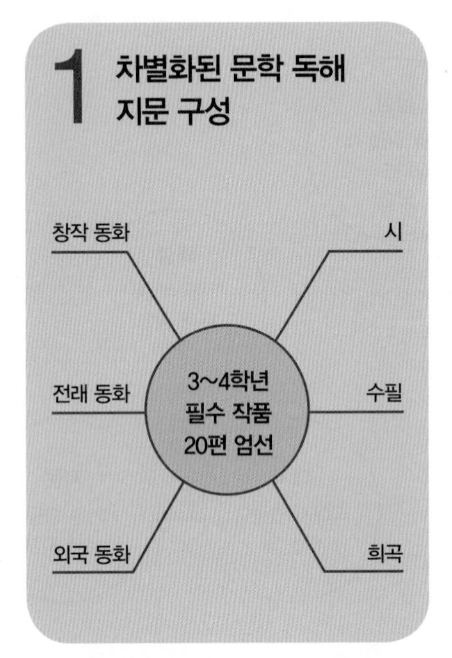

2 구조화된 지문 독해 문제 구성

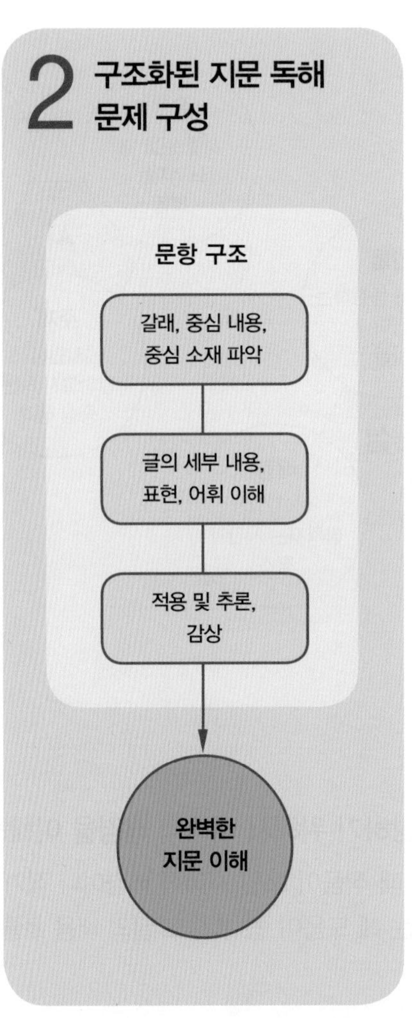

3 지문 분석을 통한 바른 독해 훈련

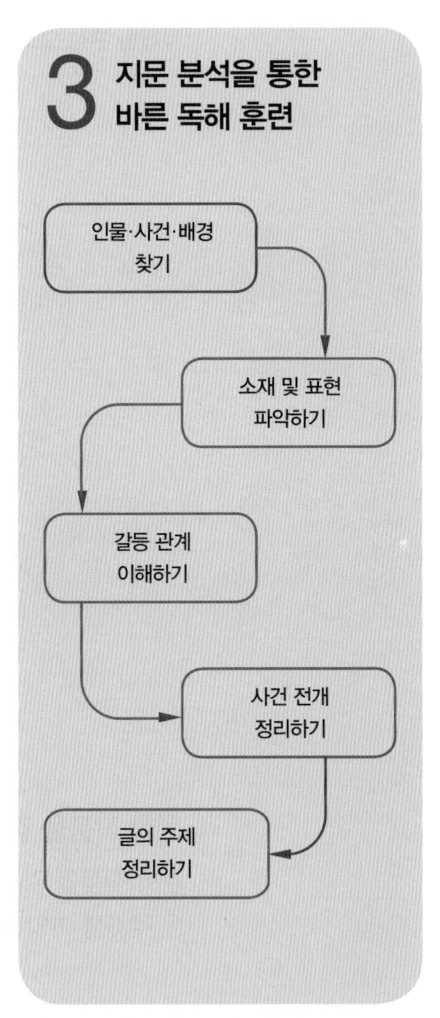

4 다양한 배경지식 습득

- 세밀화와 함께 작품과 관련한 이야기를 재미있게 읽을 수 있도록 구성
- 3~4학년 눈높이에 맞춰 쉽게 이해할 수 있도록 구성

5 지문별 5개 필수 어휘 학습

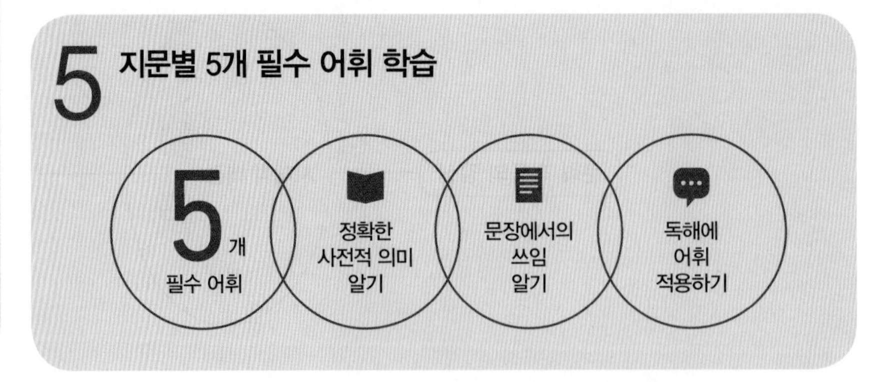

차별화된 독해 지문

구조화된 독해 문제

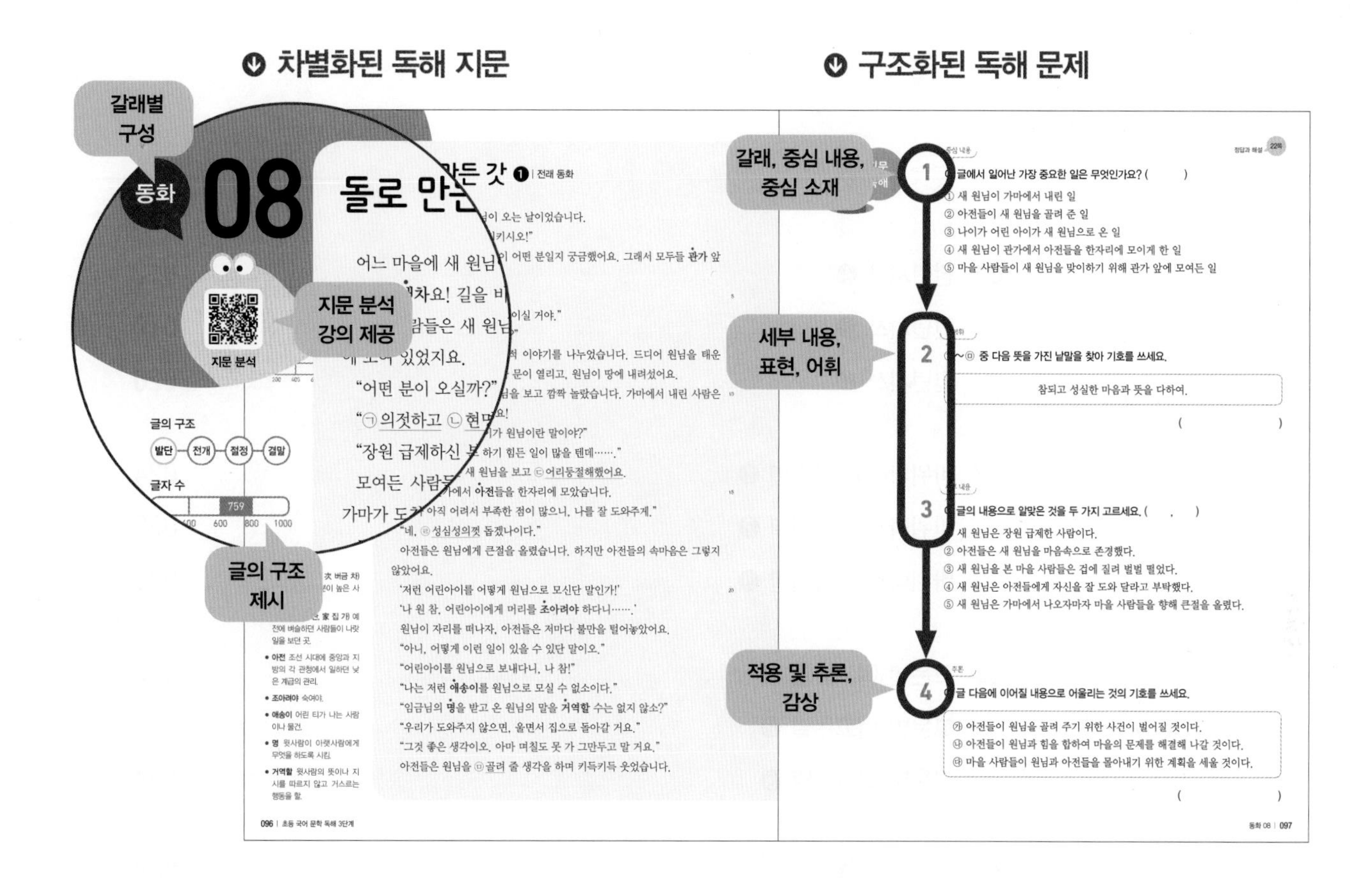

지문 분석 & 배경지식

오늘의 어휘

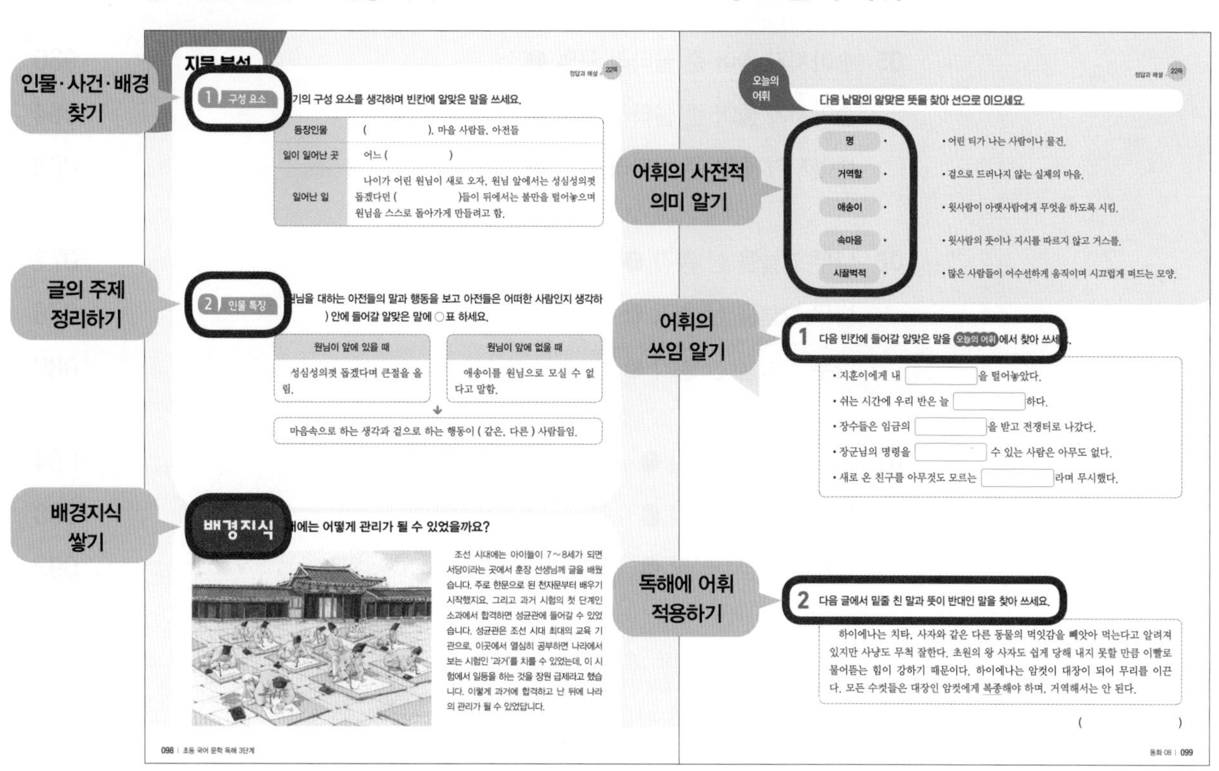

차례

동화

동화

만년샤쓰 ❶ | 방정환

글의 구조

글자 수

창남이는 우리 반에서 가장 인기 있는 친구이다.

이름이 창남이고 성이 한씨인데, 안창남 아저씨와 이름이 비슷하여 친구들은 모두 그를 '비행사'라고 부른다.

창남이는 비행사같이 시원스럽고 **유쾌한** 성격을 가진 친구이다. 다른 친구가 걱정이 있어 얼굴을 찡그릴 때에는 재미난 말로 기분을 풀어 주고, **곤란한** 일이 있을 때에는 좋은 의견을 내어 문제를 해결하여 주었다. 그래서 비행사의 이름이 더욱 높아졌다.

창남이네 집은 어려운 것 같았다. 창남이는 모자가 다 **해어져도** 새것으로 사서 쓰지 않았고, 바지가 해어져도 **헝겊**으로 기워 입고 다녔다. 하지만 단 한 번도 창피해하거나 남의 것을 부러워하지 않았다.

체육 시간이 되었다.

오늘은 올겨울 들어 가장 추운 날이었다. 아이들은 추운 날씨를 참지 못하고 체육복 위에 **웃옷**을 입고 있었다. 체육 선생님께서는 아이들에게 웃옷을 벗으라고 말씀하셨다. 아이들은 무서운 체육 선생님의 말씀에 하나둘 두꺼운 웃옷을 벗고 체육복만 입었다. ㉠ **다만** 한 사람, 창남이가 웃옷을 벗지 않고 있었다.

"한창남, 왜 웃옷을 안 벗니?"

창남이의 얼굴은 푹 **수그러지면서** 빨개졌다. 창남이가 그런 행동을 하는 것은 처음 보았다. 창남이는 한참 동안 멈칫멈칫하다가 고개를 들고 말하였다.

- **유쾌한** 즐겁고 상쾌한.
- **곤란한** 사정이 몹시 딱하고 어려운.
- **해어져도** 닳아서 떨어져도.
- **헝겊** 천의 조각.
- **웃옷** 몸의 가장 겉에 입는 옷.
- **다만** 다른 것이 아니라 오로지.
- **수그러지면서** 안으로 굽어들거나 기울어져.

갈래

1 이 글에서 중심이 되는 인물은 누구인지 찾아 쓰세요.

( )

어휘

2 ㉠과 바꾸어 쓸 수 있는 말로 알맞지 않은 것의 기호를 쓰세요.

㉮ 오직	㉯ 전혀
㉰ 단지	㉱ 오로지

( )

세부 내용

3 창남이에 대한 설명으로 알맞지 않은 것은 무엇인가요? ( )

① 우리 반에서 가장 인기가 많다.
② 평소에 부끄러움이 많은 성격이다.
③ 친구들의 기분을 잘 맞춰 풀어 준다.
④ 비행사인 안창남 아저씨와 이름이 비슷하다.
⑤ 어려운 형편에도 창피해하거나 남의 것을 탐내지 않는다.

추론

4 이 글을 읽고 짐작한 내용으로 알맞은 것의 기호를 쓰세요.

㉮ 반 아이들은 창남이네 집 사정이 어려운 것을 알고 있지만 일부러 모른 척해 준 것 같아.
㉯ 창남이가 선생님의 말씀에도 웃옷을 벗지 못한 것은 그 안에 체육복을 입지 않아서인 것 같아.
㉰ 창남이는 자신의 물건을 소중하게 생각해서 모자나 바지가 해어져도 새로 사지 않고 기워 입었어.

( )

지문 분석

정답과 해설 01쪽

1 구성 요소

이야기의 구성 요소를 생각하며 빈칸에 알맞은 말을 쓰세요.

일이 일어난 때	겨울, ( ) 시간
등장인물	창남이, 반 아이들, 체육 ( )
일어난 일	아이들이 날씨가 추워 체육복 위에 ( )을 입자 선생님께서 벗으라고 하셨는데, 창남이만 벗지 않고 있었음.

2 인물 특징

이 글의 중심인물인 창남이에 대해 생각하며 (   ) 안에 들어갈 알맞은 말에 ○표 하세요.

창남이

- 우리 반에서 가장 인기 있는 친구임.
- 비행사 안창남과 이름이 같아 별명이 '비행사'임.
- (유쾌한, 단순한) 성격을 가짐.
- 처한 가정 형편이 어렵지만 (소심함, 당당함).

배경지식 어린이를 사랑한 방정환 작가에 대해 알아볼까요?

모든 어린이들이 손꼽아 기다리는 날은 바로 어린이날이지요. 이 어린이날을 처음 만든 사람이 소파 방정환이랍니다. 방정환 작가는 우리나라에서 '어린이'라는 말을 가장 처음으로 만들어 알리고, 어린이는 어른과 다르게 보호 받아야 하는 존재임을 알리려고 노력했어요.

또 방정환 작가는 우리나라 최초의 어린이 잡지인 월간 『어린이』를 만들어 큰 인기를 끌었는데, 「만년샤쓰」도 이 잡지에 발표된 단편 소설이에요. 이외에도 방정환 작가가 어린이를 위해 쓴 「시골 쥐의 서울 구경」, 「어린이 찬미」, 「사랑의 선물」, 「칠칠단의 비밀」과 같은 여러 가지 작품들이 있으니 우리 친구들도 한번 읽어 보면 어떨까요?

오늘의 어휘

다음 낱말의 알맞은 뜻을 찾아 선으로 이으세요.

인기 •	• 즐겁고 상쾌한.
다만 •	• 닳아서 떨어져도.
유쾌한 •	• 다른 것이 아니라 오로지.
곤란한 •	• 사정이 몹시 딱하고 어려운.
해어져도 •	• 어떤 것에 쏠리는 많은 사람들의 관심.

1 다음 빈칸에 들어갈 알맞은 말을 오늘의 어휘에서 찾아 쓰세요.

- 아버지는 바지가 (　　　　) 계속 입고 다니신다.
- 내가 원하는 것은 (　　　　) 작은 빵 한 조각뿐이다.
- 날씨가 더워질수록 시원한 음료의 (　　　　)가 높아진다.
- 이 문제를 해결하지 못하면 아주 (　　　　) 일이 벌어진다.
- 옆집에서는 가족들의 (　　　　) 웃음소리가 그치지 않았다.

2 다음 글에서 밑줄 친 말과 뜻이 비슷한 말을 찾아 쓰세요.

정약용은 오랜 시간 동안 귀양살이를 하여 유배지에서 <u>오로지</u> 학문을 닦는 일에만 힘썼다. 홀로 있는 그가 할 수 있는 일은 다만 책을 읽고 글을 쓰는 것뿐이었기 때문이다. 귀양살이는 그에게 깊은 좌절을 안겨 주었지만, 최고의 실학자가 되는 밑거름이 되기도 하였다.

(　　　　　　　　)

만년샤쓰 ❷ | 방정환

글의 구조

발단 — 전개 — 절정 — 결말

글자 수

670

200 400 600 800 1000

"선생님, **만년** 샤쓰도 괜찮습니까?"

"무엇이라고? 만년 샤쓰? 만년 샤쓰가 무엇이냐?"

"**맨몸** 말입니다."

체육 선생님께서는 창남이의 말에 화가 나 뚜벅뚜벅 걸어가시며 큰 소리로 말씀하셨다. 5

"웃옷을 벗어라."

창남이는 웃옷을 벗었다. 아무것도 입지 않은 맨몸이었다.

선생님께서는 깜짝 놀라셨고, 아이들은 다 같이 깔깔깔 웃었다.

"한창남, 왜 **외투** 안에 옷을 입지 않았니?"

"없어서 못 입었습니다." 10

그때 선생님의 무섭던 눈에 눈물이 고였다. 그리고 아이들의 웃음소리도 갑자기 없어졌다.

'창남이네 집이 이렇게 어려웠구나.'라고 모두 생각하였다.

"창남아, 정말 샤쓰가 없니?"

선생님께서는 **다정한** 목소리로 물으셨다. 15

"오늘과 내일만 없습니다. 모레는 인천에 사시는 형님이 올라와서 사 주십니다."

"그럼 웃옷을 다시 입어라. 오늘은 웃옷을 입고 운동하도록 하거라."

만년 샤쓰! '비행사'라는 말도 없어지고 그날부터 '만년 샤쓰'라는 말이 온 학교 안에 **퍼졌다**. 친구들은 창남이를 만년 샤쓰라고 부르게 되었다. 20

이튿날, 만년 샤쓰 창남이가 교문 근처에 오자 학생들이 허리가 부러지게 웃기 시작하였다. 창남이가 얇은 웃옷에 **얄따랗고** 해어진 바지를 입고, 양말도 안 신고 뚜벅뚜벅 걸어왔기 때문이다.

떠드는 학생들 틈을 **헤치고** 체육 선생님께서 "무슨 일이지?" 하고 들여다보시다가 창남이의 그 모습을 보고 놀라셨다. 25

- **만년** 언제나 변함없이 한결 같은 상태.
- **맨몸** 아무것도 입지 않은 몸.
- **외투** 추위를 막기 위하여 겉옷 위에 입는 옷.
- **다정한** 정이 많은.
- **퍼졌다** 많은 사람이나 여러 곳에 전해졌다.
- **이튿날** 어떤 일이 있은 그다음의 날.
- **얄따랗고** 꽤 얇고.
- **헤치고** 앞에 걸리는 것을 물리치고.

갈래

1 이 글을 읽는 방법으로 알맞은 것은 무엇인가요? (　　　　)

① 리듬감과 운율을 느끼며 읽는다.
② 근거가 적절한지 생각하며 읽는다.
③ 일을 하는 방법을 정리하며 읽는다.
④ 실제 일어난 일이 맞는지 확인하며 읽는다.
⑤ 등장인물과 일이 일어난 때, 장소를 파악하며 읽는다.

세부 내용

2 창남이가 말한 만년 샤쓰는 무엇인지 빈칸에 알맞은 말을 찾아 쓰세요. (2글자)

아무것도 입지 않은 (　　　　　　　　　　)

세부 내용

3 이 글의 내용으로 알맞지 않은 것은 무엇인가요? (　　　　)

① 창남이의 맨몸을 본 아이들은 모두 웃음을 터뜨렸다.
② 창남이의 사정을 들으신 선생님의 눈에 눈물이 고였다.
③ 창남이의 사정을 안 아이들은 웃음을 멈추고 조용해졌다.
④ 창남이는 모레는 형님이 올라와 옷을 사 줄 것이라고 하였다.
⑤ 선생님께서는 창남이에게 오늘은 체육복을 입고 운동을 하라고 하셨다.

추론

4 창남이의 별명이 '만년 샤쓰'로 바뀐 까닭을 알맞게 말한 사람은 누구인지 쓰세요.

세연: 창남이가 옷을 입지 않은 자신의 맨몸을 '만년 샤쓰'라고 불러 달라고 했기 때문이야.
진오: 아이들이 맨몸으로 다니는 창남이를 도와주기 위해서 '만년 샤쓰'라는 말을 만들어서 불렀기 때문이야.
서준: 집안 형편이 어려워서 외투 안에 옷을 입지 못한 창남이가 당당하게 만년 샤쓰를 입었다고 말한 일이 온 학교에 소문났기 때문이야.

(　　　　　　　　　　)

지문 분석

정답과 해설 02쪽

1 마음 변화

상황에 따라 선생님의 마음 변화를 생각하며 (　　　) 안에 들어갈 알맞은 말에 ○표 하세요.

상황		마음
창남이에게 웃옷을 벗으라고 말함.	→	창남이가 농담을 하는 줄 알고 (화가 남, 속상함).
창남이가 외투 안에 옷을 입지 못한 사정을 알게 됨.		창남이의 집안 사정을 알게 되어 (실망함, 안쓰러워함).

2 사건 전개

일이 일어난 순서대로 보기 에서 기호를 찾아 써넣어 글의 내용을 정리하세요.

보기
- ㉮ 창남이가 웃옷을 벗자 맨몸이 됨.
- ㉯ 아이들이 창남이를 '만년 샤쓰'라고 부름.
- ㉰ 체육 시간에 창남이가 만년 샤쓰를 입고 왔다고 함.
- ㉱ 선생님과 아이들이 창남이의 어려운 형편을 알게 됨.
- ㉲ 창남이가 얇은 웃옷에 해어진 바지를 입고, 양말도 안 신고 학교에 옴.

(　　　) → (　　　) → (　　　) → (　　　) → (　　　)

배경지식 「만년샤쓰」의 배경인 1920년대는 어떤 시대였을까요?

「만년샤쓰」의 배경인 1920년대는 일제강점기였어요. 이 시기에 일제는 친일파를 이용하여 우리 민족을 갈라놓으려고 하였고, 독립운동에 대한 탄압도 더욱 심하게 했답니다. 일제는 교육의 기회를 확대한다며 학교를 세워 아이들을 가르쳤는데 그것은 사실상 조선인을 일제에 충성하는 국민으로 만들기 위해서였어요. 또한 우리나라의 농업을 발전시킨다는 핑계를 대며 조선에서 생산되는 품질 좋은 쌀을 대부분 일본으로 가져가 우리나라 사람들의 생활이 매우 어려워졌습니다.

오늘의 어휘

다음 낱말의 알맞은 뜻을 찾아 선으로 이으세요.

맨몸 •	• 꽤 얇고.
다정한 •	• 정이 많은.
헤치고 •	• 아무것도 입지 않은 몸.
뚜벅뚜벅 •	• 앞에 걸리는 것을 물리치고.
얄따랗고 •	• 발자국 소리를 뚜렷이 내며 계속 걸어가는 소리나 모양.

1 다음 빈칸에 들어갈 알맞은 말을 오늘의 어휘에서 찾아 쓰세요.

- 이 책은 [　　　　] 굉장히 가볍다.
- 많은 사람을 [　　　　] 앞으로 나아갔다.
- 선생님께서는 항상 [　　　　] 목소리로 우리를 부르신다.
- 아버지께서 집으로 [　　　　] 걸어오시는 소리가 들렸다.
- 그 남자는 아이들을 구하려고 [　　　　]으로 바다에 뛰어들었다.

2 다음 글에서 밑줄 친 말과 뜻이 반대인 말을 찾아 쓰세요.

감자는 7~8월에 가장 맛이 좋은 식물이다. 감자를 맛있게 먹는 방법으로 감자전이 있다. 감자를 얄따랗고 길게 썰어서 동그란 모양으로 부치는 것인데, 간단하면서도 쉽게 만들 수 있어 많은 사람들이 좋아한다. 감자전을 부칠 때, 채 썬 감자를 프라이팬에 너무 <u>두툼하고</u> 크게 올리면 탈 수 있으니 주의해야 한다. 적당한 양을 약한 불에 잘 구워 주면 맛있는 감자전이 된다.

(　　　　　　　　)

만년샤쓰 ③ | 방정환

글의 구조

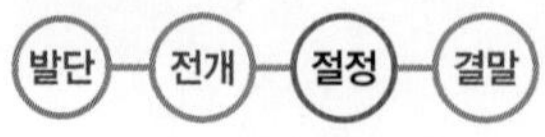

글자 수

"한창남, 너, 옷이 왜 그 모양이야?"

"옷이 없어서 못 입고 왔습니다."

"어째 그렇게 없어지니? 날마다 한 가지씩 없어진단 말이냐?"

"네, 그렇습니다. 하나씩 둘씩 없어집니다."

"어째서?" 5

선생님과 친구들은 창남이의 말에 귀를 기울입니다.

"그저께 저녁, 저희 **동네**에 큰불이 났습니다. 저희 집도 반이나 넘게 탔습니다. [㉠] 옷이 모두 없어졌습니다."

"바지는 어제도 입고 있지 않았니?"

"네, 저희 집은 반만 타서 쓰던 물건을 몇 가지 건졌습니다. 하지만 이웃 10 집들은 모두 타 버려서 동네가 **온통** 난리가 났습니다. 저희 집은 반이라도 남았으니까 **그나마** 나은 편입니다. 그런데 동네 사람들은 이 추운 날에 집이 없어서 고생을 하고 있습니다. 저희 어머니께서 우리는 집이 있어 추운 것은 **면할** 수 있으니까 입을 것 한 **벌**씩만 남기고, 나머지 옷은 추위에 떨고 있는 동네 사람들에게 나누어 주자고 하셨습니다. 그래서 어머니 옷과 15 제 옷을 모두 동네 어른들께 가져다 드렸습니다. 바지는 제가 입고 있었는데……. 어제 옆집의 **편찮으신** 할아버지께서 하도 추워하시기에 벗어 드렸습니다. 그래서 저는 가을에 입던 바지를 꺼내 입고 왔습니다."

창남이가 말을 끝내자 주변이 **고요해졌다**. 친구들은 아무 말 없이 고개를 숙였다. 선생님께서도 고개를 숙이셨다. 20

- **동네** 사람들이 생활하는 여러 집이 모여 있는 곳.
- **온통** 전부 다.
- **그나마** 좋지 않거나 모자라기는 하지만 그것이나마.
- **면할** 어떤 일을 당하지 않게 됨.
- **벌** 옷이나 그릇 등이 두 개 또는 여러 개 모여 갖춘 덩어리.
- **편찮으신** 병을 앓고 계신.
- **고요해졌다** 분위기가 조용해졌다.

지문 독해

중심 내용

1 이 글에서 중심이 되는 내용은 무엇인가요? (　　　　)

① 창남이네 집이 불에 탄 까닭
② 창남이가 새 옷을 입고 온 까닭
③ 창남이네 동네에 큰불이 나게 된 까닭
④ 창남이네 이웃이 추위에 떨고 있는 까닭
⑤ 창남이가 옷을 제대로 입고 오지 못한 까닭

어휘

2 ㉠에 들어갈 알맞은 말은 무엇인가요? (　　　　)

① 그러나　　② 그리고　　③ 그런데
④ 그래서　　⑤ 왜냐하면

세부 내용

3 창남이가 겪은 일로 알맞지 않은 것은 무엇인가요? (　　　　)

① 동네에 큰불이 나서 많은 집에 피해가 생겼다.
② 창남이네 집은 반만 타서 쓰던 물건을 몇 가지 건졌다.
③ 창남이 어머니의 옷과 창남이의 옷을 동네 어른들께 드렸다.
④ 창남이의 이웃집들은 모두 타 버려서 집이 없어 고생하고 있다.
⑤ 창남이가 어머니께 동네 사람들에게 옷을 나누어 주자고 말씀드렸다.

적용

4 이 글의 창남이와 같은 생각을 가진 친구는 누구인지 기호를 쓰세요.

㉮ 선생님의 심부름을 항상 도맡아 하는 유미
㉯ 더운 여름날 친구들에게 아이스크림을 사 준 영수
㉰ 적은 용돈의 일부를 조금씩 모아 어려운 이웃을 돕는 서우

(　　　　　　　　)

지문 분석

1 인물 특징

창남이의 행동에 대한 알맞은 설명을 찾아 선으로 이으세요.

옆집의 편찮으신 할아버지께서 추워하셔서 바지를 벗어 드리고 얇은 바지를 입음. •	• 가난한 것을 부끄럽게 생각하지 않고 당당함.
옷을 제대로 입지 못한 까닭을 선생님과 친구들 앞에서 설명함. •	• 자기보다 더 어려운 사람을 도울 줄 앎.

2 주제

이 글에서 창남이가 한 일을 보고, 보기 에서 알맞은 말을 찾아 써넣어 주제를 완성하세요.

보기

도우며 쉬운 어려운 무시하며

창남이가 한 일
•창남이는 어려운 형편에도 자기보다 어려운 이웃을 도움. •창남이는 동네 사람들에게 옷을 나누어 주고 헌 옷을 입고 다님.

→

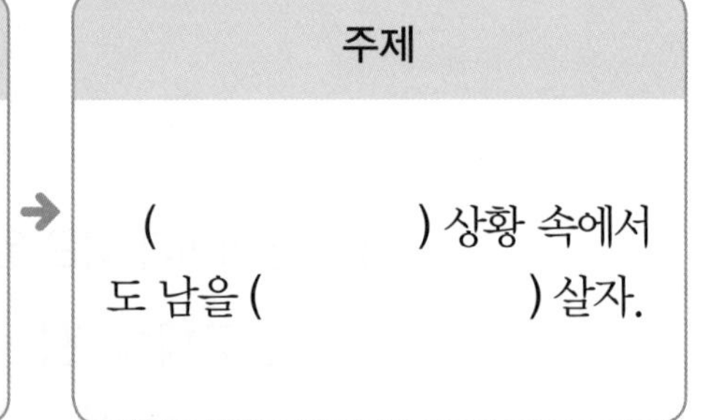

배경지식 「만년샤쓰」 전체 줄거리

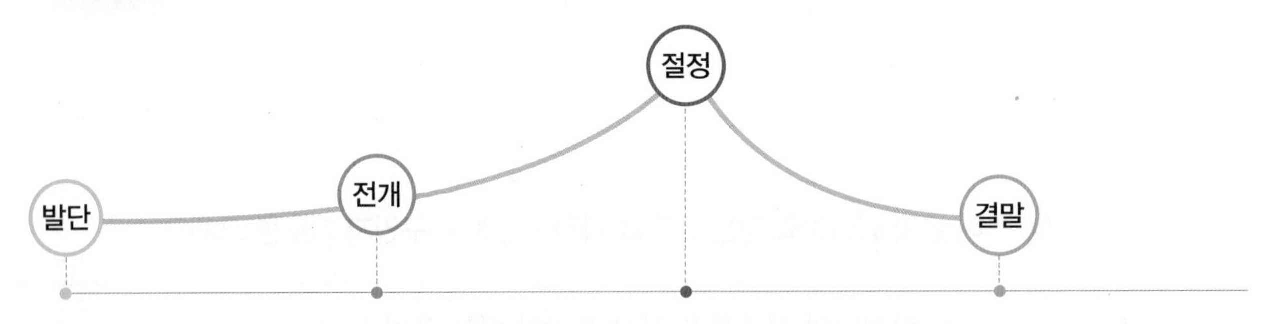

- **발단**: '비행사'라고 불리는 창남이는 시원스럽고 유쾌한 성격을 가진 친구로 우리 반에서 가장 인기가 많음.
- **전개**: 체육 시간에 선생님과 아이들이 창남이의 어려운 형편을 알게 되었고, 친구들은 창남이를 '만년샤쓰'라고 부르게 됨.
- **절정**: 이튿날 또 옷을 제대로 입지 않고 학교에 온 창남이는 동네에 큰불이 나서 어려운 이웃에게 옷을 나누어 주었다고 말함.
- **결말**: 남은 옷도 어머니께 드렸고, 어머니는 앞이 안 보이셔서 창남이가 맨몸으로 간지 모르신다는 말에 모두 눈물을 흘림.

오늘의 어휘

다음 낱말의 알맞은 뜻을 찾아 선으로 이으세요.

벌 •	• 전부 다.
동네 •	• 큰 피해를 일으킬 만큼 크게 난 불.
온통 •	• 사람들이 생활하는 여러 집이 모여 있는 곳.
큰불 •	• 좋지 않거나 모자라기는 하지만 그것이나마.
그나마 •	• 옷이나 그릇 등이 두 개 또는 여러 개 모여 갖춘 덩어리.

1 다음 빈칸에 들어갈 알맞은 말을 오늘의 어휘 에서 찾아 쓰세요.

- 온 [ ]에 고양이에 대한 소문이 퍼졌다.
- 아이들의 불장난 때문에 [ ]이 날 뻔했다.
- 비가 오려는지 하늘이 [ ] 먹구름으로 뒤덮였다.
- 우리 가족은 명절을 맞아 한복을 한 [ ]씩 샀다.
- 큰 사고를 당한 우리는 [ ] 살아 있다는 것에 감사했다.

2 다음 글에서 밑줄 친 말과 뜻이 비슷한 말을 찾아 쓰세요.

들판이 온통 노란색으로 뒤덮였다. 유채꽃들이 피어 들판을 <u>전부</u> 노란색으로 물들인 것이다. 바람이 부는 방향에 따라 유채꽃들이 살랑살랑 움직이는 모습이 마치 노란 바다에 파도가 치는 것 같다. 푸른 하늘 아래 노란 유채꽃이 이루는 풍경이 더할 나위 없이 아름답다.

( )

바위나리와 아기별 ❶ | 마해송

남쪽 나라 따뜻한 나라, 사람 사는 동네도 없고, 사람이나 짐승이 지나간 **자취**도 없는 바닷가에 다만 끝없이 넓고 넓은 모래 **벌판**이 펼쳐져 있었습니다.

바닷가에 산이라고는 없는 벌판이라 나무도 없고, 나무가 없으니 노래를 부르는 새조차 한 마리도 없고, 풀 한 잎도 없었습니다.

그런데 이렇게 쓸쓸하고 **고요한** 바닷가에 이상하고 놀라운 일이 일어났습니다. 5

밀물에 밀려서 바닷가에 놓여진 주먹만 한 감장 돌 하나를 **의지**하고 조그만, 그렇지만 어여쁘고 깨끗한 풀 한 잎이 뾰족이 솟아 나왔습니다.

그 풀이 점점 자라 두 잎이 되고 세 잎이 되더니 가지가 뻗고 가지에는 곱고 고운 빨강 꽃이 한 송이 피어났습니다. 10

그다음은 노랑 꽃, 또 그다음에는 흰 꽃 해서 나중에는 아주 **함빡** 오색이 **영롱하게** 여러 가지 꽃이 피어났습니다.

파란 바다와 흰 모래 벌판 사이에 오똑하게 피어 선 이 오색 꽃은 참으로 무엇하고도 **비길** 수 없는 아름다운 '바위나리'라는 꽃이었습니다.

세상에 제일가는 15
어여쁜 꽃은
그 어느 나라의 무슨 꽃일까.
먼 남쪽 바닷가
감장 돌 앞에
오색 꽃 피어 있는 바위나리지요. 20

바위나리는 날마다 날마다 이런 노래를 어여쁘게 부르면서 **동무**를 불렀습니다.

그렇지만 바다와 벌판과 바람결밖에는 아무것도 없는 이 바닷가에는 동무될 사람이라고는 하나도 없었습니다. 〈중략〉

이렇게 몇 날 동안을 날마다 날마다 노래를 부르면서 동무가 오기를 기다렸지만 아무도 바위나리를 찾아와 주는 동무는 없었습니다. 바위나리는 소리를 질러 울었습니다. 25

글의 구조

글자 수

- **자취** 어떤 것이 남긴 표시나 자리.
- **벌판** 사방으로 펼쳐진 넓고 평평한 땅.
- **고요한** 조용하고 가라앉은 듯 차분한.
- **의지** 다른 것에 몸을 기대는 것.
- **함빡** 차고 넘치게 넉넉한 모양.
- **영롱하게** 빛이 맑고 아름답게.
- **비길** 서로 견주어 봄.
- **동무** 늘 친하게 어울리는 사람.

갈래

1 일이 일어난 곳은 어디인지 알맞은 것에 ○표 하세요.

(1) 사람들이 모여 사는 바닷가 마을이다. (　　)
(2) 수많은 짐승들이 살고 있는 따뜻한 남쪽 나라이다. (　　)
(3) 노래를 부르는 새 한 마리 없고, 풀 한 잎도 없는 바닷가이다. (　　)

세부 내용

2 바위나리에 대한 설명으로 알맞은 것은 무엇인가요? (　　)

① 주위를 온통 뒤덮을 정도로 무수히 피어 있다.
② 처음에 주먹만 한 하얀 돌에 의지해 솟아 나왔다.
③ 파란 바다와 흰 모래 벌판 사이에 오똑하게 피었다.
④ 사람들이 찾아와 세상에 제일가는 어여쁜 꽃이라고 말하였다.
⑤ 고운 빨강 꽃이 한 송이 피었다가 지고 나면 다른 색 꽃이 피었다.

세부 내용

3 바위나리가 날마다 노래를 부른 까닭은 무엇인가요? (　　)

① 노래를 가장 잘 부르는 꽃이 되고 싶어서
② 노래를 부르지 않으면 곧 시들어 죽게 되어서
③ 노래를 부를 때마다 꽃 한 송이를 피울 수 있어서
④ 바닷가에 혼자 있어 외로운 마음을 숨기고 싶어서
⑤ 노랫소리를 듣고 동무들이 자신을 찾아오기를 바라서

적용

4 이 글의 바위나리와 비슷한 경험을 한 친구는 누구인지 쓰세요.

연오: 새로운 학교에 전학 간 첫날, 친한 친구가 없어서 외롭고 심심했는데, 엄마께서 학교생활은 어땠냐고 물으셔서 눈물이 날 뻔했어.
현수: 태권도 겨루기 대회에서 1등을 하기 위해 매일 열심히 연습했는데 막상 대회 날에는 너무 긴장해서 내 기량을 뽐내지 못했어. 그래서 화가 나서 눈물이 났어.

(　　　　　　)

지문 분석

정답과 해설 04쪽

1 사건 전개 일이 일어난 순서대로 보기 에서 기호를 찾아 써넣어 글의 내용을 정리하세요.

보기
- ㉮ 바위나리가 소리를 질러 욺.
- ㉯ 쓸쓸하고 고요한 바닷가에 바위나리 꽃이 핌.
- ㉰ 바위나리가 몇 날 동안 동무를 찾기 위해 노래를 부름.

(　　　) → (　　　) → (　　　)

2 마음 변화 일이 일어난 때에 따라 바위나리의 마음이 어떻게 변화했는지 보기 에서 알맞은 말을 찾아 쓰세요.

보기

고마움　　외로움　　경계함　　기대함

일이 일어난 때		바위나리의 마음
바닷가에서 노래를 부를 때	→	동무가 찾아오기를 (　　　　).
찾아오는 동무가 없을 때	→	슬프고 (　　　　).

배경지식 우리나라 최초의 창작 동화를 쓴 마해송 작가

「바위나리와 아기별」은 마해송 작가가 1926년에 『어린이』지에 발표한 우리나라 최초의 창작 동화예요. 이 이야기에는 어린이를 대신해 그 마음을 전하고 싶은 작가의 마음이 담겨 있어요. 마해송 작가는 어른인 아버지 때문에 아무것도 하지 못하고 사랑하는 사람과 만날 수 없었던 경험이 있는데, 이때 굉장히 힘들고 어려운 시간을 보냈다고 해요. 이때의 자신이 처한 현실을 어른들의 힘 앞에서 약해질 수밖에 없는 어린이들의 모습에 빗대어서 표현한 것이랍니다. 이후에도 마해송 작가는 여러 주제로 동화를 창작해서 1920년대에 어린이 문학이 자리매김하는 데에 큰 역할을 하였답니다.

오늘의 어휘

다음 낱말의 알맞은 뜻을 찾아 선으로 이으세요.

자취 •	• 빛이 맑고 아름답게.
의지 •	• 차고 넘치게 넉넉한 모양.
함빡 •	• 다른 것에 몸을 기대는 것.
고요한 •	• 어떤 것이 남긴 표시나 자리.
영롱하게 •	• 조용하고 가라앉은 듯 차분한.

1 다음 빈칸에 들어갈 알맞은 말을 오늘의 어휘에서 찾아 쓰세요.

- 구슬이 (   ) 빛을 내고 있다.
- 새벽에 일어나 (   ) 호숫가를 산책했다.
- 길을 가다 잠깐 만난 강아지에게 (   ) 정이 들었다.
- 다른 사람에게 (   )하지 말고 스스로 해 보는 게 어떨까?
- 어린 시절 나의 추억이 남은 장소가 (   )도 없이 사라졌다.

2 다음 글에서 밑줄 친 말과 뜻이 반대인 말을 찾아 쓰세요.

저는 바다가 좋아요. 뜨거운 여름에는 파도를 타며 신나게 물놀이를 하고 모래성도 만들어요. 그리고 한여름 바닷가의 <u>떠들썩한</u> 분위기가 좋아요. 하지만 겨울 바다도 정말 좋아해요. 고요한 바닷가에서 자유롭게 날아다니는 갈매기를 보며 혼자만의 상상의 나래를 펴는 일도 좋아요.

(   )

바위나리와 아기별 ❷ | 마해송

글의 구조

글자 수

756

200 400 600 800 1000

그런데 이상하게도 이 울음소리가 밤이면 남쪽 하늘에 맨 먼저 뜨는 아기별의 귀에까지 들려 올라왔습니다.

아기별은 이 울음소리를 듣고 깜짝 놀랐습니다.

"어디서 누가 이렇게 슬프게 울까? 내가 가서 달래 주어야겠다."

하고 별나라의 임금님께 다녀오겠다는 말을 하지도 않고 울음소리가 나는 곳을 찾아 쭈욱 내려왔습니다. 〈중략〉 5

바위나리는 ㉠어떻게 좋은지 어쩔 줄을 모르고 가로 뛰고 세로 뛰며,

"별님! 별님!"

하고 불러 댔습니다.

잠깐 동안만 달래 주고 돌아가려고 했었지만 바위나리가 아름답고 귀여운 것을 보니까 아기별도 이제는 바위나리와 같이 더 오래오래 놀고만 싶어졌습니다. 10

다른 생각은 다 잊어버렸습니다.

아기별과 바위나리는 이야기도 하고 **달음질**도 하고 노래도 부르고 숨바꼭질도 하면서 밤 가는 줄도 모르고 놀았습니다. 15

그러다가 어느 **결**에 새벽이 되었습니다.

그제서야 아기별은 깜짝 놀라 소리를 쳤습니다.

"큰일 났다. 바위나리! 나는 **얼른** 가야 돼! 오늘 밤에 또 올게. 울지 말고 기다려. 응?"

하고 돌아가려 했습니다. 20

바위나리는 아기별의 **옷깃**을 꼭 붙들고 울면서 놓지를 않았습니다.

"그렇지만 나는 얼른 가야만 돼! 좀 더 늦으면 하늘 문이 닫혀서 들어갈 수가 없어. 내 오늘 밤에 꼭 내려올게."

하고는 **스르르** 하늘 위로 올라가 버렸습니다.

- **달음질** 급히 뛰어 달려감.
- **결** 때나 사이를 말함.
- **얼른** 시간을 끌지 않고 바로.
- **옷깃** 양복 윗옷에서 목둘레에 길게 덧댄 부분.
- **스르르** 미끄러지듯이 슬며시 움직이는 모양.

중심 내용

1 이 글에서 가장 중요한 일은 무엇인지 빈칸에 알맞은 말을 쓰세요.

남쪽 하늘에 맨 먼저 뜨는 (   )이 슬프게 우는 (   )를 찾아감.

표현

2 ㉠과 바꾸어 쓰기에 알맞은 말은 무엇인가요? (   )

① 물먹은 솜처럼 몸이 무거워서
② 하늘을 날 듯이 기쁘고 행복해서
③ 머리에서 김이 날 만큼 화가 나서
④ 심장이 터질 만큼 몹시 긴장되어서
⑤ 두 번 다시 보고 싶지 않을 만큼 미워서

세부 내용

3 이 글의 내용으로 알맞은 것은 무엇인가요? (   )

① 아기별과 바위나리는 밤 가는 줄도 모르고 놀았다.
② 하늘 문은 새벽이 되면 열리고, 저녁이 되면 닫힌다.
③ 아기별은 바위나리를 어떻게 달래 줄지 몰라 당황했다.
④ 아기별은 바위나리와 함께 있기 위해서 하늘로 돌아가지 않았다.
⑤ 아기별은 별나라의 임금님께 허락을 받고, 울음소리가 나는 곳을 찾아왔다.

추론

4 이 글 다음에 이어질 내용으로 알맞은 것의 기호를 쓰세요.

㉮ 바위나리는 아기별을 만난 것이 기쁘지 않았기 때문에 아기별을 금방 잊었다는 내용이 이어질 거야.
㉯ 아기별은 바위나리가 자신을 기다리며 우는 소리가 듣기 싫어서 하늘나라에서 다시는 내려오지 않았다는 내용이 이어질 거야.
㉰ 바위나리는 아기별을 좋아하지만 움직일 수 없는 몸이기 때문에 그 자리에서 아기별이 돌아오기를 간절하게 기다리면서 슬퍼하는 내용이 이어질 거야.

(   )

지문 분석

정답과 해설 05쪽

1 인물 특징 **이 글에 나온 인물이 한 일과 성격으로 알맞은 것을 찾아 선으로 이으세요.**

인물	한 일	성격
아기별 •	• 누군가의 울음소리를 듣고 달래 주어야겠다고 생각함. •	• 자신의 감정을 숨기지 않고 솔직하게 표현함.
바위나리 •	• 아기별을 만나서 행복한 마음을 숨기지 않음. •	• 남의 아픔과 슬픔을 이해하고 공감할 줄 앎.

2 인물 마음 **바위나리의 행동에서 알 수 있는 마음을 생각하여 (　　　) 안에 들어갈 알맞은 말에 모두 ○표 하세요.**

바위나리의 행동		바위나리의 마음
아기별을 보고 어떻게 좋은지 어쩔 줄을 모르고 가로 뛰고 세로 뜀.	→	함께 놀 동무가 생겨서 매우 (기쁨, 긴장됨, 행복함).
하늘나라로 돌아가야 한다는 아기별의 옷깃을 꼭 붙들고 울면서 놓지 않음.	→	동무와 헤어지게 되어서 몹시 (속상함, 슬픔, 뿌듯함).

배경지식 바위나리는 정말로 있는 꽃일까요?

「바위나리와 아기별」 이야기에 나오는 바위나리는 돌단풍, 돌나리라고 불리는 풀을 말해요. 돌단풍은 잎이 단풍잎을 닮았고, 바위틈에서 자라다 보니 이런 이름이 붙여졌다고 해요. 이 돌단풍은 약간 붉은 빛을 띠는 하얀색 꽃을 피워요. 그런데 이 이야기 속 바위나리는 빨강 꽃, 노랑 꽃, 흰 꽃, 그리고 아주 함빡 오색이 영롱하게 피어 있는 꽃이라고 했어요. 그것은 아마도 마해송 작가가 돌단풍꽃을 보면서 더 아름다운 상상 속의 꽃을 만든 것이 아닐까 생각해 볼 수 있어요. 어디선가 그림 속 바위나리를 진짜로 만난다면 「바위나리와 아기별」 이야기를 떠올리며 반갑게 인사해 보면 어떨까요?

오늘의 어휘

다음 낱말의 알맞은 뜻을 찾아 선으로 이으세요.

낱말	뜻
결	급히 뛰어 달려감.
얼른	'때'나 '사이'를 말함.
옷깃	시간을 끌지 않고 바로.
달음질	미끄러지듯이 슬며시 움직이는 모양.
스르르	양복 윗옷에서 목둘레에 길게 덧댄 부분.

1 다음 빈칸에 들어갈 알맞은 말을 오늘의 어휘에서 찾아 쓰세요.

- 자꾸 (　　　　)을 잡아당기지 마.
- 문이 (　　　　) 열리며 친구가 들어왔다.
- 날이 어두워지기 전에 (　　　　) 집으로 돌아가자.
- 동생이 자리를 비운 (　　　　)에 남은 과자를 다 먹었다.
- 놀이터에서 놀던 동생이 갑자기 집으로 (　　　　)을 했다.

2 다음 글에서 밑줄 친 말과 뜻이 반대인 말을 찾아 쓰세요.

수건돌리기 놀이에서 술래는 원 모양으로 앉아 있는 아이들의 등 뒤로 <u>천천히</u> 돌다가 한 아이의 등 뒤에 수건을 살그머니 놓고 지나간다. 앉아 있던 아이는 자기 등 뒤에 수건이 놓여 있으면 얼른 집어 들고 술래가 자기가 앉았던 자리에 앉기 전에 뒤따라가 손으로 술래의 등을 쳐야 한다.

(　　　　　　　　)

바위나리와 아기별 ③ | 마해송

글의 구조

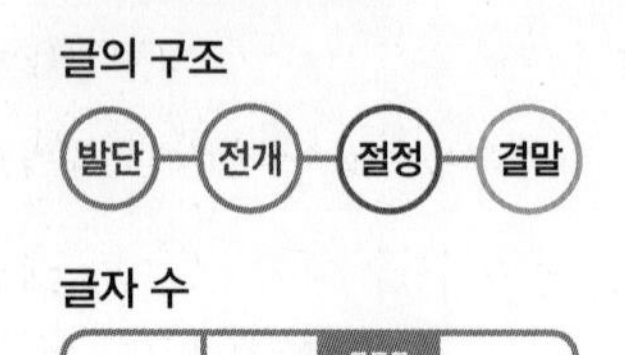

글자 수 757

그런데 하루는 어디선지 찬바람이 불어와서 흰 모래가 날리고 바닷물이 몰아치고 하는 **통**에 바위나리는 그만 병이 들었습니다.

아름다운 꽃은 시들어서 머리를 숙이면서 괴로워했습니다.

이것을 본 아기별은 걱정하면서 간호를 했습니다.

"자아, 그럼 내 오늘 밤에 또 올게. 응!" 5

하고 하늘 문이 닫혔을까 봐 걱정하며 하늘로 하늘로 아기별은 올라갔습니다. 그러나 이미 시간이 늦어 버렸습니다. 〈중략〉

"나가거라!" / 임금님은 큰 눈을 **부릅뜨고** 이렇게 소리쳤습니다.

아기별은 무서워서 몸을 벌벌 떨며,

"용서해 주십시오. 다시는 밖에 나가지 않겠습니다." 10

하고 겨우 임금님 앞을 물러 나왔으나 병들어서 혼자 괴로워하고 있을 바위나리의 일을 생각하면 ㉠가슴이 미어지는 것 같았습니다.

바위나리는 그날 밤 늦도록 아기별만을 기다렸습니다.

그러나 끝내 아기별은 내려오지 않았습니다.

그 이튿날도 그 이튿날도 기다리는 아기별은 보이지 않았습니다. 15

바위나리의 병은 점점 더해 갈 뿐이었습니다.

꽃은 시들고 몸은 말라 들었습니다. **간신히** 감장 돌에 몸을 의지하고 있던 바위나리는 어디선지 **별안간에** 불어오는 **모진** 바람에 그만 휘익 바다로 날려 들어가고 말았습니다.

바위나리는 **썰물**과 함께 바다로 끌려가고 말았습니다. 20

아기별은 날마다 밤마다 바위나리 생각만 하고 울었습니다. 〈중략〉

하루는 임금님이 아기별 앞으로 오시더니,

"너는 요새 밤마다 울고 있기 때문에 별의 빛이 없다. 빛 없는 별은 쓸 데가 없으니 **당장**에 나가거라!"

하고 소리를 **벽력**같이 지르면서 아기별을 붙들어 하늘 문밖으로 내어 쫓았습니다. 25

하늘에서 쫓겨난 아기별은 정신을 잃고 **한정** 없이 떨어져 내려갔습니다.

그런데 그것은 참 이상한 일이었습니다.

아기별이 풍덩실 빠져 들어간 곳은 오색 꽃 바위나리가 바람에 날려 들어간 바로 그 위의 바다였습니다. 30

- **통** 어떤 일이 벌어진 환경이나 형편.
- **부릅뜨고** 눈을 크고 무섭게 뜨고.
- **간신히** 매우 힘겹게 겨우.
- **별안간에** 갑작스럽고 아주 짧은 동안에.
- **모진** 정도가 아주 심한.
- **썰물** 바닷물이 먼바다로 밀려가는 것. 또는 그 바닷물.
- **당장** 일이 일어난 그 자리 또는 바로 직후.
- **벽력** 벼락.
- **한정** 정해진 끝.

중심 내용

1 아기별과 바위나리가 겪은 일로 알맞은 것에 ○표 하세요.

(1) 아기별이 바위나리를 하늘로 데려가 병을 고쳐 주었다. ( )
(2) 화가 난 임금님이 바위나리와 아기별을 바다에 떨어뜨렸다. ( )
(3) 아기별과 바위나리가 헤어져서 서로를 그리워하며 슬퍼했다. ( )

표현

2 ㉠의 뜻으로 알맞은 것은 무엇인가요? ( )

① 신기하고 놀라움.
② 가슴이 벅차오름.
③ 부끄럽고 어색함.
④ 슬프고 고통스러움.
⑤ 굽힐 것 없이 당당함.

세부 내용

3 아기별이 밤마다 울기만 한 결과로 일어난 일은 무엇인가요? ( )

① 바위나리를 하늘로 데려왔다.
② 병에 걸려 몸이 점점 말라 들었다.
③ 빛을 잃어 하늘 문밖으로 쫓겨났다.
④ 하늘에서 떨어져 바다 위를 떠돌았다.
⑤ 모진 바람에 썰물과 함께 바다로 끌려갔다.

감상

4 이 글을 읽고 말한 생각이나 느낌을 알맞게 말한 것의 기호를 쓰세요.

㉮ 바위나리와 아기별은 바닷속에서 다시 만나 행복했을 것 같아.
㉯ 자신에게 화를 내는 임금님에게 대들지 못하는 아기별은 바위나리를 진심으로 사랑하지 않은 것 같아.
㉰ 하늘 문밖으로 쫓겨난 아기별은 바위나리를 만나기 위해 일부러 바위나리가 있는 바다를 찾아간 것 같아.

( )

지문 분석

정답과 해설 06쪽

1 인물 특징

이 글을 읽고 알 수 있는 인물의 관계로 알맞은 것에 ○표 하세요.

바위나리	아기별
병이 들어 아프면서도 밤이 늦도록 아기별이 오기를 기다림.	날마다 바위나리를 생각하며 울다가 빛을 잃음.

↓

서로를 몹시 (아끼고 사랑하는, 존경하고 따르는) 사이임.

2 주제

이 글에서 일어난 일을 생각하며 보기에서 알맞은 말을 찾아 결말 부분을 완성하세요.

보기

바다　　빛　　아기별

여러분은 바다를 들여다본 일이 있습니까?
바다는 물이 깊으면 깊을수록 환하고 맑게 보입니다.
웬일일까요?
그것은 지금도 (　　　　　　) 속에서 한때 (　　　　　　)을 잃었던 (　　　　　　)이 다시 빛나고 있는 까닭이랍니다.

배경지식 「바위나리와 아기별」 전체 줄거리

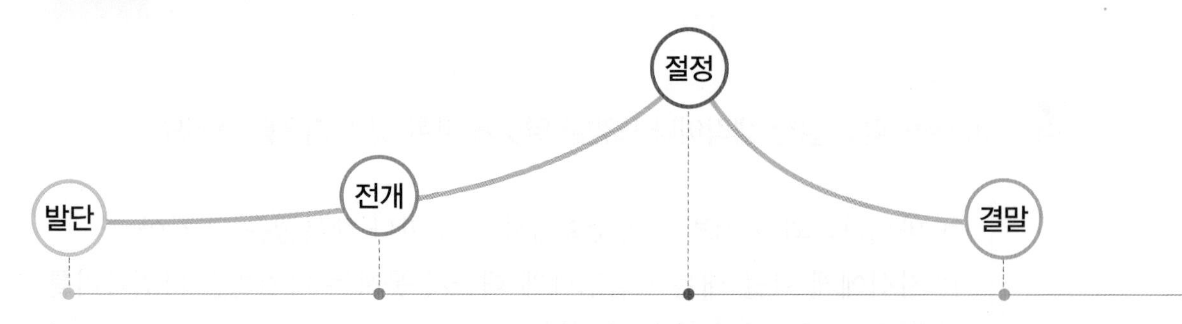

- 발단: 쓸쓸하고 고요한 바닷가에 피어난 아름다운 바위나리꽃은 찾아와 주는 동무가 없어 소리를 질러 울었음.
- 전개: 울음소리를 듣고 내려온 아기별과 바위나리가 친구가 되어 즐겁게 놀았지만, 아기별은 새벽이 되어 하늘로 올라감.
- 절정: 병든 바위나리를 간호하다가 늦은 아기별은 임금님께 밖에 나가지 않겠다고 약속했지만 바위나리를 생각하며 마음 아파함.
- 결말: 바위나리는 바람에 바다로 날려 들어갔고, 아기별도 하늘에서 쫓겨나 바위나리가 떨어진 바로 그 위의 바다에 떨어짐.

오늘의 어휘

다음 낱말의 알맞은 뜻을 찾아 선으로 이으세요.

낱말	뜻
썰물 •	• 매우 힘겹게 겨우.
모진 •	• 눈을 크고 무섭게 뜨고.
간신히 •	• 갑작스럽고 아주 짧은 동안에.
부릅뜨고 •	• 괴로움이나 아픔의 정도가 아주 심한.
별안간에 •	• 바닷물이 먼바다로 밀려가는 것. 또는 그 바닷물.

1 다음 빈칸에 들어갈 알맞은 말을 오늘의 어휘에서 찾아 쓰세요.

- 친구가 눈을 (   ) 나에게 화를 냈다.
- 날씨가 화창하더니 (   ) 소나기가 쏟아졌다.
- 학교까지 쉬지 않고 달려서 (   ) 지각하지 않았다.
- (   )이 되자 갯벌에 게와 조개들이 모습을 드러냈다.
- 할머니께서는 홀로 여섯 남매를 키우시느라 (   ) 세월을 보내셨다.

2 다음 글에서 밑줄 친 말과 뜻이 비슷한 말을 찾아 쓰세요.

학생이었던 유관순은 1919년에 3 · 1운동이 일어나자 독립운동에 참여했다. 그러던 중 다니던 학교가 문을 닫자, 고향인 충청남도로 내려가 아우내 장터에서 앞장서서 만세운동을 이끌었다. 일본 경찰에게 붙잡힌 유관순은 지독한 고문을 받고, 모진 감옥살이를 하다가 1920년에 숨을 거두고 말았다.

(   )

고은별 이고은별 ❶ | 김희숙

글의 구조

글자 수

"저는 이고은별이에요. 여러분을 만나서 반가워요."

방학 동안 '별자리 보기' 캠프에 **참가한** 나는 친구들 앞에서 자기소개를 했어요.

"가, 가만. 이고은별이라고? 그런 이름은 없는데……."

선생님은 출석부를 위에서부터 손으로 쭉 훑으며 말했어요.

"얘 이름은 고은별이에요."

맨 앞에 앉은 태영이가 끼어들었어요.

"고은별? 아, 여기 있구나. 그런데 왜 이고은별이라고 했니?"

나는 **당당한** 목소리로 대답했지요.

"고은별, 이고은별 다 맞아요. 하지만 되도록 이고은별이라고 불러 주세요." 〈중략〉

"고은별은요. **주민등록** **등본**에 적혀 있는 제 이름이고요, 이고은별은 제가 불리고 싶은 이름이에요."

"뭐?"

나는 좀 더 설명을 했어요.

"고은별은 아빠 성을 따른 것이고, 이고은별은 엄마 성을 더 붙인 거예요." 〈중략〉

나는 할머니 생신날에 있었던 이야기를 시작했지요.

학교 갔다 돌아오니 고모들이 벌써 와 있었어요. 나는 이 세상에서 제일 사랑하는 엄마가, 어제 하루 종일 **몸살**로 끙끙 앓던 것이 떠올라 걱정스런 마음으로 부엌으로 들어갔지요. 엄마는 땀을 뻘뻘 흘리며 **벌건** 얼굴로 부침개를 부치고 있었어요. 나는 엄마에게 다가가 물었어요.

"엄마, 몸은 괜찮아요? 아직도 열 있나 보네."

"너, 잘 왔다. 이리 와서 마늘 좀 ㉠까 주렴. 준비해 놓은 마늘이 부족하구나."

엄마는 내 물음에는 대답도 없이 **대뜸** 마늘이 담긴 쟁반을 내밀었어요. 나는 쟁반을 들고 거실로 갔어요. 거실에는 큰 고모와 짧은 치마를 입은 막내 고모가 할머니 곁에서 이야기하며 놀고 있었어요.

- **참가한** 모임이나 단체 또는 일에 함께하거나 관계하여 들어간.
- **당당한** 남 앞에 내세울 만큼 모습이나 태도가 떳떳한.
- **주민등록** 대한민국에 사는 모든 주민이 그 주소지의 시 · 군 · 구에 등록하는 제도.
- **등본** 원본의 내용을 전부 베낌. 또는 그런 서류.
- **몸살** 몸이 아주 피곤하여 생기는 병.
- **벌건** 어둡고 엷게 붉은.
- **대뜸** 이것저것 생각할 것 없이 그 자리에서 곧.

지문 독해

중심 내용

1 '내'가 자신의 이름에 대해 말한 내용으로 알맞은 것을 찾아 선으로 이으세요.

(1) 고은별은 • • ㉮ 아빠 성을 따른 것이고, • • ㉰ 불리고 싶은 이름이다.

(2) 이고은별은 • • ㉯ 엄마 성을 더 붙인 것이고, • • ㉱ 주민등록 등본에 적혀 있는 이름이다.

어휘

2 밑줄 그은 낱말이 ㉠과 같은 뜻으로 쓰인 문장에 ○표 하세요.

(1) 우리 집 암탉이 병아리를 다섯 마리 깠다. ( )

(2) 다람쥐는 두 손으로 밤을 잡고 껍질을 까 먹었다. ( )

세부 내용

3 엄마께서 '나'에게 부탁하신 일은 무엇인가요? ( )

① 마늘을 사 와라.
② 생신상을 차려라.
③ 집안 정리를 해라.
④ 마늘을 까 주어라.
⑤ 심부름을 다녀와라.

감상

4 이 글을 읽고 짐작한 내용으로 알맞은 것의 기호를 쓰세요.

㉮ 태영이는 '나'의 사정을 잘 알고 있는 '나'와 가장 친한 친구인 것 같아.
㉯ 엄마가 말없이 부침개를 부친 것은 할머니와 고모들에 대해 화가 난 것을 표현하는 행동이야.
㉰ 선생님은 자신을 되도록 이고은별이라고 불러 달라는 '나'의 말을 듣고 당황하셔서 왜 그렇게 불리기를 원하는지 물으신 것 같아.
㉱ '나'는 어제 엄마가 몸살로 아팠던 것을 알면서도 아무 말도 하지 않고 할머니와 놀고 있는 고모들을 보며 몹시 화가 많이 난 것 같아.

( )

지문 분석

정답과 해설 07쪽

1 인물 특징 이 글에 나온 인물이 한 일을 찾아 선으로 이으세요.

인물		한 일
'나'	• •	거실에서 할머니와 이야기하며 놀고 있음.
엄마	• •	땀을 뻘뻘 흘리며 벌건 얼굴로 부침개를 부침.
고모들	• •	'별자리 보기' 캠프에 참가해서 선생님께 자신의 이야기를 함.

2 인물 마음 이 글에서 알 수 있는 '나'의 마음을 생각하며 보기에서 알맞은 말을 찾아 쓰세요.

보기

존경 사랑 부러워 두려워

이야기의 흐름		'나'의 마음
• 엄마가 어제 하루종일 몸살로 끙끙 앓던 것이 떠올라 걱정스러운 마음으로 부엌으로 들어감. • 엄마에게 몸이 괜찮은지 물어봄.	→	엄마를 무척 걱정하며 ( )함.

배경지식 자녀가 엄마의 성을 물려받을 수 있다고요?

여러분의 성은 무엇인가요? 우리나라는 전통적으로 자녀가 아버지의 성을 따르는 것이 당연하게 여겨졌어요. 그러나 2008년 자녀가 반드시 아버지의 성을 따라야 한다는 원칙이 없어졌고, 어머니의 성도 가질 수 있도록 법이 바뀌었어요. 그런데 이 법에 의하면 자녀가 태어나기 전에 어머니의 성을 붙인다고 정해야만 했기 때문에 불편함이 있었다고 해요. 그래서 이제는 자녀가 태어난 후에 부부가 함께 이야기를 하고 결정해서 아버지나 어머니의 성 중에 하나를 자녀에게 붙여 줄 수 있도록 법이 바뀌고 있어요.

오늘의 어휘

다음 낱말의 알맞은 뜻을 찾아 선으로 이으세요.

낱말	뜻
몸살 •	• 땀을 매우 많이 흘리는 모양.
뻘뻘 •	• 이것저것 생각할 것 없이 바로.
대뜸 •	• 몸이 아주 피곤하여 생기는 병.
참가한 •	• 모임이나 일에 함께하거나 관계하여 들어간.
당당한 •	• 남 앞에 내세울 만큼 모습이나 태도가 떳떳한.

1 다음 빈칸에 들어갈 알맞은 말을 오늘의 어휘 에서 찾아 쓰세요.

- 매운 음식을 먹었더니 땀이 [ ] 난다.
- 누나는 심한 [ ]로 한동안 고생을 했다.
- 마라톤 대회에 [ ] 사람은 모두 이백 명이었다.
- 언제나 [ ] 자세로 너의 의견을 말했으면 좋겠어.
- 형은 나를 보자마자 [ ] 자신의 책을 내놓으라고 했다.

2 다음 글에서 밑줄 친 말과 뜻이 반대인 말을 찾아 쓰세요.

1988년 서울 올림픽은 12년 만에 많은 국가들이 참가한 가장 큰 규모의 올림픽으로 전 세계의 관심을 받았다. 이전에 1980년 소련에서 열린 모스크바 올림픽과 1984년 미국에서 열린 로스앤젤레스 올림픽에는 정치적인 이유 등으로 <u>불참한</u> 국가가 많았다.

( )

고은별 이고은별 ❷ | 김희숙

글의 구조

발단 - 전개 - 절정 - 결말

글자 수

750

200 400 600 800 1000

나는 아픈 엄마 일도 안 도와 주면서 음식 **타박**만 하는 막내 고모가 미워 쌩, 찬바람이 일어나도록 등을 돌리고 나와 버렸어요.

부엌으로 들어가자 엄마는 마늘 찧는 통을 내주며 이마에 흐른 땀을 닦았어요. 나는 바닥에 앉아 마늘을 찧으며 부침개를 부치는 엄마에게 **볼멘소리**로 물었지요. (5)

㉠ "고모들은 놀고 왜 엄마만 일해?"

"고모들은 할머니 딸이잖니. 난 이 집 며느리고."

"딸이면 어떻고 며느리면 어때? 모두 한 가족인데."

"가족이지만 성이 다르잖아. 아빠도 고모도 너도 모두 고씨인데, 엄만 이씨잖니?" (10)

나는 고개를 갸웃거리며 다시 물었어요.

"할머니도 성이 다르잖아?"

"할머니는 성이 다르긴 해도 아빠랑 고모들을 낳은 분이야. 이 집의 제일 어른이신 거지."

"아무리 그래도 성이 다르다고 엄마만 일해?" (15)

"성이 다른 건 피가 다르다는 뜻이니까 할 수 없지, 뭐. 더구나 아빠가 외동아들이니……."

"성이 뭐가 그렇게 중요해? 앞으로 난 엄마 성 따라 이 씨 할 거야."

엄마는 부침개를 뒤집으며 말했어요.

"엄마가 아빠에게 시집왔잖니. 시집왔다는 것은 엄마가 살던 집을 떠나 아빠네 (㉡)으로 합해졌다는 뜻이야." (20)

"그래서?"

"그렇게 아빠네 (㉡)으로 엄마가 들어왔기 때문에 태어나는 아이들은 모두 다 아빠 성씨를 따르는 것이 당연하고."

"피, 말도 안 돼! 난 시집 안 갈 거야." (25)

"그럼, 혼자 살 거야?"

"아니, 장가오라고 할 거야. 그래서 내 아기에게는 내 성도 붙여 줄 거야."

"뭐?"

엄마는 **어처구니없다는** 듯 **일손**을 놓고 나를 바라보았어요.

- **타박** 남의 실수나 부족한 부분을 나무라거나 핀잔함.
- **볼멘소리** 못마땅하거나 화가 나서 퉁명스럽게 하는 말투.
- **어처구니없다는** 일이 너무 뜻밖이어서 기가 막히다는.
- **일손** 일을 하는 손.

중심 내용

1 **㉠과 같은 '나'의 질문에 엄마는 어떤 대답을 했는지 빈칸에 알맞은 말을 쓰세요.**

고모들은 할머니 (   )이고, 엄마는 (   )이기 때문이다.

어휘

2 **㉡에 공통으로 들어갈 알맞은 말은 무엇인지 이 글에서 찾아 쓰세요. (2글자)**

(   )

세부 내용

3 **엄마의 생각으로 알맞은 것은 무엇인가요? (   )**

① 성이 다르다는 건 피가 같다는 뜻이다.
② 할머니 생신이므로 할머니의 딸도 함께 일해야 한다.
③ 할머니는 집에서 제일 어른이므로 일하지 않아도 된다.
④ 아빠가 셋째 아들이기 때문에 엄마 혼자 일하는 것이 맞다.
⑤ 엄마가 아빠 집으로 시집왔으므로 태어난 아이들이 모두 엄마 성씨를 따르는 것이 당연하다.

적용

4 **이 글의 '나'와 비슷한 마음이 들었을 친구는 누구인지 기호를 쓰세요.**

㉮ 친구 생각이 나서 전화했는데 그 친구도 마침 내 생각을 했다고 말했다.
㉯ 친구와 내가 함께 지각했는데 선생님께서는 나에게만 교실 청소를 하라고 말씀하셨다.
㉰ 나를 가장 좋아하는 줄 알았던 우리 집 강아지가 오늘 처음 본 내 친구에게 꼬리를 흔들며 따라다녔다.

(   )

지문 분석

정답과 해설 08쪽

1 인물 성격

인물이 한 일을 생각하며 인물의 성격으로 알맞은 것에 ○표 하세요.

인물	한 일	인물의 성격
막내 고모	혼자 일하는 엄마를 도와주지 않으면서 음식 타박을 함.	• 다른 사람의 처지를 잘 이해하고 배려할 줄 앎. (　　) • 다른 사람의 처지를 잘 이해하지 못하고 배려하지 않음. (　　)
엄마	며느리가 혼자 일하는 것을 당연하게 생각함.	• 자신에게 맡겨진 역할에 불만을 표현하지 않고 묵묵히 함. (　　) • 자신에게 맡겨진 역할에 의문을 가지고 부당함을 해결하고자 함. (　　)

2 갈등

엄마와 '나'의 생각이 어떻게 다른지 보기 에서 알맞은 말을 찾아 쓰세요.

보기

당연　　부당

엄마	↔	'나'
아이가 아빠 성씨를 따르는 전통적 가치관이 (　　　　) 하다고 생각함.	↔	아이가 아빠의 성을 따르는 전통적 가치관이 (　　　　) 하다고 생각함.

배경지식 가족 간의 관계를 나타내는 말인 '촌수'에 대해 알아볼까요?

'촌수'는 가족 간의 사이가 어떻게 되는지 나타내는 말입니다. '친족 사이의 멀고 가까운 정도를 나타내는 거리.'를 뜻하지요. 나와 부모님 사이가 가장 기본이 되는 1촌, 나와 형제 사이는 2촌 관계예요. 그래서 아버지의 형제와 나는 그 두 촌수를 더한 3촌 관계가 되고, 아버지의 형제가 낳은 자식은 1촌을 더해서 4촌 관계가 되지요. 이렇게 가족 간의 관계를 나타내는 말을 살펴보니 왜 '삼촌'이라고 부르는지, '사촌 동생'이라는 말이 있는지 알겠지요? 촌수에 대해 잘 알아 두면 친척 어른들을 뵈었을 때 나와 어떤 사이인지 쉽게 파악할 수 있을 거예요.

오늘의 어휘

다음 낱말의 알맞은 뜻을 찾아 선으로 이으세요.

낱말	뜻
타박 •	• 일을 하는 손.
일손 •	• 아들의 아내를 부르는 말.
며느리 •	• 하나뿐인 외아들을 귀엽게 부르는 말.
볼멘소리 •	• 못마땅하거나 화가 나서 퉁명스럽게 하는 말투.
외동아들 •	• 남의 실수나 부족한 부분을 나무라거나 핀잔함.

1 다음 빈칸에 들어갈 알맞은 말을 오늘의 어휘에서 찾아 쓰세요.

- 엄마는 할머니의 첫 번째 [　　　　]이다.
- 아빠의 꾸중을 들은 동생은 [　　　　]로 대답했다.
- 영재는 [　　　　]이라 가족의 사랑을 많이 받았다.
- 잘 익은 사과를 수확하려면 [　　　　]이 많이 필요하다.
- 삼촌은 할머니의 [　　　　]을 받고 마지못해 일을 시작했다.

2 다음 글에서 밑줄 친 말과 뜻이 비슷한 말을 찾아 쓰세요.

축구 경기의 전반전이 끝나자마자 창우는 골을 넣을 기회를 놓친 하늘이에게 타박을 했다. 그런데 후반전이 끝나기 1분 전, 열심히 뛰던 하늘이가 골을 넣었고, 창우네 반은 축구 경기에서 이겼다. 창우는 하늘이에게 골을 못 넣었다고 핀잔을 놓은 일을 사과하고, 다음 경기에서도 최선을 다하기로 했다.

(　　　　　　　　)

고은별 이고은별 ❸ | 김희숙

글의 구조

발단 — 전개 — 절정 — 결말

글자 수

757

200 400 600 800 1000

"그 후로 다른 사람들에게 나를 소개할 땐 고은별, 이고은별 둘 다 말하기로 마음먹었어요."

이야기를 다 들은 선생님은 **한참** 동안 나를 바라보았어요.

"네 말에 좀 놀랐다, 얘. 나는 신문에서 보기 전까지는 그런 생각을 한 번도 못 해 봤거든. 너 참 대단한 아이구나." 5

선생님은 엄지손가락까지 **치켜세우며** 칭찬을 했어요. 나는 그런 것쯤은 아무것도 아닌 척하려고 했지요. 그런데 그만 입이 헤, 벌어지고 말았어요.

"요즘은 아빠 엄마의 성씨를 둘 다 쓰는 사람들이 있긴 해. 하지만 아주 적은 수지."

나는 선생님 말에 눈을 크게 떴어요. 그러자 선생님은 내 어깨를 **토닥이며** 말을 이었어요. 10

"은별아, 우리 집도 엄마 혼자만 성이 다른데 지금부터 선생님도 너처럼 엄마 성을 따라 이름을 바꾸어 볼까?" 〈중략〉

하늘에 별이 저렇게 많이 있었다니. **난생처음** 밤 하늘의 별을 발견한 사람처럼 하늘만 정신없이 올려다보았어요. 15

그때였지요. 갑자기 선생님의 목소리가 들렸어요.

"이고은별, 우리 눈으로 볼 수 있는 별들이 몇 개나 될 것 같아?"

내가 대답을 하기 위해 막 입을 열려던 순간이었어요. 그런데 태영이의 목소리가 내 대답보다 먼저 나왔어요.

"재는 고은별이라니까요." 20

남의 말을 **새치기**하는 태영이가 마음에 들지 않았어요. 하지만 선생님이 답답하다는 듯 말하는 태영이의 모습이 우습기도 하고, 선생님의 **반응**이 궁금하기도 해 가만히 선생님을 지켜 보았어요. 그랬더니 선생님은 개구쟁이처럼 나에게 눈을 찡긋거리더니 말하는 것이었어요.

"나도 알아. 하지만 선생님은 이고은별이라는 이름이 더 마음에 드는데?" 25

"에이, 아무리 그래도 어떻게 남의 성을 바꿔요?"

"고은별이는 다른 사람과는 달리 이고은별도 된대. 선생님은 앞으로도 계속 이고은별이라고 부를 거야." / "에이, 엉터리."

태영이가 **새침하게** 입을 삐죽이며 중얼거렸어요. 그 **바람에** 우리들은 와르르 웃음을 터트렸지요. 하늘의 별들이 더욱더 정답게 느껴지는 밤이었어요. 30

- **한참** 시간이 상당히 지나는 동안.
- **치켜세우며** 일정 정도 이상으로 크게 칭찬하며.
- **토닥이며** 조금 힘있게 잇따라 두드리며.
- **난생처음** 세상에 태어나서 처음.
- **새치기** 순서를 어기고 남의 자리에 슬며시 끼어드는 행동.
- **반응** 자극을 받아서 어떤 움직임이 생기는 것.
- **새침하게** 시치미를 떼듯 좀 쌀쌀맞거나 냉정한 데가 있는.
- **바람에** 어떤 일이 일어난 탓에.

중심 내용

1 **이 글의 제목에 담긴 뜻은 무엇인가요? (　　　)**

① '고은별'보다 '이고은별'이 더 기억하기 쉽다.
② 어른들은 어린이들의 마음을 잘 이해해야 한다.
③ 아빠보다 엄마의 성을 따라야 하는 시대가 왔다.
④ 아빠의 성씨를 따르는 것은 우리 고유의 전통문화이다.
⑤ 전통적인 가치관에서 벗어나 평등한 가족 문화로 변화하고 있다.

어휘

2 **선생님과 은별이 사이와 가장 관련 있는 고사성어로 알맞은 것에 ○표 하세요.**

(1) 살신성인: 자기를 희생하여 착한 일을 함. (　　　)
(2) 이심전심: 마음과 마음으로 서로 뜻이 통함. (　　　)
(3) 일거양득: 한 가지 일을 하여 두 가지 이익을 얻음. (　　　)

세부 내용

3 **이 글의 내용으로 알맞은 것은 무엇인가요? (　　　)**

① '나'는 이름이 비슷한 쌍둥이 언니가 있다.
② 선생님의 엄마는 다른 가족들과 성이 같다.
③ '나'처럼 이름에 성을 두 개 붙이는 사람들이 많다.
④ 선생님이 '나'에게 눈을 찡긋거린 것은 태영이를 속이자는 뜻이다.
⑤ 선생님은 '내'가 아빠 엄마의 성씨를 둘 다 쓰겠다고 한 것을 듣고 대단한 아이라고 말씀하셨다.

감상

4 **선생님에 대해 자신의 생각을 알맞게 말한 친구는 누구인지 ○표 하세요.**

(1) 선우: 선생님은 학생들의 고민을 잘 들어주고, 마음을 이해해 주는 분이야. (　　　)
(2) 하리: 선생님은 학생들에게 자신의 생각을 솔직하게 말하지 않는 분이야. (　　　)
(3) 예준: 선생님은 학생들이 심한 장난을 치지 않도록 항상 조심하는 분이야. (　　　)

지문 분석

정답과 해설 09쪽

1 마음 변화 **'나'와 대화를 나누기 전과 후의 선생님의 마음 변화로 알맞은 것에 ○표 하세요.**

'나'의 이야기를 듣기 전		'나'의 이야기를 들은 후
'내'가 '고은별'이 아닌 '이고은별'이라고 불러 달라는 말을 듣고 (불쾌해함, 당황함).	→	'내'가 이름에 아빠 엄마의 성을 다 쓰게 된 까닭을 듣고, '나'의 생각에 (공감함, 반대함).

2 주제 **'내'가 가족에게 의견을 전하는 편지를 쓴다면 어떤 내용일지 생각하여 빈칸에 들어갈 알맞은 말을 보기에서 찾아 쓰세요.**

보기

아들 며느리 남편 가족

할머니 생신날 엄마가 할머니의 딸이 아니고 (　　　　　　)(이)라서 혼자 일하시는 것은 옳지 않아요. 할머니 생신은 가족 모두가 함께 축하하는 날이에요. 그러니까 앞으로는 모든 (　　　　　　)이/가 함께 음식을 준비하면 좋겠어요.

배경지식 「고은별 이고은별」 전체 줄거리

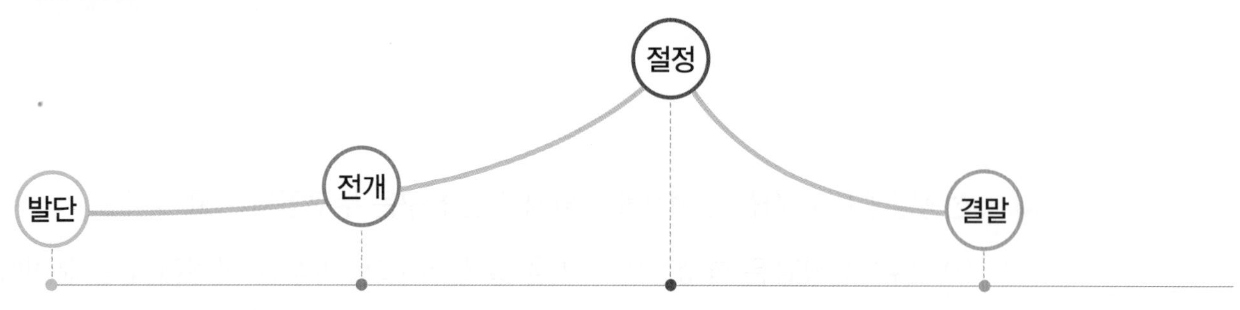

발단	전개	절정	결말
'나'는 원래 이름은 고은별이지만, 엄마 성을 더 붙인 이고은별로 불리고 싶다고 선생님께 이야기함.	'나'는 할머니 생신날 아픈 엄마는 혼자 일하는데 도와주지 않고 놀고만 있는 고모들이 미움.	'나'는 자신이 며느리라서 혼자 일하는 것이 당연하다고 생각하는 엄마를 이해할 수 없음.	'나'의 이야기를 들은 선생님은 '나'를 칭찬해 주시고, 앞으로 이고은별이라고 부르겠다고 함.

오늘의 어휘

다음 낱말의 알맞은 뜻을 찾아 선으로 이으세요.

낱말	뜻
반응 •	• 세상에 태어나서 처음.
새치기 •	• 어떤 일이 일어난 탓에.
바람에 •	• 조금 힘있게 잇따라 두드리며.
토닥이며 •	• 자극을 받아서 어떤 움직임이 생기는 것.
난생처음 •	• 순서를 어기고 남의 자리에 슬며시 끼어드는 행동.

1 다음 빈칸에 들어갈 알맞은 말을 오늘의 어휘에서 찾아 쓰세요.

- 늦잠을 자는 (　　　　) 지각하고 말았다.
- (　　　　) 친구들과 여행을 가게 되었다.
- 친구가 나의 어깨를 (　　　　) 위로해 주었다.
- 그 애가 내 편지를 보고 어떤 (　　　　)을 보일지 궁금해.
- 한 아이가 급식실에서 (　　　　)를 했다가 친구들의 눈총을 받았다.

2 다음 글에서 밑줄 친 말과 뜻이 비슷한 말을 찾아 쓰세요.

기업은 새로운 상품을 내놓기 전에 사람들의 반응을 살피기 위해 설문 조사를 한다. 그 제품을 미리 체험하게 한 뒤 상품에 대한 <u>응답</u>을 받고, 상품에서 고쳐야 할 점이나 만족도가 높은 점 등을 알아보기 위해서이다.

(　　　　　　　　)

강아지똥 ① | 권정생

글의 구조

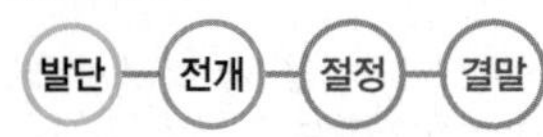

글자 수

"뭣 땜에 웃니, 넌?"

강아지똥이 **골난** 목소리로 **대듭니다**.

"똥을 똥이라 않고, 그럼 뭐라고 부르니?"

흙덩이는 능글맞게 히죽 웃으며 되묻습니다.

강아지똥은 할 말이 없어졌습니다. 목 안에 가득 치미는 **분통**을 억지로 참습니다. 그러다가,

"똥이면 어떠니? 어떠니!"

발악이라도 하듯 소리 지릅니다. 눈물이 글썽해집니다. 〈중략〉

"내가 잘못했어. 정말 도둑놈만큼 나빴어."

흙덩이는 **정색**을 하고 용서를 빕니다.

강아지똥은 그래도 입을 꼭 다물고 ㉠<u>눈도 깜짝 않습니다.</u>

"내가 괜히 그래 봤지 뭐야. 정말은 나도 너처럼 못생기고 더럽고, 버림받은 몸이란다. 오히려 마음속은 너보다 더 흉측할지도 몰라."

흙덩이는 한숨을 쉬었습니다. 그러고는 이어, 제 **신세타령**을 들려주었습니다.

"내가 본래 살던 곳은 저쪽 산 밑 따뜻한 **양지**였어. 거기서 난 아기 감자를 기르기도 하고, 기장과 조도 가꿨어. 여름에는 자줏빛과 하얀 감자꽃을 곱게 피우며 정말 즐거웠어. 하느님께서 내게 시키신 일을 그렇게 부지런히 했단다."

강아지똥은 이야기에 끌려 어느 틈에 귀를 쫑긋 기울이고 있습니다.

"그러던 것을 어제, 밭 **임자**가 소달구지를 끌고 와서 흙을 파 실었어. 집 짓는 데 쓴다지 않니. 나는 무척 기뻤어. 밭에서 곡식을 키우는 것도 좋지만, 집을 짓는 것도 얼마나 보람 있는 일이니."

〈중략〉

"그런데 여기까지 오다가 나 혼자 달구지에서 떨어져 버렸단다."

- **골난** 마음에 거슬리거나 언짢아 화가 난.
- **대듭니다** 윗사람의 말이나 생각을 따르지 않고 맞섭니다.
- **분통** 몹시 분하고 억울해서 마음이 쓰리고 아픔.
- **발악** 온갖 짓을 다 하며 마구 악을 씀.
- **정색** 얼굴에 엄격하고 바른 빛이 드러남.
- **신세타령** 어려운 처지나 형편을 넋두리하듯 늘어놓는 일.
- **양지** (陽 볕 양, 地 땅 지) 볕이 잘 드는 곳.
- **임자** 어떤 것을 가진 사람.

갈래

1 이 글에 나오는 인물은 누구누구인지 쓰세요.

( ), ( )

어휘

2 ㉠의 뜻으로 알맞은 것에 ○표 하세요.

(1) 조금도 신경 쓰지 않고 태연하다. ( )

(2) 하는 짓이 거슬려 보기에 좋지 않다. ( )

(3) 어리둥절하여 눈을 어디에 두어야 할지 모르다. ( )

세부 내용

3 흙덩이에 대한 설명으로 알맞지 않은 것은 무엇인가요? ( )

① 자신이 잘못한 일을 사과할 줄 안다.

② 산 밑 따뜻하고 볕이 잘 드는 땅에 있었다.

③ 감자, 기장, 조를 가꾸는 데 쓰이던 흙이다.

④ 자신을 못생기고 더럽고 버림받은 몸이라고 생각한다.

⑤ 집 짓는 데 쓰인다는 말에 실망해서 소달구지에서 뛰어내렸다.

감상

4 이 글의 인물들에 대해 알맞게 말한 것을 두 가지 고르세요. (,)

① 흙덩이는 자기의 삶에 만족하지 못하던 인물이야.

② 강아지똥은 아직 어려서 거짓말을 쉽게 믿고 속았어.

③ 강아지똥은 자신이 똥이라는 것을 자랑스러워하고 있어.

④ 강아지똥은 흙덩이의 이야기에 이끌려서 화가 난 것도 잊어버렸어.

⑤ 흙덩이는 자신의 이야기를 처음 만난 강아지똥에게 털어놓을 만큼 속상했던 것 같아.

지문 분석

정답과 해설 10쪽

1 사건 전개 일이 일어난 순서대로 보기에서 기호를 찾아 써넣어 글의 내용을 정리하세요.

보기
㉮ 흙덩이가 강아지똥을 놀림.
㉯ 강아지똥이 흙덩이에게 화를 냄.
㉰ 흙덩이가 강아지똥에게 자기 신세타령을 함.
㉱ 흙덩이가 정색을 하고 강아지똥에게 용서를 빎.

(　　　) → (　　　) → (　　　) → (　　　)

2 마음 변화 상황에 따른 강아지똥의 마음 변화를 생각하며 알맞은 것에 ○표 하세요.

상황		강아지똥의 마음
흙덩이가 놀리는 말에 "똥이면 어떠니? 어떠니!" 하고 소리를 지름.	→	• 화가 남. (　　) • 안쓰러움. (　　)
흙덩이의 이야기에 끌려 귀를 쫑긋 기울이며 들음.		• 미안함. (　　) • 재미있음. (　　)

배경지식 작고 보잘것없는 것들에게도 따뜻한 시선을 보낸 권정생 작가

권정생 작가는 1937년 일본 도쿄에서 태어났습니다. 1946년 한국으로 건너와 가난 때문에 식구들과 헤어져 살았고, 어린 시절부터 고구마 장수, 가게 점원 등의 일을 하며 힘겹게 살았지요. 이런 권정생 작가의 삶은 동화 속에 잘 녹여져 있답니다. 우리가 아는 동화의 주인공은 대부분 왕자나 공주 또는 천사 같은 아이들이었어요. 하지만 권정생 작가의 작품 속 주인공은 '바보', '거지', '벙어리', '똥', '지렁이'처럼 작고 보잘것없다고 여겨지는 존재들이에요. 이런 존재들에게도 관심과 애정을 갖고 따뜻한 시선으로 바라보는 모습에서 이 세상에 존재하는 모든 것을 소중하게 여기는 권정생 작가의 마음을 느낄 수 있답니다.

오늘의 어휘

다음 낱말의 알맞은 뜻을 찾아 선으로 이으세요.

낱말	뜻
정색 •	• 볕이 잘 드는 곳.
분통 •	• 태도가 엉큼하고 뻔뻔하게.
양지 •	• 얼굴에 엄격하고 바른 빛이 드러남.
능글맞게 •	• 몹시 분하고 억울해서 마음이 쓰리고 아픔.
신세타령 •	• 어려운 처지나 형편을 넋두리하듯 늘어놓는 일.

1 다음 빈칸에 들어갈 알맞은 낱말을 오늘의 어휘에서 찾아 쓰세요.

- 사건을 해결하지 못해 (　　　　)이 터진다.
- 산비탈 (　　　　)에는 벌써 눈이 다 녹았다.
- 아저씨는 나에게 자신의 (　　　　)을 하셨다.
- 동생은 사과도 안 하고 (　　　　) 웃기만 한다.
- 장난을 쳤더니 누나가 (　　　　)을 하고 화를 냈다.

2 다음 글에서 밑줄 친 말과 뜻이 반대인 말을 찾아 쓰세요.

식물은 뿌리를 통해 물과 영양분을 흡수하고, 잎에서 햇빛을 받아 영양분과 산소를 만든다. 식물은 자랄 때 햇빛의 양이 중요한데, 양지 식물은 햇빛이 비추는 곳에서 잘 자라는 식물로, 대부분의 일년생 식물과 농작물 등이 이에 속한다. <u>음지</u> 식물은 그늘진 곳에서도 잘 자라는 식물로, 메밀, 잣나무, 밤나무, 너도밤나무, 전나무의 어린나무가 이에 속한다.

(　　　　　　　　)

강아지똥 ❷ | 권정생

글의 구조

글자 수

언제 달구지 바퀴에 치여 죽어 버릴지 모르는 **운명**인 것입니다. 흙덩이의 눈에 **핑** 눈물이 젖어 듭니다.

그때, 과연 저쪽에서 **요란한** 소달구지 소리가 들려왔습니다. 〈중략〉

"강아지똥아, 난 그만 죽는다. **부디** 너는 나쁜 짓 하지 말고 착하게 살아라."

"나 같은 더러운 게 어떻게 착하게 살 수 있니?"

"아니야, 하느님은 쓸데없는 물건은 하나도 만들지 않으셨어. 너도 꼭 무엇엔가 귀하게 쓰일 거야."

소달구지가 가까이 다가왔습니다. 흙덩이는 눈을 꼭 감았습니다. 강아지똥은 그만 자기도 **한목**에 치여 죽고 싶어졌습니다.

으르릉 쾅!

그런데 갑자기 굴러오던 소달구지가 뚝 멈추었습니다.

"이건 우리 밭 흙이 아냐? 어제 이리로 가다가 떨어뜨린 게로군."

소달구지를 몰고 오던 아저씨가 한 말입니다. 그러고는 흙덩이를 조심스레 주워 듭니다.

"우리 밭에 도로 갖다 놔야겠어. 아주 좋은 흙이거든."

〈중략〉

강아지똥은 그만 하느님이 원망스러워집니다. **하필이면** 더럽고 쓸데없는 찌꺼기 똥까지 만들 필요는 없지 않나해서입니다.

봄날의 하루 해가 무척 지루합니다.

느리게 그 하루가 지나갔습니다.

밤이 되자, 하늘에는 수많은 별들이 나왔습니다. 반짝반짝 고운 불빛은 언제나 꺼지지 않습니다. 바람이 불고 비가 내려도 다음 날이면 역시 **드높은** 하늘에서 아름답게 반짝이고 있습니다.

강아지똥은 **눈부시게** 쳐다보다가 어느 틈에 그 별들을 그리워하게 되었습니다.

㉠'영원히 꺼지지 않는 아름다운 불빛.'

이것만 가질 수 있다면 더러운 똥이라도 조금도 슬프지 않을 것 같았습니다.

- **운명** 세상의 모든 것을 결정한다고 믿는 강한 기운.
- **핑** 갑자기 정신이 아찔해지는 모양.
- **요란한** 시끄럽고 떠들썩한.
- **부디** 바라건대 꼭.
- **한목** 한꺼번에 모두.
- **하필이면** 다르게 하거나 다르게 되지 않고 어째서 꼭.
- **드높은** 아주 높은.
- **눈부시게** 빛이 아주 화려하게.

중심 내용

1 **이 글에서 가장 중요한 일은 무엇인가요? (　　　　)**

① 흙덩이가 소달구지 바퀴에 치여 죽었다.
② 강아지똥이 흙덩이 대신 소달구지에 실려 갔다.
③ 강아지똥이 흙덩이와 함께 소달구지에 실려 갔다.
④ 굴러오던 소달구지가 강아지똥을 발견하고 갑자기 멈추었다.
⑤ 소달구지를 몰고 오던 아저씨가 흙덩이를 주워 가서 강아지똥이 혼자 남게 되었다.

세부 내용

2 **소달구지가 가까이 다가오자 흙덩이가 한 일은 무엇인가요? (　　　　)**

① 눈을 꼭 감고 소달구지에 치일 각오를 했다.
② 소달구지에 치이지 않게 강아지똥을 밀어냈다.
③ 소달구지를 몰고 오던 아저씨에게 아는 척을 했다.
④ 소달구지에 다시 실려 가게 될 생각에 기뻐서 눈물을 흘렸다.
⑤ 강아지똥에게 착하게 살아가는 방법을 구체적으로 설명했다.

표현

3 **㉠은 무엇을 빗대어 표현한 것인지 찾아 쓰세요. (1글자)**

(　　　　　　　　)

추론

4 **소달구지에 실려간 흙덩이가 강아지똥에게 해 주고 싶은 말을 알맞게 짐작한 것의 기호를 쓰세요.**

㉮ 우리처럼 아무짝에도 쓸모없는 물건들은 사라지는 게 나아.
㉯ 나를 좋은 흙이라고 생각하고 데려간 것처럼 너도 언젠가, 누군가에게는 소중한 존재가 되는 날이 올 거야.
㉰ 너도 노력하면 나처럼 좋은 흙이 되어서 소달구지에 실려 가게 될 날이 올 테니 희망을 버리지 말고 기다리렴.

(　　　　　　　　)

지문 분석

정답과 해설 11쪽

1 마음 변화 **상황에 따른 강아지똥의 마음 변화를 생각하며 알맞은 것을 찾아 선으로 이으세요.**

강아지똥의 상황
흙덩이가 떠나고 혼자 남겨짐.
별을 가지고 싶다는 생각을 함.

강아지똥의 마음
미래에 대한 작은 소망이 생김.
하느님을 원망하는 마음이 듦.

2 인물 특징 **인물이 한 말에서 알 수 있는 생각은 무엇인지 빈칸에 들어갈 알맞은 말을 보기 에서 찾아 쓰세요.**

보기

소중　행복　영원

흙덩이: 하느님은 쓸데없는 물건은 하나도 만들지 않으셨어. 너도 꼭 무엇엔가 귀하게 쓰일 거야.

↓

흙덩이의 생각
이 세상에 존재하는 모든 것은 (　　　　　　)하다.

배경지식 옛날 사람들이 사용한 운반 수단, '소달구지'

농촌에서 경운기나 트랙터와 같은 기계를 본 적이 있나요? 경운기와 트랙터는 농촌 지역에서 수확한 곡식이나 농기구를 옮길 때 사용하는 운송 수단이에요. 그런데 지금과 같은 운송 수단이 없었던 옛날에는 사람들은 무거운 짐을 어떻게 옮겼을까요? 바로 우리에게 친숙한 소의 도움을 받았답니다. 소는 힘이 세고 순해서 옛부터 사람들이 길들인 가축이었어요. 그래서 소에 짐수레인 달구지를 걸고, 그 위에 곡식 등의 짐을 실어 소가 끌고 갈 수 있도록 했답니다. 달구지로 한 번에 500～1000킬로그램의 짐을 나를 수 있었다니 소달구지로 꽤 많은 짐을 실어 나를 수 있었겠지요?

오늘의 어휘

다음 낱말의 알맞은 뜻을 찾아 선으로 이으세요.

낱말	뜻
운명 •	• 바라건대 꼭.
부디 •	• 한꺼번에 모두.
한목 •	• 빛이 아주 화려하게.
원망 •	• 세상의 모든 것을 결정한다고 믿는 강한 기운.
눈부시게 •	• 못마땅하게 여겨 탓하거나 불평을 품고 미워함.

1 다음 빈칸에 들어갈 알맞은 낱말을 오늘의 어휘에서 찾아 쓰세요.

- ( ) 네 소원이 이루어지기를 바랄게.
- 남을 ( )하고 미워하는 마음을 버리자.
- 맑은 하늘에서 햇살이 ( ) 비치고 있었다.
- 너의 ( )은 네가 어떻게 하는지에 달려 있어.
- 농부는 겨울에 쓸 땔감을 미리 ( )에 준비해 놓았다.

2 다음 글에서 밑줄 친 말과 뜻이 비슷한 말을 찾아 쓰세요.

'잘되면 제 <u>탓</u> 못되면 조상 <u>탓</u>'이라는 속담이 있다. 일이 잘되면 자신이 잘해서 잘되었다고 하고, 잘 안되면 남 때문에 그렇게 되었다고 원망한다는 말로, 일이 잘못되면 그 탓을 남에게 돌리는 태도를 말한다.

( )

강아지똥 ❸ | 권정생

글의 구조

글자 수

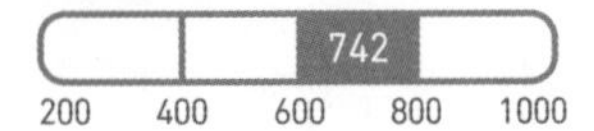

봄을 **치장**하는 **단비**가 **촉촉이** 골목길을 적셨습니다. 강아지똥 앞에 파란 민들레 싹이 하나 내밀었습니다.

"너는 뭐니?" / 강아지똥이 내려다보고 물었습니다.

"난 예쁜 꽃이 피는 민들레란다."

"예쁜 꽃이라니! 하늘의 별만큼 고우니?" / "그럼!" 5

"반짝반짝 빛이 나니?" / "응, 샛노랗게 빛나."

강아지똥은 가슴이 **울렁거렸습니다**. 어쩌면 며칠 전에 제 가슴속에 심은 별의 씨앗이 싹 터 나온 것이 아닌가 싶었기 때문입니다.

"네가 어떻게 그런 꽃을 피울 수 있니?"

물어 놓고 얼른 대답을 기다렸습니다. 10

"그건 하느님께서 비를 내리시고 따뜻한 햇빛을 비추시기 때문이야."

민들레는 **예사로** 그렇게 대답하였습니다.

'역시 그럴 거야. 나하고야 무슨 상관이 있을라고…….'

금방 강아지똥의 얼굴이 또 슬프게 **일그러졌습니다**.

그러자 민들레 싹이, / "그리고 또 한 가지 꼭 필요한 게 있어." 15

하고는 강아지똥을 쳐다보며 눈을 반짝였습니다.

"……."

"네가 거름이 되어 줘야 한단다."

강아지똥은 **화들짝** 놀랐습니다.

"내가 거름이 되다니?" 20

"너의 몸뚱이를 **고스란히** 녹여 내 몸속으로 들어와야 해. 그래서 예쁜 꽃을 피게 하는 것은 바로 네가 하는 거야."

〈중략〉

㉠"내가 거름이 되어 별처럼 고운 꽃이 피어난다면, 온몸을 녹여 네 살이 될게." 25

비는 사흘 동안 계속 내렸습니다.

강아지똥은 온몸이 비에 맞아 자디잘게 부서졌습니다.

봄이 **한창**인 어느 날, 민들레는 한 송이 아름다운 꽃을 피웠습니다. 샛노랗게 햇빛을 받고 별처럼 반짝였습니다. 향긋한 **내음**이 바람을 타고 퍼져 나갔습니다. 30

- **치장** 잘 만져서 보기 좋게 꾸밈.
- **단비** 꼭 필요한 때 알맞게 내리는 비.
- **촉촉이** 물기가 있어 조금 젖은 듯이.
- **울렁거렸습니다** 너무 놀라거나 두려워서 가슴이 자꾸 두근거렸습니다.
- **예사로** 보통 일처럼 아무렇지도 아니하게.
- **일그러졌습니다** 물건이나 얼굴이 비뚤어지거나 우글쭈글해졌습니다.
- **화들짝** 갑자기 펄쩍 뛸 듯이 놀라는 모양.
- **고스란히** 조금도 줄거나 바뀐 것 없이 그대로.
- **한창** 가장 무르익거나 활발한 때.
- **내음** 코로 맡을 수 있는 나쁘지 않거나 향기로운 기운.

갈래

1 일이 일어난 때와 곳은 언제, 어디인지 ○표 하세요.

강아지똥이 파란 민들레 싹을 만난 때는 (봄, 여름)이고, 둘이 만난 곳은 (꽃밭, 골목길)이다.

세부 내용

2 민들레 싹이 예쁜 꽃으로 피어나기 위해서 필요하다고 말한 것을 모두 고르세요.

(, ,)

① 비　② 바람　③ 별빛
④ 거름　⑤ 햇빛

어휘

3 ㉠과 가장 관련 있는 고사성어로 알맞은 것의 기호를 쓰세요.

㉮ **설상가상**: 좋지 않은 일이 연거푸 일어남.
㉯ **살신성인**: 자기의 몸을 희생하여 옳은 일을 함.
㉰ **관포지교**: 매우 다정하고 거짓이 없는 친구 사이.

( )

적용

4 이 글의 강아지똥과 비슷한 경험을 한 친구는 누구인지 쓰세요.

도윤: 학교에서 열린 그림 그리기 대회에서 상을 받아 기뻤어.
은혜: 편찮으신 엄마를 위해 힘들지만 열심히 청소를 했더니 뿌듯했어.
예진: 친구와 싸우고 난 뒤에 용기를 내어 먼저 사과를 해서 마음이 후련했어.

( )

지문 분석

정답과 해설 12쪽

1 사건 전개 **일어난 일의 순서를 생각하며 빈칸에 알맞은 말을 쓰세요.**

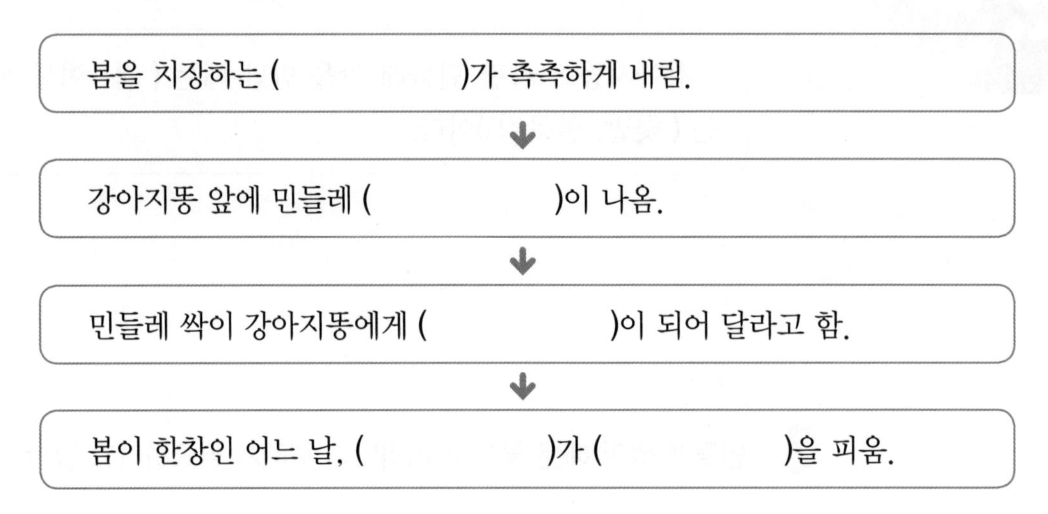

봄을 치장하는 (   )가 촉촉하게 내림.

↓

강아지똥 앞에 민들레 (   )이 나옴.

↓

민들레 싹이 강아지똥에게 (   )이 되어 달라고 함.

↓

봄이 한창인 어느 날, (   )가 (   )을 피움.

2 주제 **이 글의 주제를 생각하며 (   ) 안에 들어갈 알맞은 말에 ○표 하세요.**

쓸모없는 존재라며 슬퍼하던 강아지똥이 민들레꽃을 피우기 위해 기쁜 마음으로 자신을 희생하는 모습에서 세상의 모든 존재는 소중하며 (가치, 의도)가 있다는 것을 알려 준다.

배경지식 「강아지똥」 전체 줄거리

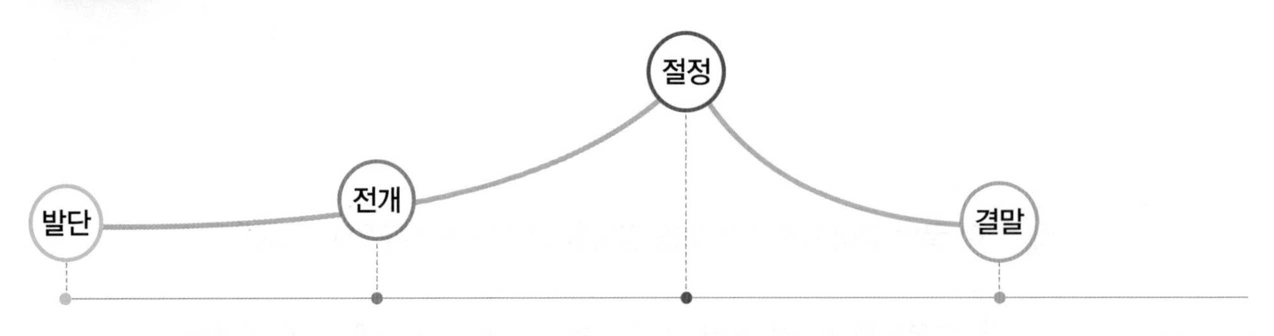

- **발단**: 돌담 밑에 혼자 남겨진 강아지똥은 참새, 병아리에게 무시당하고 흙덩이에게도 강아지똥이라며 놀림을 받아 화를 냄.
- **전개**: 흙덩이는 강아지똥에게 자신도 버려진 신세라고 슬퍼했지만, 주인 아저씨가 흙덩이를 다시 데려가고 강아지똥은 혼자 남음.
- **절정**: 암탉 가족을 만난 후 봄비가 내린 날, 강아지똥은 민들레 싹을 만나서 꽃을 피울 수 있게 거름이 되어 달라는 부탁을 받음.
- **결말**: 강아지똥은 자신을 희생하여 민들레 싹이 꽃을 피울 수 있도록 거름이 되어 주었고, 그 자리에 예쁜 민들레 꽃이 피어남.

오늘의 어휘

다음 낱말의 알맞은 뜻을 찾아 선으로 이으세요.

낱말	뜻
치장	• 아무렇지도 아니하게.
단비	• 가장 무르익거나 활발한 때.
거름	• 잘 만져서 보기 좋게 꾸밈.
한창	• 꼭 필요한 때 알맞게 내리는 비.
예사로	• 풀이나 나무가 잘 자라도록 흙에 뿌리거나 섞는 것.

1 다음 빈칸에 들어갈 알맞은 낱말을 오늘의 어휘 에서 찾아 쓰세요.

- 그 아이는 동생을 [   ] 울린다.
- 요즘 앞산에는 진달래가 [   ]이다.
- 식물이 잘 자라도록 밭에 [   ]을 뿌려 주었다.
- 가뭄 끝에 [   ]가 내려 농부들은 신바람이 났다.
- 까마귀는 자신의 몸을 [   ]하기 위해 다른 새들을 찾아갔다.

2 다음 글에서 밑줄 친 말과 뜻이 비슷한 말을 찾아 쓰세요.

할아버지의 일흔 번째 생신날 가족사진을 찍기로 했다. 모두 깔끔한 옷으로 맞춰 입고, 즐겁게 사진관에 갔다. 미용실에서 머리를 <u>단장</u>하고 오신 할머니는 정말 고우셨다. 그 모습을 보신 할아버지께서는 젊었을 때, 곱게 치장을 하고 수줍게 웃으며 할아버지를 만나러 오시던 할머니 얼굴이 아직도 눈에 선하다고 말씀하셨다.

(   )

송아지가 뚫어 준 울타리 구멍 ❶ | 손춘익

글의 구조

글자 수

엄지네 초가집과 구만네 초가집은 **솔가지**로 엮어 놓은 **울타리** 하나를 사이에 둔 **이웃사촌**입니다. 멀리서 바라보면 꼭 어깨동무를 하고 있는 쌍둥이 형제 같습니다. 〈중략〉

어느 날, 엄지네 엄마 소가 송아지를 낳았습니다. 꼭 큰 노루만 한 송아지였습니다. 매끈매끈하고 보드라운 금빛털이 여간 예쁘지 않았습니다.

엄지는 정말 너무너무 기뻐서 어쩔 줄을 몰랐습니다. 마치 제가 송아지라도 된 듯이 깡충거리며 울타리 구멍으로 고개를 쏘옥 내밀고 구만이를 불렀습니다.

"구만아! 구만아! 우리 소, 송아지 낳았다! 송아지 낳았어!"

"뭐? 정말?"

구만이가 방 안에서 맨발로 오며 소리쳤습니다.

"정말이야. 빨리 와 봐. 빨리! 예쁘다, 내 말이 맞았지?"

하고 엄지가 마구 뽐내자, 구만이는 그만 시무룩해지고 말았습니다.

엄지네 엄마 소도 배불뚝이, 구만네 엄마 소도 배불뚝이였는데, 마침내 엄지네 엄마 소가 이긴 것입니다. 〈중략〉

정말 지금까지 구만이는 언제나 엄마 소 편이었습니다. **쇠파리**를 쫓아 주고 시원스레 콧잔등을 긁어 주고 하는 것도 구만이었습니다. **쇠죽**을 끓일 때마다 아버지 몰래 그 비싼 콩을 한 움큼씩이나 더 넣어 주곤 한 것도 구만이였습니다.

그런데 오늘은 자꾸 화만 내고 있는 것입니다.

"바보야, 왜 빨리 송아지를 못 낳는 거야? 응? 인마, **꼴**도 젤 좋은 것만 골라서 베어 줬지? 콩도 이만큼씩 더 넣어 줬지 않았어? 날 봐! 난 엄지보다 달음박질도 훨씬 빠르고 공부도 더 잘한단 말이야. 근데 넌 왜 엄지네 엄마 소한테 지냐 말이다, 응?"

- **솔가지** 꺾어서 말린 소나무의 가지.
- **울타리** 풀이나 나무 등을 엮어서 담 대신에 경계를 지어 막는 물건.
- **이웃사촌** 서로 이웃에 살면서 정이 들어 사촌 형제와 다를 것 없이 가까운 이웃.
- **쇠파리** 소나 말의 살갗에 붙어 피를 빨아 먹고 사는 파리.
- **쇠죽** 소한테 먹이려고 짚, 콩깍지, 겨 같은 것으로 끓이는 죽.
- **꼴** 말, 소 같이 집에서 기르는 짐승에게 먹이는 풀.

중심 내용

1 **이 글에서 가장 중요한 일로 알맞은 것에 ○표 하세요.**

(1) 엄지네와 구만네는 이웃사촌이다. ( )
(2) 엄지네 엄마 소가 먼저 송아지를 낳았다. ( )
(3) 구만이가 엄마 소를 정성껏 돌봐 주었다. ( )
(4) 엄지네 소도 배불뚝이, 구만네 소도 배불뚝이였다. ( )

표현

2 **엄지네와 구만네의 초가집의 모습을 빗대어 표현한 말을 찾아 쓰세요.**

( )를 하고 있는 쌍둥이 형제

세부 내용

3 **구만이가 엄마 소를 위해 한 행동이 아닌 것은 무엇인가요? ( )**

① 시원스레 콧잔등을 긁어 주었다.
② 제일 좋은 꼴만 골라서 베어 주었다.
③ 엄마 소에 붙은 쇠파리를 쫓아 주었다.
④ 엄지네 소를 만날 수 있게 울타리 구멍을 내주었다.
⑤ 아버지 몰래 쇠죽에 비싼 콩을 한 움큼씩 더 넣어 주었다.

적용

4 **이 글의 구만이와 비슷한 경험을 한 친구는 누구인가요? ( )**

① 시장에 가신 엄마를 기다리는 진주
② 오래 키운 강아지가 아파서 눈물을 흘리는 수혁
③ 친구가 상을 받은 것을 자신의 일처럼 기뻐하는 지나
④ 엄마에게 갑자기 내일 놀이공원에 간다는 말을 들은 준우
⑤ 피아노를 같이 배운 동생이 자신보다 잘 치는 모습을 본 혜지

지문 분석

정답과 해설 13쪽

1 구성 요소

글의 내용을 생각하며 빈칸에 알맞은 말을 쓰세요.

등장인물	( ), 구만
인물들 간의 관계	( ) 하나를 사이에 둔 이웃사촌
공간적 배경	엄지네 초가집과 ( ) 초가집

2 인물 특징

엄지와 구만이의 관계를 생각하며 (   ) 안에 들어갈 알맞은 말에 ○표 하세요.

사건		엄지와 구만이의 관계
• 엄지는 자기네 엄마 소가 먼저 송아지를 낳은 것을 마구 뽐냄. • 구만이는 자기네 엄마 소에게 왜 엄지네 엄마 소한테 지냐고 화를 냄.	➔	울타리에 구멍을 낼 만큼 서로 친하지만, 상대방에게 지기 싫어하는 (경쟁심, 자립심)도 가지고 있음.

배경지식 우리 민족이 살던 옛날 집에 대해 알아볼까요?

옛날, 우리나라 사람들은 주로 초가집과 기와집에서 살았습니다. 기와집은 양반들이 주로 살았는데 흙을 단단하게 구워 만든 기와로 지붕을 만들어서 지붕을 아주 오랫동안 사용할 수 있었습니다. 하지만 기와는 가격이 비싸서 일반 백성들의 집에 사용하기는 어려웠습니다. 그래서 일반 백성들은 흙으로 벽을 세우고 짚(벼의 이삭을 떨어내고 남은 줄기)이나 갈대를 엮어서 지붕을 얹은 초가집에서 살았습니다. 해마다 가을이면 얻을 수 있었던 짚은 잘 썩기 때문에 매년 지붕을 새로 얹어 주어야 했습니다.

정답과 해설 13쪽

오늘의 어휘

다음 낱말의 알맞은 뜻을 찾아 선으로 이으세요.

낱말	뜻
움큼 •	• 잘난 척하면서 우쭐거리자.
뽐내자 •	• 한 손으로 움켜쥘 만한 양을 세는 단위.
어깨동무 •	• 서로 어깨에 팔을 얹고 나란히 서는 것.
이웃사촌 •	• 어떤 일이 못마땅하여 얼굴빛이 어두워지고.
시무룩해지고 •	• 서로 이웃에 살면서 정이 들어 사촌 형제나 다를 것 없이 가까운 이웃.

1 다음 빈칸에 들어갈 알맞은 말을 오늘의 어휘에서 찾아 쓰세요.

- 친구와 나는 [   ]를 했다.
- 예전에는 옆집 사람과 [   ]처럼 가깝게 지냈다.
- 동생은 사탕을 한 [   ] 집어서 주머니에 넣었다.
- 나는 짝꿍이 이사 간다는 소식을 듣고 [   ] 말았다.
- 무대 위에서 춤 솜씨를 [   ] 아이들이 환호성을 질렀다.

2 다음 글에서 밑줄 친 말과 뜻이 비슷한 말을 찾아 쓰세요.

어제 친구에게 받은 선물을 동생한테 뽐내자 동생이 샘을 내며 울음을 터뜨렸다. 나는 그런 동생을 괜히 더 놀려 주었다. 그런데 오늘 영어 학원에서 시험을 보고 친구가 100점을 맞았다고 <u>으스대자</u> 나도 샘이 나서 기분이 좋지 않았다. 그리고 어제 동생을 놀린 것이 미안해졌다.

(   )

송아지가 뚫어 준 울타리 구멍 ❷ | 손춘익

글의 구조

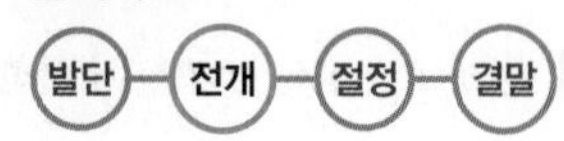

글자 수

"구만아, 뭘 하니? 빨리빨리 와 봐라. 송아지 젖 빠는 것 좀 봐. 우습다! 어서 와!"

구만이가 아무 말 않고 몰래 내다보니, 엄지는 또 울타리 구멍으로 고개만 내밀고 외치고 있었습니다.

"시끄럽다! 울타리 구멍이 대문이냐?" 5

방에서 나오면서 구만이가 말하였습니다.

"왜 그래, 응?" / 엄지가 놀란 얼굴로 물었습니다.

"인마, 울타리 구멍으로 **엿보지** 말어."

"뭐?" / 하고 엄지가 **빤히** 구만이를 **노려보다** 말했습니다.

"응, 알겠다. **샘**이 나서 그러지? 우리 소가 먼저 송아지를 낳아 놓으니까, 그렇지 뭐." 10

"인마, 누가 샘이 나서 그런데? 울타리 구멍으로 엿보지 말란 말이야. **사립문**이 있잖아."

"좋아, 구만이 너도 이제는 이 구멍으로 안 다니지?"

엄지도 화가 나서 소리쳤습니다. 15

"좋아, 난 오늘부터 절대로 안 다닐 테야."

하고 소리치며 구만이는 재빨리 마른 **나뭇단**으로 그곳을 막아 버렸습니다.

〈중략〉

구만네 엄마 소도 마침내 송아지를 낳게 된 것은, 엄지네보다 꼭 **나흘** 뒤였습니다. 엄마 소가 송아지를 낳자, 구만이가 기뻐하는 모습이란 말할 수 가 없었습니다. 깡충깡충 뛰다 못해 마구 땅바닥에 데굴데굴 구르며 **야단**인 것입니다. 20

그리고 제가 막아 놓았던 울타리 구멍을 헤치고 엄지를 불렀습니다.

"엄지야, 우리 소도 송아지를 낳았다. 빨리 와 봐. 우리 송아지가 훨씬 더 크고 더 예쁘다. 빨리빨리!" 25

하고 구만이가 뽐내자, 이번에는 엄지가 화가 나서 소리쳤습니다.

"인마, 울타리 구멍이 사립문이야? 너하곤 말도 안 해!"

하며 울타리 구멍을 막아 버리는 것입니다.

- **엿보지** 잘 보이지 않는 대상을 좁은 틈으로 바라보지.
- **빤히** 바라보는 눈매가 또렷하게.
- **노려보다** 미운 감정으로 어떤 대상을 매섭게 바라보다.
- **샘** 남이 잘되는 것을 부러워하거나 싫어하는 마음.
- **사립문** 나뭇가지를 엮어 만든 문.
- **나뭇단** 땔나무를 묶어 놓은 단.
- **나흘** 네 번의 낮과 네 번의 밤이 지나가는 동안.
- **야단** 매우 떠들썩하게 일을 벌이거나 부산하게 법석거림.

정답과 해설 14쪽

지문 독해

중심 내용

1 엄지와 구만이가 한 일로 알맞은 것에 ○표 하세요.

(1) 새로 태어난 송아지를 키우느라 사이가 멀어짐. ( )
(2) 다투다가 서로 드나들던 울타리 구멍을 막아 버림. ( )
(3) 아버지께 야단을 맞고 사립문으로만 다니기로 약속함. ( )

세부 내용

2 이 글의 내용으로 알맞지 않은 것은 무엇인가요? ( )

① 구만이는 엄지의 송아지 자랑을 듣기 싫어했다.
② 구만이가 먼저 마른 나뭇단으로 울타리 구멍을 막았다.
③ 구만이는 엄마 소가 송아지를 낳자 막힌 울타리 구멍을 헤쳤다.
④ 엄지는 구만이에게 울타리 구멍으로 엿보지 말라는 말을 들었다.
⑤ 구만네 엄마 소는 엄지네 엄마 소보다 삼 일 늦게 새끼를 낳았다.

표현

3 이 글에서 엄지와 구만이의 우정을 나타낸 것은 무엇인가요? ( )

① 소 ② 사립문 ③ 땅바닥
④ 마른 나뭇단 ⑤ 울타리 구멍

추론

4 이 글 속 인물의 모습을 떠올린 것으로 알맞지 않은 것은 무엇인가요? ( )

① 구만이에게 화가 나 소리치는 엄지의 모습
② 호들갑스럽게 구만이를 부르는 엄지의 모습
③ 엄지와 화해하고 싶어 망설이는 구만이의 모습
④ 샘이 나서 뾰로통한 표정을 짓는 구만이의 모습
⑤ 한껏 신이 나 자랑스러운 표정을 짓는 구만이의 모습

지문 분석

정답과 해설 14쪽

1 인물 마음 **구만이의 행동에서 알 수 있는 마음은 어떠한지 찾아 ○표 하세요.**

구만이의 행동		구만이의 마음
먼저 울타리 구멍을 막아 버림.	→	• 엄지네 소가 먼저 송아지를 낳은 것이 샘이 나고 화가 남. ( ) • 자기네 소가 송아지를 낳지 못해 부모님께 죄송스러움. ( )
자기가 막은 울타리 구멍을 헤치고 엄지를 부름.	→	• 엄지에게 화낸 것이 미안해서 사과하고 싶음. ( ) • 엄지에게 화났던 마음은 잊고, 자기네 소가 송아지를 낳은 것을 자랑하고 싶음. ( )

2 사건 전개 **일이 일어난 순서를 생각하며 빈칸에 알맞은 내용을 쓰세요.**

엄지의 자랑에 구만이가 화를 내면서 (　　　　　)을 막아 버림.

구만네 엄마 소가 (　　　　　)를 낳자 구만이가 기뻐하며 울타리 구멍을 헤치고 엄지를 찾음.

↓

(　　　　　)가 화를 내며 다시 울타리 구멍을 막아 버림.

배경지식 우리 민족이 한 식구처럼 여기던 가축, 소

소는 농사를 짓고 살았던 우리 민족에게 없어서는 안 되는 한 식구와 같은 가축입니다. 소는 힘이 세지만 온순하여 사람을 잘 따릅니다. 그래서 옛부터 소가 이끄는 쟁기로 밭을 갈아서 넓은 면적의 밭을 효율적으로 관리하는 데 사용하거나 수레를 걸어서 짐을 운반하는 데 사용하기도 했습니다. 또한 한 마리의 소가 많은 송아지를 낳기 때문에 송아지를 팔아 경제적으로도 큰 도움을 받았습니다. 그래서 우리나라 농부들은 옛부터 소를 한 식구처럼 귀하게 돌보았답니다.

오늘의 어휘

다음 낱말의 알맞은 뜻을 찾아 선으로 이으세요.

낱말	뜻
샘 •	• 몹시 세차게. 아주 심하게.
빤히 •	• 바라보는 눈매가 또렷하게.
야단 •	• 큰 물건이 계속 구르는 모양.
마구 •	• 남이 잘되는 것을 부러워하거나 싫어하는 마음.
데굴데굴 •	• 매우 떠들썩하게 일을 벌이거나 부산하게 법석거림.

1 다음 빈칸에 들어갈 알맞은 말을 오늘의 어휘에서 찾아 쓰세요.

- 엄마는 나를 [　　　　] 쳐다보셨다.
- 공이 [　　　　] 굴러서 도랑에 떨어졌다.
- 동생은 [　　　　]이 많아 항상 내 것을 욕심낸다.
- 작은 벌레 한 마리에 왜 이렇게 [　　　　]을 떠니?
- 운동장을 [　　　　] 달리며 속상한 마음을 잊으려고 노력했다.

2 다음 글에서 밑줄 친 말과 뜻이 비슷한 말을 찾아 쓰세요.

'조삼모사'라는 말을 들어 봤니? 옛날 어떤 사람이 원숭이를 많이 키웠는데, 원숭이에게 줄 먹이가 부족해지자 원숭이들을 모아 놓고 이제부터 먹이로 도토리를 아침에 세 개, 저녁에 네 개를 주겠다고 했어. 그랬더니 원숭이들이 난리를 피웠대. 그래서 다시 도토리를 아침에 네 개, 저녁에 세 개를 주겠다고 했더니 원숭이들이 야단을 피우지 않았다는 거야. 이렇게 당장 눈앞에 보이는 차이만 알고 결과가 같은 것을 모르는 어리석음을 '조삼모사'라고 해.

(　　　　　　　　)

송아지가 뚫어 준 울타리 구멍 ③ | 손춘익

글의 구조

발단 — 전개 — 절정 — 결말

글자 수

783

200 400 600 800 1000

그런 어느 날입니다. 구만이가 부리나케 학교에서 돌아와 보니 송아지가 두 마리였습니다. 똑같은 두 놈이 구만네 엄마 소의 젖을 빨아먹고 있었습니다.

한 마리는 엄지네 송아지였습니다. 울타리 구멍을 빠져나와 구만네 집으로 온 것이 분명하였습니다. 〈중략〉

모두 들일을 나가 버린 후, 엄지네 송아지만 혼자서 집을 지키고 있어야 했습니다. 심심했습니다. 또 젖이 먹고 싶었습니다. 그래서 음매애— 음매애— 혼자서 울고 있는데, 구만네 송아지가 울타리 구멍을 뚫고 달려왔습니다.

"얘, 울지 마. 우리 집에 가서 나하고 놀자, 응."

하고 달래며 엄지네 송아지를 데리고 온 것입니다. 〈중략〉

그런데 어느 놈이 엄지네 송아지인지 알 수가 없었습니다. 크기도 똑같고, 털 빛깔도 똑같고, 젖 빠는 모습까지 똑같은 것입니다.

정말 아무리 지켜봐도 알 수가 없어 구만이가 바보처럼 **멍하니** 바라보고 있는데, 어느새 돌아왔는지 엄지 목소리가 들려왔습니다.

"구만아, 우리 송아지 못 봤니?" / 하다 말고,

"어? 너네 집에 갔구나!"

하며 엄지는 울타리 구멍으로 고개만 내밀고 멀뚱멀뚱해 있었습니다. **선뜻** 구만네 집으로 들어오기가 어쩐지 쑥스러운 것입니다.

"그래, 우리 집에 와 있어. 빨리 와 봐."

구만이가 웃으며 소리치자, 엄지도 **마주** 웃으며 달려왔습니다. 하지만 엄지도 자기네 송아지를 모르겠답니다.

마침내 엄지네 송아지를 찾아낸 것은 해 질 **무렵**이 되어서였습니다. 들일을 마친 엄지네 엄마 소가 마당으로 들어서며 음매 하고 **우렁차게** 운 순간입니다. 그때까지 구만네 마당에서 뛰어놀고 있던 송아지 한 마리가 느닷없이 울타리 구멍으로 빠져 나간 것입니다.

그런 일이 있고부터, 울타리 구멍은 다시 막혀지지 않았습니다.

- **멍하니** 정신이 나간 것처럼 얼떨떨하게.
- **선뜻** 동작이 빠르고 시원스러운 모양.
- **마주** 서로 똑바로 향하여.
- **무렵** 어떤 시기와 일치하는 즈음.
- **우렁차게** 소리의 울림이 매우 크고 힘차게.

중심 내용

1 **이 글의 제목에 담긴 뜻은 무엇인지 빈칸에 알맞은 말을 쓰세요.**

> 구만이와 엄지 사이의 우정을 뜻하는 (   )이 막혀 있었지만 (   )가 다시 뚫어 주었다는 뜻이다.

세부 내용

2 **이 글의 내용으로 알맞지 않은 것은 무엇인가요? (   )**

① 엄지네 송아지는 혼자 집을 지키고 있었다.
② 엄지도 자기네 송아지를 한눈에 알아보지 못했다.
③ 송아지 두 마리는 크기, 털 빛깔, 젖 빠는 모습이 똑같았다.
④ 엄지네 송아지가 구만네 집에 오기 위해 울타리 구멍을 뚫었다.
⑤ 엄지네 엄마 소가 마당으로 들어서며 울자 엄지네 송아지를 찾을 수 있었다.

어휘

3 **엄지와 구만이의 사이와 가장 관련 있는 속담에 ○표 하세요.**

(1) 소 잃고 외양간 고친다 (   )
(2) 비 온 뒤에 땅이 굳어진다 (   )
(3) 콩 심은 데 콩 나고 팥 심은 데 팥 난다 (   )

감상

4 **이 글을 읽고, 구만이와 엄지에게 해 주고 싶은 말을 알맞게 한 친구는 누구인지 쓰세요.**

> 봄이: 송아지 두 마리가 꼭 너희를 닮았구나. 앞으로 또 싸우지 말고 친하게 지내.
> 윤정: 울타리에 구멍이 있으면 도둑이 들어올지 모르니 앞으로 그런 위험한 장난은 하지 마.
> 건우: 너희 둘 다 너무 많이 참는 성격이구나. 하지만 기분이 나쁠 때는 솔직하게 말을 해서 화를 푸는 것이 좋아.

(   )

지문 분석

정답과 해설 15쪽

1 인물 마음 엄지의 행동에서 알 수 있는 마음으로 알맞은 것을 찾아 선으로 이으세요.

송아지가 구만네 집에 갔다는 것을 알고 울타리 구멍으로 고개만 내밈. •	• 구만이와 어색한 마음이 풀리고, 다시 예전처럼 친하게 지내고 싶음.
우리 집에 오라는 구만이의 말에 웃으며 구만네로 달려감. •	• 구만이와 아직 화해하지 않아서 쑥스러움.

2 결말 의미 이 글의 끝부분의 내용을 생각하며 보기에서 알맞은 말을 찾아 써넣어 결말의 의미를 완성하세요.

보기
원수　친구　사촌　남매

끝부분의 내용		의미
그런 일이 있고부터, 울타리 구멍은 다시 막히지 않았다.	→	구만이와 엄지가 다시 사이좋은 (　　　　)이/가 되어 오래도록 친하게 지냈다는 것을 말해 줌.

배경지식 「송아지가 뚫어 준 울타리 구멍」 전체 줄거리

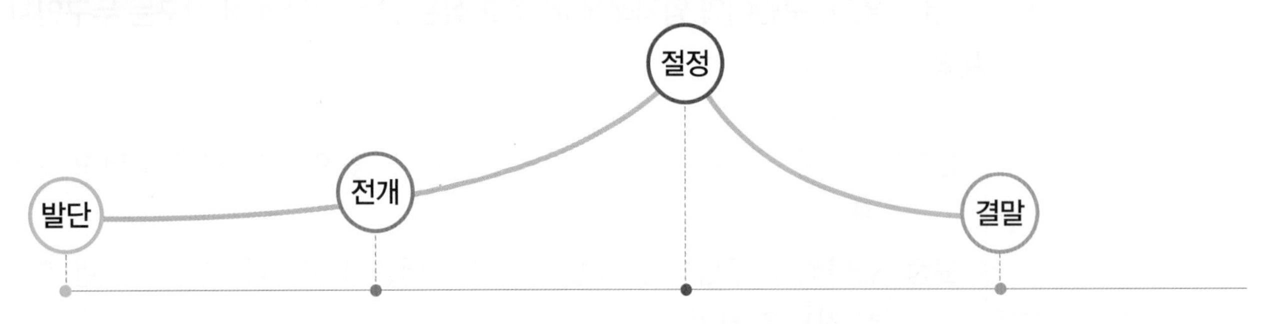

발단	전개	절정	결말
비슷한 시기에 엄지네와 구만네 엄마 소가 새끼를 뱄는데, 엄지네 엄마 소가 먼저 송아지를 낳아 구만이는 화가 남.	엄지가 송아지를 자랑하자 구만이가 엄지에게 화를 내서 둘은 다투게 되고, 구만이는 울타리 구멍을 막아 버림.	구만이는 자기네 소가 송아지를 낳자 울타리 구멍을 헤치고 엄지에게 자랑하고, 화가 난 엄지는 울타리 구멍을 다시 막아 버림.	구만네 소가 울타리 구멍을 뚫고 엄지네 소를 데려와 사이좋게 노는 모습을 보며 엄지와 구만이는 화해를 하고 친하게 지냄.

오늘의 어휘

다음 낱말의 알맞은 뜻을 찾아 선으로 이으세요.

낱말	뜻
무렵 •	• 어떤 시기와 일치하는 즈음.
멍하니 •	• 소리의 울림이 매우 크고 힘차게.
멀뚱멀뚱 •	• 정신이 나간 것처럼 얼떨떨하게.
쑥스러운 •	• 눈을 동그랗게 뜨고 아무 생각없이 쳐다보는 모양.
우렁차게 •	• 하는 짓이 자연스럽지 못하여 우습고 싱거운 데가 있는.

1 다음 빈칸에 들어갈 알맞은 말을 오늘의 어휘에서 찾아 쓰세요.

- 아기는 갑자기 (　　　　) 울기 시작했다.
- 선호는 (　　　　) 서서 하늘을 바라보고 있었다.
- 태희는 칭찬을 많이 받으니 (　　　　) 모양이었다.
- 나는 깜짝 놀라 눈만 (　　　　)하며 아무 말도 하지 못했다.
- 오후 여섯 시 (　　　　)이면 퇴근하는 사람들로 길이 북적거렸다.

2 다음 글에서 밑줄 친 말과 뜻이 비슷한 말을 찾아 쓰세요.

나는 일어나서 발표하는 것을 정말 싫어한다. 자리에서 일어나는 순간 입술이 바짝 마르고, 가슴은 방망이질 치고 다리는 후들거린다. 선생님께서는 발표할 때 크고 자신 있는 목소리로 우렁차게 말해야 한다고 말씀하셨다. 하지만 오늘도 나는 선생님의 부름에 힘없이 대답했다.

(　　　　　　　　)

나무 그늘을 산 총각 ❶ | 전래 동화

글의 구조

발단 - 전개 - 절정 - 결말

글자 수

736

200 400 600 800 1000

옛날 어느 마을에 욕심 많은 부자 영감님이 살았습니다. 욕심쟁이 영감님의 집은 **대궐**처럼 크고 (㉠)한 **기와집**이었어요. 영감님의 집 앞에는 오백 년 된 **아름드리** 느티나무가 우뚝 서 있었지요.

찌는 듯이 무더운 여름날이었습니다. 영감님은 집 앞 나무 아래에 돗자리를 깔고 누웠습니다. 나무아래에는 넓은 그늘이 생겨 시원했어요. 5

"아이, 시원하다. 이제야 살 것 같네."

나뭇잎들은 (㉡) 바람에 흔들리고, 매미들은 (㉢) 신나게 노래했어요.

영감님은 어느새 (㉣) 잠이 들었습니다. 잠시 뒤, 한 총각이 나무 그늘로 다가왔어요. **인기척**이 나자, 욕심쟁이 영감님은 잠에서 깨어났어요. 10

"아니, 네 이놈. 내 그늘에서 썩 나가지 못해!"

잠에서 깬 영감님은 다짜고짜 소리를 **버럭** 질렀어요.

"밭일을 하다가 더워서 잠시 땀을 식히려고 왔습니다. 영감님, 이 나무는 마을 사람 모두의 것이니, 누구든지 이곳에서 쉴 수가 있지요."

"뭐라고? 이 나무는 우리 **증조할아버지**께서 심으신 거야. 그러니 이 나무도, 이 그늘도 내 것이란 말이다. 알겠느냐?" 15

총각은 욕심을 부리는 영감님을 보자, 기가 탁 막혔어요.

'너무하군. 이 영감님을 한번 골려 줘야겠는걸.'

"영감님, 이 나무 그늘을 저에게 파세요."

영감님은 그 말에 귀가 번쩍 뜨였지요. 20

"뭐, 나무 그늘을 사겠다고?"

"예. 열 냥이면 어떻겠습니까?"

영감님이 터져 나오는 웃음을 간신히 참자 입이 (㉤) 움직였지요.

'그늘을 사다니, 저런 멍청한 녀석 같으니라고!'

영감님은 총각에게 열 냥을 받고 나무 그늘을 팔았어요. 25

- **대궐** 임금이 사는 집.
- **기와집** 지붕을 기와로 이은 집.
- **아름드리** 둘레가 한 아름이 넘는 것을 나타내는 말.
- **인기척** 사람이 있다는 것을 알려 주는 소리나 움직임.
- **버럭** 화가 나서 갑자기 소리를 지르는 모양.
- **증조할아버지** 아버지의 할아버지. 또는 할아버지의 아버지.

갈래

1 **이 글에 등장하는 인물은 누구인지 모두 쓰세요.**

욕심 많은 부자 (　　　　　), (　　　　　)

표현

2 **㉠~㉤에 들어갈 말이 알맞게 연결되지 않은 것은 무엇인가요? (　　　)**

① ㉠ – 으리으리　② ㉡ – 팔랑팔랑　③ ㉢ – 맴맴
④ ㉣ – 스르르　⑤ ㉤ – 사각사각

세부 내용

3 **총각이 욕심쟁이 영감님을 골려 주기 위해 낸 꾀는 무엇인가요? (　　　)**

① 나무 그늘을 열 냥에 팔라고 했다.
② 나무 그늘을 사용할 시간을 정하자고 했다.
③ 영감님의 말을 무시하고 나무 그늘에 누웠다.
④ 나무 그늘 주변에 부는 바람을 다 막아 버렸다.
⑤ 나무 그늘을 사용할 때마다 돈을 주겠다고 했다.

추론

4 **이 글 다음에 이어질 내용으로 가장 어울리는 것의 기호를 쓰세요.**

> ㉮ 나무 그늘을 판 것 때문에 욕심쟁이 영감님에게 곤란한 일이 생길 것 같아.
> ㉯ 나무 그늘을 산 총각이 욕심쟁이 영감님과 힘을 합해 마을 사람들을 괴롭힐 것 같아.
> ㉰ 나무 그늘을 판 돈으로 몹시 큰 부자가 된 욕심쟁이 영감님이 아주 행복하게 살 것 같아.

(　　　　　)

지문 분석

정답과 해설 16쪽

1 인물 특징

나무 그늘에 대한 인물들의 의견과 까닭을 정리하여 빈칸에 알맞은 말을 쓰세요.

인물	의견	까닭
총각	누구든지 나무 그늘에서 쉴 수 있다.	이 나무는 ( ) 모두의 것이다.
욕심쟁이 영감님	나무와 그늘 모두 ( )이다.	이 나무는 우리 증조 할아버지께서 심으신 것이다.

2 마음 변화

일이 일어난 때에 따라 욕심쟁이 영감님의 마음 변화로 알맞은 것에 ○표 하세요.

이야기의 흐름		욕심쟁이 영감님의 마음
나무 그늘에 들어와 쉬는 총각을 발견함.	→	• 화가 남. ( ) • 겁이 남. ( )
총각이 나무 그늘을 사겠다고 함.	→	• 실망함. ( ) • 매우 기쁨. ( )

배경지식

조선 시대 최고 부자의 집은 얼마나 컸을까요?

조선 시대에는 아무리 부자라 하더라도 왕이 아니면 100칸인 집을 지을 수 없었습니다. 그 대신 99칸까지만 지을 수 있었답니다. '칸'은 기둥과 기둥 사이를 말하는데, 우리가 아는 일반적인 양반들의 집은 40칸 정도 크기였다고 하니, 99칸이라면 얼마나 큰 집인지 상상이 되나요? 99칸으로 만든 집 중에서 경상북도 청송에 있는 송소고택은 삼천 평의 넓은 땅에 지어졌는데, 집 안에 모두 12개의 문이 있고, 우물도 세 개나 있다고 합니다. 그리고 전체 담장의 길이는 무려 700미터에 이릅니다. 현재는 국가민속문화재로 지정되어 보호 받고 있습니다. 실제 주인이 살며 고택 체험도 가능하니 부모님과 함께 방문해 보면 어떨까요?

오늘의 어휘

다음 낱말의 알맞은 뜻을 찾아 선으로 이으세요.

욕심 •	• 임금이 사는 집.
대궐 •	• 결혼하지 않은 성인 남자.
총각 •	• 앞뒤 상황이나 사정을 알아보지 않고 바로.
인기척 •	• 사람이 있다는 것을 알려 주는 소리나 움직임.
다짜고짜 •	• 어떤 것을 지나치게 바라거나 하고 싶어 하는 마음.

1 다음 빈칸에 들어갈 알맞은 말을 오늘의 어휘에서 찾아 쓰세요.

- 조선 시대 왕은 [　　　　]에서 살았다.
- 새로 오신 우리 선생님은 [　　　　]이시다.
- 아무것도 모르면서 [　　　　] 화를 내면 안 돼.
- 동생은 [　　　　]을 부려 밥을 많이 먹었다가 배탈이 났다.
- 참새가 [　　　　]에 놀라 도망가지 않도록 조심히 다가갔다.

2 다음 글에서 밑줄 친 말과 뜻이 비슷한 말을 찾아 쓰세요.

무엇이든 처음 배울 때는 천천히 시간을 들여서 제대로 배워야 한다. 자전거를 탈 때에도 자전거 타는 방법을 배우고 안전 장비를 갖춘 후에 타야 한다. 자전거를 잘 타고 싶다고 <u>무작정</u> 자전거에 올라타서 달리려고 하면 쉽게 다칠 수 있기 때문이다. 자전거를 타고 다짜고짜 속력만 내려고 하기보다는 가까운 거리부터 천천히 이동해 보아야 한다.

(　　　　　　　　)

나무 그늘을 산 총각 ❷ | 전래 동화

글의 구조

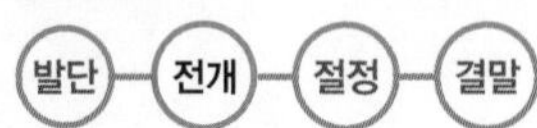

글자 수

742

200 400 600 800 1000

욕심쟁이 영감님은 돈 열 냥을 가지고 얼른 집으로 달려갔습니다.

"부인, 내가 **공짜**로 돈을 벌어 왔소."

영감님은 느티나무 아래에서 있었던 일을 부인에게 모두 이야기해 주었지요.

돈만 아는 욕심쟁이 부부는 기분이 아주 좋아졌어요.

이튿날 **한낮**이 되자, 마을 사람들은 나무 그늘에 모여 앉았습니다. 5

사람들은 나무 그늘 아래에서 낮잠을 자기도 하고, **도란도란** 즐겁게 이야기를 나누기도 했어요. 마을 사람들은 총각에게 고맙다는 인사를 했지요.

어느덧 해가 뉘엿뉘엿 기울기 시작했습니다.

나무 그림자는 욕심쟁이 영감님의 집 쪽으로 점점 길게 드리워졌어요. 총각은 나무 그늘 아래에서 그림자가 더 길어지기를 기다렸지요. 10

이윽고 나무 그림자가 욕심쟁이 영감님 집의 담을 넘어 마당을 덮었습니다.

나무 그림자는 곧 안방의 지붕까지 덮어 버렸어요.

㉠"옳지, 이제 됐다."

총각은 영감님의 집으로 들어갔습니다.

"아니, 자네가 우리 집에 웬일인가?" 15

마당에 있던 영감님이 깜짝 놀라 물었어요. 총각은 입을 꾹 **다문** 채 아무 말도 하지 않았어요.

"아니, 이 사람아! 어찌 내 집에 마음대로 들어오는 거야?"

영감님은 수염을 부르르 떨며 소리쳤습니다. 총각은 터벅터벅 안방으로 들어갔습니다. 20

"영감님, 저는 제 그늘을 따라왔을 뿐입니다. 영감님께서 어제 저에게 나무 그늘을 팔지 않으셨습니까? 이 집이 온통 나무 그늘로 뒤덮여 있습니다. 그러니 저도 제 나무 그늘을 따라올 수밖에요."

욕심쟁이 영감님은 할 말을 잃고 **우두커니** 서 있었습니다. 총각의 말이 조금도 틀리지 않았거든요. 25

- **공짜** 힘이나 돈을 들이지 않고 거저 얻은 물건.
- **한낮** 낮의 한가운데. 낮 열두 시 무렵.
- **도란도란** 여럿이 나직한 목소리로 서로 정답게 이야기하는 소리. 또는 그 모양.
- **어느덧** 어느 사이에. 또는 자기도 모르는 사이에.
- **이윽고** 얼마 있다가.
- **다문** 위아래 입술을 마주 붙여서 꼭 맞댄.
- **우두커니** 정신이 나간 것처럼 가만히 한자리에 서 있거나 앉아 있는 모양.

중심 내용

1 이 글에서 가장 중요한 일로 알맞은 것에 ○표 하세요.

(1) 총각이 나무 그늘을 따라 욕심쟁이 영감님의 집으로 들어감. ( )
(2) 욕심쟁이 영감님이 부인에게 나무 그늘을 판 이야기를 해 줌. ( )
(3) 한낮에 마을 사람들이 나무 그늘에서 낮잠을 자기도 하고, 즐겁게 이야기를 나눔. ( )

세부 내용

2 다음에 들어갈 알맞은 내용을 쓰세요.

어느덧 해가 뉘엿뉘엿 기울기 시작하자 나무 그림자는 욕심쟁이 영감님 집의 ( )을 넘어 ( )을 덮고, ( )의 지붕까지 덮었다.

세부 내용

3 이 글의 내용으로 알맞지 않은 것은 무엇인가요? ( )

① 총각은 나무의 그림자를 따라 움직였다.
② 총각은 마을 사람들에게 나무 그늘을 돌려주었다.
③ 욕심쟁이 영감님과 부인은 공짜로 돈을 벌었다고 생각했다.
④ 총각은 나무 그늘 아래에서 그림자가 길어지기를 기다렸다.
⑤ 욕심쟁이 영감님은 총각과 대화를 나눈 후 더 심하게 화를 냈다.

추론

4 총각이 말한 ㉠의 뜻을 알맞게 짐작한 것의 기호를 쓰세요.

㉮ 나무 그늘이 점점 짧아지고 있으니, 어서 이 마을을 떠나야겠구나.
㉯ 나무 그늘이 욕심쟁이 영감의 안방 지붕까지 덮었으니 그것을 따라 들어가야겠구나.
㉰ 나무 그늘이 욕심쟁이 영감의 안방 지붕까지 덮었으니 따라서 들어가도 될지 여쭈어보아야겠구나.

( )

지문 분석

정답과 해설 17쪽

1 사건 전개

시간의 흐름에 따라 일어난 일을 정리하여 빈칸에 알맞은 말을 쓰세요.

때	일어난 일
이튿날 한낮	마을 사람들은 (　　　　　　)에 모여 앉아 낮잠도 자고 이야기를 나눔.
해가 기울기 시작하자	총각이 나무 그림자를 따라 욕심쟁이 영감님의 집 (　　　　　　)으로 들어감.

2 마음 변화

일이 일어난 때에 따라 욕심쟁이 영감님의 마음 변화로 알맞은 것에 ○표 하세요.

총각이 마음대로 자신의 집으로 들어오자 (궁금함, 화가 남).

총각에게 자신은 온통 나무 그늘로 뒤덮여 있는 집 안으로 들어온 것이라는 말을 듣자 (고마웠지만, 분노했지만) 할 말을 잃음.

배경지식 옛날 사람들은 어떤 돈을 사용했을까요?

우리나라는 고려 시대 때부터 금속을 녹여 돈을 만들었습니다. 조선 시대 때 가장 널리 쓰인 상평통보는 엽전이라고도 불렸는데, 놋쇠를 녹여 얇고 둥근 모양을 만든 후 가운데 네모난 구멍을 뚫었습니다. 그런데 왜 가운데에 구멍을 뚫었을까요? 옛날에는 지갑이 없어 돈을 들고 다니기 불편했기 때문에 구멍에 실을 꿰어 옆구리에 차고 다닐 수 있게 하기 위해서였습니다. 10푼이 1전, 10전이 1냥이었는데, 현재 돈의 가치로 따져 보면 1냥은 지금 돈으로 약 20,000원 정도였다고 합니다. 흔히 동냥하는 사람들이 '한 푼 줍쇼.'라고 할 때, '한 푼'은 약 200원 정도의 돈을 의미했다고 합니다.

오늘의 어휘

다음 낱말의 알맞은 뜻을 찾아 선으로 이으세요.

한낮 •	• 느릿느릿 힘없이 걸어가는 모양.
다문 •	• 낮의 한가운데. 낮 열두 시 무렵.
어느덧 •	• 위아래 입술을 마주 붙여서 꼭 맞댄.
터벅터벅 •	• 어느 사이에. 또는 자기도 모르는 사이에.
우두커니 •	• 정신이 나간 것처럼 가만히 한자리에 서 있거나 앉아 있는 모양.

1 다음 빈칸에 들어갈 알맞은 말을 오늘의 어휘에서 찾아 쓰세요.

- [ ] 추운 겨울이 지나고 봄이 왔다.
- [ ]에는 너무 더우니 오후에 나가서 놀자.
- 동생은 입을 꾹 [ ] 채 한마디도 하지 않았다.
- 친구가 어깨를 늘어뜨리고 [ ] 걷는 모습이 안쓰러웠다.
- 엄마는 떠나는 형의 뒷모습을 바라보면서 [ ] 서 계셨다.

2 다음 글에서 밑줄 친 말과 뜻이 반대인 말을 찾아 쓰세요.

요즘에는 밤이 되어도 한낮처럼 환하다. 하지만 한밤의 밝은 불빛은 사람과 동물들의 깊고 편안한 잠을 방해하기도 한다. 새들은 길을 잃기도 하고 심하면 알을 낳지 못하기도 한다. 그리고 길가의 나무들은 단풍이 늦게 들거나 빨리 죽기도 한다.

( )

나무 그늘을 산 총각 ③ | 전래 동화

글의 구조

발단 - 전개 - 절정 - 결말

글자 수

731

200 400 600 800 1000

총각은 날이 어두워지고 나서야 자신의 집으로 돌아갔어요. 다음 날도 그 다음 날도, 총각은 계속해서 욕심쟁이 영감님의 집을 찾아왔습니다.

"후유, 이 일을 어쩐담?"

영감님은 마당을 빙글빙글 돌며, 땅이 꺼져라 한숨을 쉬었어요. 영감님은 총각에게 그늘을 판 일이 정말 후회스러웠지요. 5

며칠 뒤, 욕심쟁이 영감님의 생일잔치가 벌어졌습니다. 집 안은 맛있는 음식 냄새로 가득 찼어요. 손님들도 많이 찾아와 **잔치**는 매우 흥겨웠지요.

오후가 되자, 나무 그늘이 온통 욕심쟁이 영감님 집을 뒤덮었습니다. 마을 사람들은 **우르르** 영감님의 집으로 몰려왔어요. 사람들은 흙투성이 **차림**으로 마당, 마루, 방에 앉거나 누워서 쉬었지요. 10

"도대체 왜 이런 짓을 하는 거요?"

손님들은 깜짝 놀라서 물었습니다. 그러자 총각이 나서서 그동안의 일을 손님들에게 이야기해 주었어요.

"에이, **지독한** 욕심쟁이 같으니라고! 여보게들, 어서 빨리 나가세."

손님들은 화를 내며 자리에서 일어섰습니다. 15

"어린 자식들이 배울까 무섭군. 얘들아, 어서 가자."

손님들이 다 떠나자, 집 안에는 마을 사람들만 남았어요. 욕심쟁이 영감님은 그제서야 잘못을 뉘우쳤습니다.

"여보게, 젊은이. 내가 잘못했네."

영감님은 나무 그늘을 팔고 받은 열 냥을 돌려주었어요. 20

"이제 이 나무는 내 것이 아니라네."

"[㉠] 누구든지 와서 쉬어도 된다는 말씀이십니까?"

"**암**, 그렇고 말고."

영감님이 고개를 끄덕이며 껄껄 웃었어요.

그 뒤, 아름드리 느티나무 그늘은 마을 사람들의 편안한 **쉼터**가 되었답니다. 25

- **잔치** 기쁜 일이 있을 때 음식을 차려 놓고 여러 사람이 모여 즐기는 일.
- **우르르** 사람이나 동물이 한꺼번에 움직이거나 한곳에 몰리는 모양.
- **차림** 옷, 물건을 입거나 갖춘 상태.
- **지독한** 마음이 매우 매섭고 사나운.
- **암** 상대방의 말에 강한 긍정을 보일 때 하는 말.
- **쉼터** 쉬는 장소.

지문 독해

중심 내용

1 이 글에서 중심이 되는 내용은 무엇인지 알맞은 말에 ○표 하세요.

욕심쟁이 영감님은 나무 그늘이 (영감님 , 마을 사람들)의 것이라는 것을 인정하고 욕심을 버렸다.

어휘

2 ㉠에 들어갈 말로 알맞은 것은 무엇인가요? (　　　　)

① 그러나　② 하지만　③ 그러면
④ 그런데　⑤ 그렇지만

세부 내용

3 이 글의 내용으로 알맞은 것을 두 가지 고르세요. (　　,　　)

① 욕심쟁이 영감님은 총각에게 열 냥을 돌려주었다.
② 총각의 이야기를 들은 손님들은 욕심쟁이 영감님을 칭찬했다.
③ 욕심쟁이 영감님은 생일잔치에 총각과 마을 사람 모두를 초대했다.
④ 욕심쟁이 영감님의 집에 온 마을 사람들은 흙투성이 차림으로 영감님의 집에 앉거나 누워서 쉬었다.
⑤ 총각과 마을 사람들은 욕심쟁이 영감님의 생일을 축하해 주러 욕심쟁이 영감님의 집으로 몰려갔다.

적용

4 이 글의 총각과 같은 행동을 한 친구는 누구인가요? (　　　　)

① 스스로 자기 방을 열심히 치우는 준이
② 달리기에서 옆 반 친구에게 뒤처진 준우
③ 추운 겨울을 싫어해서 집 안에만 있는 진솔
④ 6학년 형들이 차지한 운동장을 모두 함께 쓸 수 있도록 노력한 수민
⑤ 엄마께서 동생과 함께 나눠 먹으라고 주신 과자를 혼자 다 먹은 하은

지문 분석

정답과 해설 18쪽

1 사건 전개

일이 일어난 순서대로 보기 에서 기호를 찾아 써넣어 글의 내용을 정리하세요.

보기

㉮ 욕심쟁이 영감님의 생일잔치가 벌어짐.
㉯ 총각이 계속해서 욕심쟁이 영감님의 집을 찾아옴.
㉰ 손님들은 그동안의 일을 듣고 화를 내며 욕심쟁이 영감님의 집에서 떠남.
㉱ 욕심쟁이 영감님은 자신의 잘못을 인정하고 나무 그늘을 마을 사람들에게 돌려줌.
㉲ 오후가 되어 나무 그늘이 욕심쟁이 영감님 집을 뒤덮자, 마을 사람들이 몰려와 마음대로 행동함.

( ) → ( ) → ( ) → ( ) → ( )

2 주제

욕심쟁이 영감님이 겪은 일을 생각하며 ( ) 안에 들어갈 알맞은 말에 ○표 하여 주제를 완성하세요.

주제

- 지나친 (관심, 욕심) 때문에 더 큰 것을 잃을 수도 있다.
- (넓은, 미안한) 마음을 갖고 베풀며 살자.

배경지식 「나무 그늘을 산 총각」 전체 줄거리

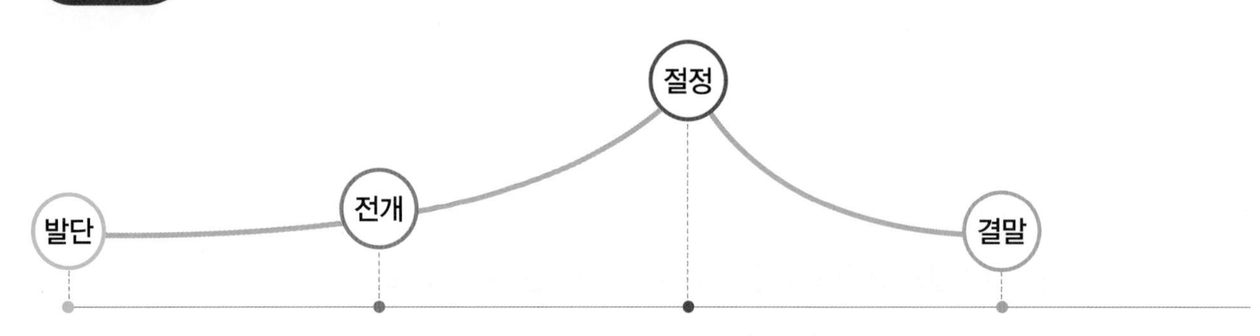

발단: 총각은 나무 그늘도 자기 것이라고 우기는 욕심쟁이 영감님을 골려 주기 위해 돈을 주고 영감님에게 나무 그늘을 삼.

전개: 총각은 해가 지자 욕심쟁이 영감님의 안방에 들어가서 영감님에게 자신은 나무 그늘을 따라왔을 뿐이라고 이야기함.

절정: 욕심쟁이 영감님의 생일 잔치날 마을 사람들이 영감님의 집 안으로 들어왔고, 그동안의 일을 들은 손님들은 화를 내며 감.

결말: 욕심쟁이 영감님은 자신의 잘못을 뉘우치고, 총각에게 열 냥을 돌려주며 누구든지 나무 그늘에서 쉴 수 있다고 말함.

오늘의 어휘

다음 낱말의 알맞은 뜻을 찾아 선으로 이으세요.

잔치	흙이 잔뜩 묻은 상태.
차림	마음이 매우 매섭고 사나운.
껄껄	옷, 물건을 입거나 갖춘 상태.
지독한	매우 시원스러운 목소리로 크게 웃는 소리.
흙투성이	기쁜 일이 있을 때 음식을 차려 놓고 여러 사람이 모여 즐기는 일.

1 다음 빈칸에 들어갈 알맞은 말을 오늘의 어휘에서 찾아 쓰세요.

- 여든 살이 되신 할머니를 위해 동네 [ ]를 열었다.
- 할아버지께서는 우리의 재롱을 보고 [ ] 웃으셨다.
- 스크루지는 가족에게도 돈을 아끼는 [ ] 구두쇠이다.
- 아버지께서는 급한 일이 있다며 양복 [ ]으로 나가셨다.
- 동생은 놀이터에서 놀다가 [ ]가 된 채로 집에 들어왔다.

2 다음 글에서 밑줄 친 말과 뜻이 비슷한 말을 찾아 쓰세요.

어느 지역에 지독한 구두쇠로 알려진 부자가 있었다. 그 부자는 이미 가진 것이 많음에도 불구하고 어떤 물건이든 낭비하는 일이 절대 없었고, 양말이나 옷도 다 해어져 입을 수 없을 때까지 입고 아끼며 살았다. 주변 사람들은 부자를 보며 그 많은 돈을 어디에 쓰려고 저렇게 사냐며 혀를 끌끌 찼다. 그러나 부자는 죽기 직전, 악착스러운 사람이라는 소리를 들으며 모은 돈을 자신보다 힘들고 가난하게 사는 사람들을 위해 모두 내어 놓았다.

( )

은사다리 금사다리 ❶ | 전래 동화

글의 구조

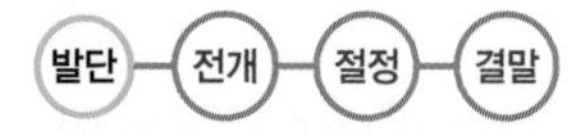

글자 수

아주 먼 옛날, 금강산 **골짜기**에 사이좋은 남매가 살았습니다.

누나는 어린 동생을 잘 보살펴 주고, 동생은 누나를 엄마처럼 의지하며 따랐지요.

그러던 어느 해 봄, 누나가 병에 걸려 그만 자리에 눕게 되었습니다. 동생은 누나를 **정성껏 간호했지만**, 누나의 병은 점점 더 깊어졌습니다. 5

동생은 머나먼 길을 달려가 **의원**을 불러왔어요.

"네 누나를 낫게 할 수 있는 약은 한 가지밖에 없단다. 그런데 구하기가 어려울 거다."

"그게 무슨 약인데요?"

"하늘나라의 달에 있는 계수나무 열매란다." 10

동생은 하늘나라의 달에 가기로 마음먹었지요.

'내가 누나의 병을 낫게 하고 말 테야.'

다음 날 아침, 동생은 누나에게 거짓말을 했습니다.

"누나, 산에 가서 **약초**를 캐 올게."

"네가 나 때문에 고생이 많구나. 조심해서 다녀와." 15

동생은 **보따리**를 메고 길을 떠났습니다.

"음, 어디로 갈까? 맞아, 비로봉으로 올라가 보자."

비로봉은 금강산의 봉우리 가운데 가장 높은 봉우리예요.

동생은 가장 높은 곳에 올라가면, 그만큼 하늘이 가까울 거라고 생각했지요. 깎아지른 절벽의 좁은 길을 조심조심 걸어, **가까스로** 꼭대기에 이르렀지요. 20

동생은 하늘을 올려다보았습니다. 하지만 하늘은 **여전히 까마득했지요.**

"하늘나라에 가야 계수나무 열매를 딸 수 있을 텐데……."

동생은 산꼭대기에 서서 한참 동안 발만 동동 굴렀지요.

어느덧 해가 지고 별이 하나둘 반짝였습니다. 서쪽 하늘에는 달님이 둥실 떠올랐지요. 25

"아, 달이다!"

동생은 ㉠<u>마치 달을 잡을 듯이 손을 뻗어 보았습니다.</u>

"저 달에 갈 수만 있다면……."

- **골짜기** 산과 산 사이에 움푹 패어 들어간 곳.
- **정성껏** 정성스럽게 있는 힘을 다해서.
- **간호했지만** 다치거나 아픈 사람을 보살피고 돌보았지만.
- **의원** 병이나 다친 곳을 고치는 일을 직업으로 하는 사람.
- **약초** 약으로 쓰는 풀.
- **보따리** 보자기에 물건을 싸서 묶은 것.
- **가까스로** 몹시 노력해서 매우 힘들게.
- **여전히** 전과 같이.
- **까마득했지요** 거리가 매우 멀어 잘 보이거나 들리지 않았지요.

지문 독해

갈래

1 **이 글의 중심인물은 누구인지 빈칸에 알맞은 말을 쓰세요.**

( ) 골짜기에 사는 사이좋은 ( )

표현

2 **㉠처럼 사물을 다른 것에 빗대어 나타낸 것으로 알맞지 않은 것은 무엇인가요?** ( )

① 꽃처럼 예쁜 우리 아기
② 얼음 같이 차가운 바람
③ 솜사탕 같이 푹신한 구름
④ 큰 소리로 짖어 대는 강아지
⑤ 울부짖는 사자처럼 코를 고는 아빠

세부 내용

3 **동생이 비로봉에 간 까닭으로 알맞은 것을 두 가지 고르세요.** (,)

① 비로봉에 계수나무 열매가 있어서
② 동생이 비로봉에 가는 것이 누나의 소원이어서
③ 비로봉에 사는 병을 잘 고치는 의원을 만나기 위해서
④ 비로봉이 금강산의 봉우리 가운데 가장 높은 봉우리여서
⑤ 가장 높은 곳에 올라가면 그만큼 하늘이 가까울 거라고 생각해서

감상

4 **이 글을 읽고 말한 생각이나 느낌으로 알맞은 것의 기호를 쓰세요.**

㉮ 엄마처럼 의지하고 따르던 누나의 병이 점점 깊어졌으니 동생의 마음은 정말 슬펐을 거야.
㉯ 동생은 누나가 나으려면 하늘나라의 달에 있는 계수나무 열매가 필요하다는 의원의 말을 믿지 않은 것 같아.
㉰ 비로봉에 도착한 동생은 하늘나라에 바로 올라갈 수 있을 만큼 높이 올라가게 되어서 아무 걱정이 없었을 거야.

( )

지문 분석

정답과 해설 19쪽

1 인물 특징 **이 글에서 알 수 있는 동생의 성격을 생각하여 알맞은 것에 ○표 하세요.**

이야기의 흐름		동생의 성격
누나의 병을 낫게 하기 위해 하늘나라의 달에 가기로 마음먹음.	→	• 용감하고 씩씩함. ( ) • 솔직하고 부지런함. ( )
누나에게 산에 가서 약초를 캐 온다고 거짓말을 함.		• 누나를 의심함. ( ) • 누나를 배려하여 행동함. ( )

2 사건 전개 **이 글에서 일어난 일을 순서대로 정리하여 빈칸에 알맞은 말을 쓰세요.**

동생이 (   )을 찾아가 누나의 병을 고칠 방법을 알게 됨.

↓

의원의 말대로 하늘나라 (   )에 있는 (   ) 열매를 따기 위해 떠남.

↓

금강산 봉우리 중 가장 높은 봉우리인 (   )으로 감.

배경지식 이 글의 제목인 '은사다리 금사다리'는 정말 있을까요?

금강산 비로봉의 남쪽에는 바위 줄기가 있습니다. 그곳은 바닷바람을 맞으며 깎여 나가서 차곡차곡 계단이 쌓인 것처럼 보이는데, 돌 하나의 크기가 커다란 집 한 채의 크기만 합니다. 그 모양이 어느 쪽에서 봐도 계단처럼 보여서 마치 까마득한 하늘에 세워 놓은 사다리 같다고 합니다. 여기에 아침 해가 비칠 때면 영롱한 은빛을 내고, 저녁 노을이 비칠 때면 황금빛을 뿌린다고 하여 은사다리 금사다리라고 부른답니다. 북한에 있어 지금은 볼 수 없지만 언젠가는 직접 올 수 있는 날이 오겠죠?

정답과 해설 19쪽

오늘의 어휘

다음 낱말의 알맞은 뜻을 찾아 선으로 이으세요.

의원 •	• 약으로 쓰는 풀.
약초 •	• 몹시 노력해서 매우 힘들게.
정성껏 •	• 정성스럽게 있는 힘을 다해서.
보따리 •	• 보자기에 물건을 싸서 묶은 것.
가까스로 •	• 병이나 다친 곳을 고치는 일을 직업으로 하는 사람.

1 다음 빈칸에 들어갈 알맞은 말을 오늘의 어휘에서 찾아 쓰세요.

- 터져 나오는 울음을 (   ) 참았다.
- 할아버지가 편찮으셔서 (   )을 불러왔다.
- 아버지는 편찮으신 할아버지를 (   ) 돌보신다.
- 예전에는 책을 (   )에 싸서 들고 다녔다고 한다.
- 할아버지께서 감기에 좋다는 (   )를 보내 주셨다.

2 다음 글에서 밑줄 친 말과 뜻이 비슷한 말을 찾아 쓰세요.

지난여름 우리 가족은 기차를 타고 외할머니 댁에 다녀왔다. 그런데 여행 전날 나와 동생은 너무 신나서 밤늦게까지 놀다가 가까스로 잠이 들었다. 결국 우리는 다음날 늦잠을 잤고, 그 바람에 기차를 놓칠 뻔했다. 온 가족이 정신없이 달려서 <u>간신히</u> 기차를 타게 되어서 정말 다행이었다.

(   )

은사다리 금사다리 ❷ | 전래 동화

글의 구조

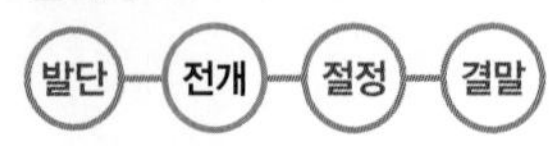

글자 수

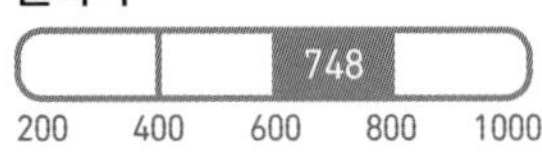

갑자기 '쿵' 하는 소리가 울려 퍼졌어요. 동생은 깜짝 놀라 얼른 바위 뒤에 숨었습니다.

그때 하늘 **저편**에서 **눈부시게** 하얀 빛이 쏟아지더니, 반짝반짝 은사다리가 스르르 내려오는 게 아니겠어요!

은사다리에서는 물병을 든 **선녀**가 사뿐사뿐 내려왔습니다.

선녀가 땅에 내려서자 은사다리는 다시 하늘로 올라갔어요.

선녀는 골짜기로 내려가 물병에 물을 가득 채운 뒤, 바위틈에서 **아롱다롱**한 구슬을 꺼냈습니다.

선녀가 구슬을 높이 들고 하늘을 향해 비추자 하늘에서 번쩍번쩍 금사다리가 내려왔어요.

선녀는 구슬을 다시 바위틈에 넣은 뒤, 금사다리를 타고 하늘로 올라갔어요.

"하늘로 가는 길이 있었구나."

동생이 너무나 기뻐 어쩔 줄 몰랐지요.

동생이 바위틈에서 구슬을 꺼내 하늘을 향해 비추자 정말 금사다리가 내려왔어요. 동생은 서둘러 금사다리를 타고 하늘로 올라갔어요.

한편 집에 있던 누나는 밤이 늦도록 동생이 돌아오지 않자 걱정이 되었습니다. 누나는 병든 몸을 겨우 일으켜 **초롱불**을 들고 동생을 찾아 골짜기를 **헤매고** 다녔지요.

동생은 하늘로 올라가 달에 갔어요. 달에는 계수나무가 있었고, 가지마다 열매가 주렁주렁 매달려 있었어요.

"이제 누나를 살릴 수 있어."

동생은 나무 위로 올라가 조심조심 열매를 땄어요.

이때, 동생이 달에 온 것을 하늘나라 임금님이 알게 되었어요.

"어찌 사람이 하늘나라에 올 수 있단 말이냐? 사람이 밟은 사다리는 다시 쓸 수 없다."

화가 난 임금님은 커다란 지팡이로 은사다리와 금사다리를 내려쳤어요.

그러자 은사다리와 금사다리는 조그만 돌들로 부서져 비로봉으로 쏟아져 내렸어요.

- **저편** 말하는 사람과 듣는 사람으로부터 멀리 있는 곳이나 방향.
- **눈부시게** 빛이 아주 아름답고 화려하게.
- **선녀** 신선이 사는 곳에 사는 여자 신선.
- **아롱다롱** 여러 빛깔의 점이나 줄이 뒤섞여 무늬를 이룬 모양.
- **초롱불** 얇은 철로 만든 통에 기름 등을 담아 켠 불.
- **헤매고** 무엇을 찾기 위해 이리저리 돌아다니고.

중심 내용

1 동생이 하늘로 올라갈 수 있었던 방법은 무엇인지 빈칸에 알맞은 말을 쓰세요.

바위틈에서 아롱다롱한 (   )을 꺼내 하늘을 향해 비추어 내려온 (   )를 타고 하늘로 올라감.

세부 내용

2 병든 누나가 동생을 찾아 나설 때 가지고 나간 것은 무엇인지 찾아 쓰세요.

(   )

어휘

3 하늘로 가는 길을 발견한 동생의 상황과 가장 관련 있는 속담은 무엇인가요?

(   )

① 바늘 가는 데 실 간다
② 고래 싸움에 새우 등 터진다
③ 세 살 적 버릇이 여든까지 간다
④ 하늘이 무너져도 솟아날 구멍이 있다
⑤ 감나무 밑에 누워서 홍시 떨어지기를 기다린다

추론

4 이 글을 읽고 짐작한 것으로 알맞지 않은 것의 기호를 쓰세요.

㉮ 몸이 아픈 누나가 동생을 찾아 나선 것은 슬픈 결말을 암시하는 것 같아.
㉯ 하늘나라 임금님의 말로 보아 하늘나라에는 사람이 함부로 갈 수 없는 것 같아.
㉰ 선녀는 하늘나라로 올라가고 싶어 하는 동생을 도와주기 위해서 땅으로 내려온 것 같아.

(   )

지문 분석

정답과 해설 20쪽

1 사건 전개 일이 일어난 순서대로 보기 에서 기호를 찾아 써넣어 글의 내용을 정리하세요.

보기

㉮ 동생이 금사다리를 타고 하늘로 올라감.
㉯ 동생이 달에 있는 계수나무에서 열매를 땀.
㉰ 화가 난 하늘나라 임금님이 은사다리와 금사다리를 내려침.
㉱ 선녀가 은사다리를 타고 하늘에서 내려왔다가 금사다리를 타고 다시 하늘로 올라감.

(　　　) → (　　　) → (　　　) → (　　　)

2 마음 변화 다음 상황에서 동생의 마음을 생각하여 보기 에서 알맞은 말을 찾아 쓰세요.

보기

기쁨　　놀람　　안심함

상황	동생의 마음
갑자기 '쿵' 하는 소리가 울려 퍼짐.	깜짝 (　　　　).
하늘로 가는 길을 발견함.	너무 (　　　　).
달의 계수나무에 주렁주렁 매달린 열매를 봄.	누나를 살릴 수 있게 되었다는 생각에 (　　　　).

배경지식 장자못 전설을 알아볼까요?

우리나라에는 전해 오는 전설들이 많아요. 그중에서도 장자못 전설은 많은 사람들에게 알려져 있어요. 장자는 '아주 큰 부자'를 높여 이르는 말이에요. 옛날, 아주 인색하고 욕심 많은 장자에게 한 스님이 찾아와 쌀을 좀 달라고 부탁했답니다. 장자는 스님에게 쌀 대신 쇠똥을 가득 담아 주었고, 그 모습을 지켜보던 장자의 며느리가 몰래 스님에게 쌀을 주었어요. 그러자 스님은 며느리에게 곧 큰비가 내릴 것이니 뒷산으로 피하되 절대 뒤를 돌아보지 말라고 했어요. 그 말을 들은 며느리는 아이를 업고 도망쳤는데, 하늘과 땅이 울리는 큰 소리에 놀라 그만 뒤를 돌아보고 말았지요. 그러자 장자의 집은 흔적도 없이 사라져 그 자리는 큰 연못으로 변해 버렸고, 며느리는 그 자리에서 돌로 변하고 말았답니다.

오늘의 어휘

다음 낱말의 알맞은 뜻을 찾아 선으로 이으세요.

선녀 •	• 신선이 사는 곳에 사는 여자 신선.
저편 •	• 무엇을 찾기 위해 이리저리 돌아다니고.
초롱불 •	• 얇은 철로 만든 통에 기름 등을 담아 켠 불.
헤매고 •	• 여러 빛깔의 점이나 줄이 뒤섞여 무늬를 이룬 모양.
아롱다롱 •	• 말하는 사람과 듣는 사람으로부터 멀리 있는 곳이나 방향.

1 다음 빈칸에 들어갈 알맞은 말을 오늘의 어휘에서 찾아 쓰세요.

- 골목 [　　　　]에서 큰 소리가 들렸다.
- 여자는 입으로 바람을 불어 [　　　　]을 껐다.
- 언니 옷에는 구슬 무늬가 [　　　　] 새겨져 있다.
- 잃어버린 강아지를 찾느라 온 동네를 [　　　　] 다녔다.
- '[　　　　]와 나무꾼' 이야기는 잘 알려진 전래 동화이다.

2 다음 글에서 밑줄 친 말과 뜻이 비슷한 말을 찾아 쓰세요.

최근 먹잇감을 구하려고 <u>돌아다니다</u> 오리알을 먹는 북극곰의 모습을 촬영한 영상이 공개되었다. 또 어느 나라의 도로에서는 먹을 것을 찾아 헤매고 있던 북극곰들이 쓰레기 트럭을 발견하고 올라타는 모습이 발견되기도 했다. 북극곰은 얼음을 깨고 올라오는 바다표범 등을 잡아먹으며 생활하는데, 지구 온난화로 인해 얼음이 녹아 먹잇감이 부족해졌기 때문이다. 이처럼 지구 온난화로 인한 피해는 동물들의 삶을 통째로 바꾸고 있으며, 삶을 위협하고 있다.

(　　　　　　　　)

은사다리 금사다리 ③ | 전래 동화

글의 구조

발단 – 전개 – 절정 – 결말

글자 수

764

200 400 600 800 1000

"인간 세상에서 온 녀석을 당장 잡아오너라."

동생은 **군사**들에게 잡혀 임금님 앞으로 끌려 왔어요.

"너는 **어찌** 사람의 몸으로 하늘에 올라왔느냐?"

"제 누나는 이 열매가 없으면 죽게 됩니다. 제발 이 열매를 가져갈 수 있도록 해 주세요." 5

동생의 말을 듣던 임금님의 눈에는 눈물이 고였어요.

"누나를 생각하는 마음이 참으로 **갸륵하도다**. 어서 열매를 가지고 집으로 가거라."

"고맙습니다. 정말 고맙습니다!"

"여봐라, 어서 빨리 은사다리를 내리거라." 10

임금님이 **명령**을 하자 선녀들이 머뭇거렸어요.

"은사다리와 금사다리는 모두 금강산에 버려졌습니다."

임금님은 잠시 생각하더니 미소를 지으며 말했어요.

"할 수 없구나. 내 용마를 타고 누나에게 내려가거라."

용마는 임금님만 탈 수 있는, 하늘을 나는 말이었어요. 15

동생은 용마를 타고 하늘을 훨훨 날아 집으로 갔습니다. 그러나 누나는 마당에 쓰러져 이미 숨을 거둔 뒤였지요.

동생은 누나를 흔들며 **애타게** 소리쳤어요.

"누나, 계수나무 열매를 가지고 왔단 말이야. 어서 일어나!"

누나의 손에는 동생을 찾으러 갔을 때 들었던 초롱불이 꼭 쥐어져 있었습니다. 20

동생은 한참 동안 누나를 붙잡고 **흐느껴** 울었어요. 동생은 누나를 비로봉 골짜기 **양지바른** 곳에 묻었습니다.

그런데 누나가 손에 꼭 쥐고 있던 초롱불은 이상하게도 꺼지지 않았어요. 시간이 지나자, 그 초롱불은 아름다운 꽃으로 변했어요. 사람들은 이 꽃을 '금강초롱꽃'이라고 불렀어요. 25

한편 은사다리와 금사다리는 부서지면서 비로봉에 두 **갈래**로 쏟아져 내렸어요. 사람들은 그때 생긴 돌 줄기가 아침이면 은빛으로 빛나고 저녁이면 황금빛으로 물들어 '은사다리', '금사다리'라고 부르게 되었답니다.

- **군사** 군인이나 군대를 부르는 말.
- **어찌** 어떠한 이유로.
- **갸륵하도다** 착하고 장하도다.
- **명령** 윗사람이 아랫사람에게 어떤 일을 시키는 것.
- **애타게** 몹시 답답하거나 안타까워 속이 끓게.
- **흐느껴** 몹시 서럽거나 감격에 겨워 흑흑 소리를 내며 울며.
- **양지바른** 햇볕이 잘 드는.
- **갈래** 하나에서 둘 이상으로 갈라져 나간 부분.

지문 독해

갈래

1 이 글에 대한 설명으로 알맞은 것에 ○표 하세요.

(1) 무대에서 연극으로 공연하기 위해 쓴 이야기이다. ( )

(2) 실제로 일어난 사건을 사실적으로 쓴 이야기이다. ( )

(3) 특정한 곳에서 구체적인 사물에 얽혀 전해 오는 이야기이다. ( )

세부 내용

2 동생이 용마를 타고 집으로 가게 된 까닭으로 알맞은 것을 두 가지 고르세요.

(,)

① 임금님이 은사다리와 금사다리를 가장 아껴서

② 은사다리와 금사다리가 모두 금강산에 버려져서

③ 병든 누나를 용마에 태워 하늘나라에 데려와야 해서

④ 임금님이 금사다리를 타고 올라온 동생에게 상으로 용마를 주어서

⑤ 동생이 누나를 생각하는 마음에 감동한 임금님이 용마를 빌려주어서

세부 내용

3 이 글의 내용으로 알맞지 않은 것은 무엇인가요? ( )

① 은사다리와 금사다리는 비로봉에 쏟아져 내렸다.

② 누나는 동생이 집으로 돌아오기 전에 숨을 거두었다.

③ 동생은 숨을 거둔 누나를 집 앞 양지바른 곳에 묻었다.

④ 임금님은 동생의 사정을 듣고 열매를 가지고 가라고 했다.

⑤ 누나가 들고 있던 초롱불은 누나가 땅에 묻힌 후에도 꺼지지 않았다.

추론

4 이 글을 읽고 짐작한 것을 알맞게 말하지 못한 친구는 누구인지 쓰세요.

지호: 금강산에 핀 '금강초롱꽃'은 누나가 들고 있던 초롱불의 모습을 닮았을 거야.

선우: 동생은 누나의 병을 고칠 수 있게 되어서 매우 기뻤다가 숨을 거둔 누나를 보고 무척 슬펐을 거야.

새이: 사람들은 하늘나라 임금님을 존경하는 마음을 담아서 비로봉 갈래에 '은사다리'와 '금사다리'라는 이름을 붙인 것 같아.

( )

지문 분석

정답과 해설 21쪽

1 사건 전개 이 글에서 일어난 일을 순서대로 정리하여 빈칸에 알맞은 말을 쓰세요.

임금님은 (   )를 위하는 동생의 마음에 감동하여 동생을 용서함.

↓

동생은 임금님의 (   )를 타고 훨훨 날아 집으로 돌아감.

↓

동생을 기다리던 누나는 (   )을 손에 꼭 쥔 채 숨을 거두었고, 동생이 슬퍼하며 누나를 묻어 줌.

↓

누나가 들고 있던 초롱불은 꺼지지 않았고, 사람들은 그 초롱불이 변하여 핀 꽃을 '(   )'이라고 부름.

2 주제 이 글의 마지막 장면을 보고, 꽃에 담긴 의미를 완성하세요.

마지막 장면		꽃에 담긴 의미
누나가 손에 꼭 쥐고 있던 초롱불은 이상하게도 꺼지지 않고 아름다운 꽃으로 변함.	→	( )을 기다리는 ( )의 애틋한 마음이 담겨 있음.

배경지식 「은사다리 금사다리」 전체 줄거리

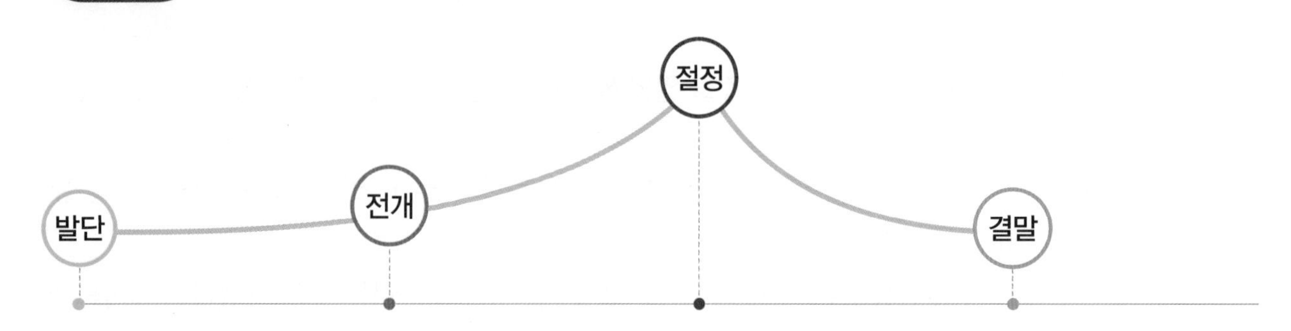

동생은 누나의 병을 낫게 하기 위해 하늘나라의 달에 있는 계수나무 열매를 구하러 금강산 비로봉으로 감.

동생은 금사다리를 타고 하늘나라로 올라가 계수나무 열매를 땄고, 화가 난 하늘나라 임금님이 은사다리, 금사다리를 내려침.

동생의 사연에 감동한 하늘나라 임금님이 용마를 내어 주어 동생은 집으로 돌아왔지만 숨을 거둔 누나를 발견함.

동생은 비로봉 골짜기에 누나를 묻었고, 누나가 손에 꼭 쥐고 있던 초롱불은 아름다운 금강초롱 꽃으로 변함.

오늘의 어휘

다음 낱말의 알맞은 뜻을 찾아 선으로 이으세요.

어찌 •	• 어떠한 이유로.
군사 •	• 착하고 장하도다.
미소 •	• 군인이나 군대를 부르는 말.
애타게 •	• 몹시 답답하거나 안타까워 속이 끓게.
갸륵하도다 •	• 소리 없이 방긋이 웃음. 또는 그런 웃음.

1 다음 빈칸에 들어갈 알맞은 말을 오늘의 어휘에서 찾아 쓰세요.

- 친구를 위하는 너의 마음이 [   ].
- [   ] 그런 소문이 난 건지 궁금해.
- 친구는 밝은 [   ]를 지으며 우리를 바라보았다.
- 할머니는 아직도 할아버지의 소식을 [   ] 기다리신다.
- 전투에서 이기기 위해서 [   ]들의 용기를 북돋아 주었다.

2 다음 글에서 밑줄 친 말과 뜻이 비슷한 말을 찾아 쓰세요.

남과 북이 분단이 된 지 오랜 세월이 흘렀다. 60년 이상의 세월 동안 고향에 가지 못하고, 애타게 그리던 가족을 다시 만나지 못한 채 돌아가신 분들도 무척 많다. 고향과 가족을 그리워하는 많은 사람들의 아픔은 우리 마음을 애끓게 하고 있다.

(   )

돌로 만든 갓 ❶ | 전래 동화

글의 구조

글자 수

어느 마을에 새 원님이 오는 날이었습니다.

"원님 **행차**요! 길을 비키시오!"

마을 사람들은 새 원님이 어떤 분일지 궁금했어요. 그래서 모두들 **관가** 앞에 모여 있었지요.

"어떤 분이 오실까?" 5

"㉠ 의젓하고 ㉡ 현명한 분이실 거야."

"장원 급제하신 분이라지?"

모여든 사람들은 시끌벅적 이야기를 나누었습니다. 드디어 원님을 태운 가마가 도착했습니다. 가마 문이 열리고, 원님이 땅에 내려섰어요.

그런데 사람들은 새 원님을 보고 깜짝 놀랐습니다. 가마에서 내린 사람은 10 아주 어린아이였던 거예요!

"아니, 저런 어린아이가 원님이란 말이야?"

"그러게. 어른들도 하기 힘든 일이 많을 텐데……."

마을 사람들은 새 원님을 보고 ㉢ 어리둥절해했어요.

원님은 관가에서 **아전**들을 한자리에 모았습니다. 15

"내가 아직 어려서 부족한 점이 많으니, 나를 잘 도와주게."

"네, ㉣ 성심성의껏 돕겠나이다."

아전들은 원님에게 큰절을 올렸습니다. 하지만 아전들의 속마음은 그렇지 않았어요.

'저런 어린아이를 어떻게 원님으로 모신단 말인가!' 20

'나 원 참, 어린아이에게 머리를 **조아려야** 하다니…….'

원님이 자리를 떠나자, 아전들은 저마다 불만을 털어놓았어요.

"아니, 어떻게 이런 일이 있을 수 있단 말이오."

"어린아이를 원님으로 보내다니, 나 참!"

"나는 저런 **애송이**를 원님으로 모실 수 없소이다." 25

"임금님의 **명**을 받고 온 원님의 말을 **거역할** 수는 없지 않소?"

"우리가 도와주지 않으면, 울면서 집으로 돌아갈 거요."

"그것 좋은 생각이오. 아마 며칠도 못 가 그만두고 말 거요."

아전들은 원님을 ㉤ 골려 줄 생각을 하며 키득키득 웃었습니다.

- **행차**(行 다닐 행, 次 버금 차) 나이나 지위, 신분이 높은 사람이 길을 감.
- **관가**(官 벼슬 관, 家 집 가) 예전에 벼슬하던 사람들이 나랏일을 보던 곳.
- **아전** 조선 시대에 중앙과 지방의 각 관청에서 일하던 낮은 계급의 관리.
- **조아려야** 숙여야.
- **애송이** 어린 티가 나는 사람이나 물건.
- **명** 윗사람이 아랫사람에게 무엇을 하도록 시킴.
- **거역할** 윗사람의 뜻이나 지시를 따르지 않고 거스르는 행동을 함.

중심 내용

1 이 글에서 일어난 가장 중요한 일은 무엇인가요? (　　　　)

① 새 원님이 가마에서 내린 일
② 아전들이 새 원님을 골려 준 일
③ 나이가 어린 아이가 새 원님으로 온 일
④ 새 원님이 관가에서 아전들을 한자리에 모이게 한 일
⑤ 마을 사람들이 새 원님을 맞이하기 위해 관가 앞에 모여든 일

어휘

2 ㉠~㉤ 중 다음 뜻을 가진 낱말을 찾아 기호를 쓰세요.

참되고 성실한 마음과 뜻을 다하여.

(　　　　　　　　)

세부 내용

3 이 글의 내용으로 알맞은 것을 두 가지 고르세요. (　　,　　)

① 새 원님은 장원 급제한 사람이다.
② 아전들은 새 원님을 마음속으로 존경했다.
③ 새 원님을 본 마을 사람들은 겁에 질려 벌벌 떨었다.
④ 새 원님은 아전들에게 자신을 잘 도와 달라고 부탁했다.
⑤ 새 원님은 가마에서 나오자마자 마을 사람들을 향해 큰절을 올렸다.

추론

4 이 글 다음에 이어질 내용으로 어울리는 것의 기호를 쓰세요.

㉮ 아전들이 원님을 골려 주기 위한 사건이 벌어질 것이다. ㉯ 아전들이 원님과 힘을 합하여 마을의 문제를 해결해 나갈 것이다. ㉰ 마을 사람들이 원님과 아전들을 몰아내기 위한 계획을 세울 것이다.

(　　　　　　　　)

지문 분석

정답과 해설 22쪽

1 구성 요소

이야기의 구성 요소를 생각하며 빈칸에 알맞은 말을 쓰세요.

등장인물	( ), 마을 사람들, 아전들
일이 일어난 곳	어느 ( )
일어난 일	나이가 어린 원님이 새로 오자, 원님 앞에서는 성심성의껏 돕겠다던 ( )들이 뒤에서는 불만을 털어놓으며 원님을 스스로 돌아가게 만들려고 함.

2 인물 특징

새 원님을 대하는 아전들의 말과 행동을 보고 아전들은 어떠한 사람인지 생각하여 (   ) 안에 들어갈 알맞은 말에 ○표 하세요.

원님이 앞에 있을 때	원님이 앞에 없을 때
성심성의껏 돕겠다며 큰절을 올림.	애송이를 원님으로 모실 수 없다고 말함.

↓

마음속으로 하는 생각과 겉으로 하는 행동이 (같은, 다른) 사람들임.

배경지식

조선 시대에는 어떻게 관리가 될 수 있었을까요?

조선 시대에는 아이들이 7～8세가 되면 서당이라는 곳에서 훈장 선생님께 글을 배웠습니다. 주로 한문으로 된 천자문부터 배우기 시작했지요. 그리고 과거 시험의 첫 단계인 소과에서 합격하면 성균관에 들어갈 수 있었습니다. 성균관은 조선 시대 최대의 교육 기관으로, 이곳에서 열심히 공부하면 나라에서 보는 시험인 '과거'를 치를 수 있었는데, 이 시험에서 일등을 하는 것을 장원 급제라고 했습니다. 이렇게 과거에 합격하고 난 뒤에 나라의 관리가 될 수 있었답니다.

오늘의 어휘

다음 낱말의 알맞은 뜻을 찾아 선으로 이으세요.

명	• 어린 티가 나는 사람이나 물건.
거역할	• 겉으로 드러나지 않는 실제의 마음.
애송이	• 윗사람이 아랫사람에게 무엇을 하도록 시킴.
속마음	• 윗사람의 뜻이나 지시를 따르지 않고 거스름.
시끌벅적	• 많은 사람들이 어수선하게 움직이며 시끄럽게 떠드는 모양.

1 다음 빈칸에 들어갈 알맞은 말을 오늘의 어휘에서 찾아 쓰세요.

- 지훈이에게 내 ( )을 털어놓았다.
- 쉬는 시간에 우리 반은 늘 ( )하다.
- 장수들은 임금의 ( )을 받고 전쟁터로 나갔다.
- 장군님의 명령을 ( ) 수 있는 사람은 아무도 없다.
- 새로 온 친구를 아무것도 모르는 ( )라며 무시했다.

2 다음 글에서 밑줄 친 말과 뜻이 반대인 말을 찾아 쓰세요.

하이에나는 치타, 사자와 같은 다른 동물의 먹잇감을 빼앗아 먹는다고 알려져 있지만 사냥도 무척 잘한다. 초원의 왕 사자도 쉽게 당해 내지 못할 만큼 이빨로 물어뜯는 힘이 강하기 때문이다. 하이에나는 암컷이 대장이 되어 무리를 이끈다. 모든 수컷들은 대장인 암컷에게 <u>복종</u>해야 하며, 거역해서는 안 된다.

( )

돌로 만든 갓 ❷ | 전래 동화

글의 구조

글자 수

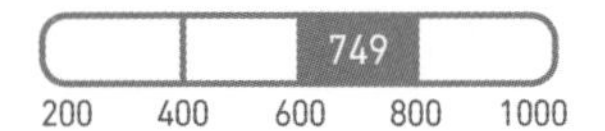

어느 날, 한 농부가 어린 원님을 찾아왔어요.

"원님, 저희 집 **곳간**에 쌀이 날마다 조금씩 없어집니다. 그 도둑을 꼭 좀 잡아 주십시오!"

"알았네. 자네는 그만 돌아가 있게. 이방, 내일 아침 일찍 마을 사람들을 불러 모으게."

'저렇게 어린 원님이 무슨 **수**로 도둑을 잡겠어?'

아전들은 어린 원님을 속으로 비웃었어요.

다음 날 아침 일찍 마을 사람들이 관가로 모였습니다.

"한 농부가 쌀을 자꾸 도둑맞는다는 이야기를 들었소. 그래서 어젯밤 그 농부의 쌀 **가마니**에 표시를 해 두었으니, 마을의 곳간을 모두 뒤지면 누가 도둑인지 알 수 있을 것이오."

그때 한 사람이 앞으로 나서며 눈물을 흘렸어요.

"죽을 죄를 지었사옵니다. 용서해 주십시오. 식구들이 굶주리고 있어서 제가 쌀을 훔쳤습니다."

원님은 다시 찾은 쌀을 농부에게 돌려주고, 가난한 도둑에게는 관가의 쌀을 나누어 주었습니다.

어린 원님이 도둑을 잡았다는 소문은 널리 퍼져 나갔습니다. 어린 원님은 마을의 어려운 일들을 **현명하게** 처리했어요.

그러자 마을 사람들은 어린 원님을 잘 따르게 되었답니다. 원님이 지나가면, 사람들은 이마가 땅에 닿도록 절을 했어요.

"이 마을에 온 원님들 가운데 가장 훌륭한 분이시구먼."

마을 사람들은 원님에 대해 칭찬을 아끼지 않았어요. 어린 원님이 **존경**을 받자, 아전들은 **시기**를 했습니다.

원님이 먼저 인사를 해도, 아전들은 들은 척하지 않았어요.

'내가 어리다고 ㉠<u>얕잡아 보는군</u>. 저 못된 버릇을 당장 고쳐 줘야지.'

원님은 아전들을 혼내 줄 방법을 **곰곰이** 생각했습니다.

'아! 그렇게 하면 되겠구나!'

- **곳간** 물건을 간직하여 두는 곳.
- **수** 어떤 일을 처리하는 방법.
- **가마니** 곡식이나 소금 등을 담기 위해 짚을 엮어서 만든 것.
- **현명하게** 마음이 너그럽고 슬기로우며 일의 이치를 잘 알게.
- **존경** 어떤 사람을 우러르고 받들어 모시는 것.
- **시기** 남이 잘 되는 것을 샘내고 미워하는 것.
- **곰곰이** 여러모로 깊이 생각하는 모양.

지문 독해

중심 내용

1 이 글에서 가장 중요한 일은 무엇인지 알맞은 말에 ○표 하세요.

원님은 마을의 어려운 일을 현명하게 해결해 나가며 마을 사람들로부터 (존경, 시기)을/를 받게 되었고, 아전들은 그런 원님을 (칭찬, 시기)함.

세부 내용

2 원님이 한 일로 알맞지 않은 것은 무엇인가요? (　　　)

① 도둑에게 되찾은 쌀을 농부에게 돌려주었다.
② 가난한 도둑에게 관가의 쌀을 나누어 주었다.
③ 이방을 시켜 아침 일찍 마을 사람들을 불러 모았다.
④ 마을의 곳간을 모두 뒤져 쌀을 가져간 도둑을 찾아냈다.
⑤ 관가에 모인 마을 사람들에게 농부의 쌀 가마니에 표시를 해 두었다고 말했다.

어휘

3 ㉠과 바꾸어 쓰기에 알맞은 말에 ○표 하세요.

(1) 존경하고 우러러보는군. (　　　)
(2) 간섭하고 잔소리하는군. (　　　)
(3) 우습게 생각하고 하찮게 여기는군. (　　　)

적용

4 원님을 대하는 아전들과 가장 비슷한 행동을 한 친구는 누구인지 기호를 쓰세요.

㉮ 손을 다친 친구를 위해 가방을 들어 준 유성
㉯ 선생님께 칭찬을 받은 수진이를 쌀쌀맞게 대한 미정
㉰ 눈이 나빠 칠판이 안 보이는 친구를 위해 자리를 바꿔 준 경진
㉱ 시합에서 졌지만 이긴 친구에게 진심을 담아 축하 인사를 한 경현

(　　　　　　　)

지문 분석

정답과 해설 23쪽

1 사건 전개

일이 일어난 순서대로 보기 에서 기호를 찾아 써넣어 글의 내용을 정리하세요.

보기

㉮ 원님이 쌀을 훔쳐 간 도둑을 잡음.
㉯ 원님이 아전들을 혼내 줄 방법을 생각함.
㉰ 마을 사람들이 현명한 원님을 칭찬하고 존경함.
㉱ 원님을 시기한 아전들은 원님이 인사를 해도 들은 척도 하지 않음.
㉲ 한 농부가 어린 원님을 찾아와 쌀을 훔쳐 가는 도둑을 잡아 달라고 함.

( ) → ( ) → ( ) → ( ) → ( )

2 인물 특징

원님의 행동에서 알 수 있는 성격을 생각하며 빈칸에 들어갈 알맞은 말을 보기 에서 찾아 쓰세요.

보기

어리석음　　지혜로움　　배려심　　이기심

이야기의 흐름		원님의 성격
농부의 쌀 가마니에 표시를 해 두어서 마을의 곳간을 모두 뒤지면 누가 도둑인지 알 수 있다고 말함.	→	해결하기 어려운 일을 처리하는 것으로 보아 ( ).
가난한 도둑에게 관가의 쌀을 나누어 줌.		도둑에게 무조건 벌을 주지 않고 사정을 헤아려 주는 것으로 보아 ( )이 있음.

배경지식 옛날에는 죄를 지으면 어떤 벌을 받았을까요?

옛날에 죄인들이 받았던 벌 중에서 가장 가벼운 형벌은 태형이었어요. 십자(十) 모양의 나무 판에 죄수의 양팔과 다리를 묶고 엉덩이를 한 대씩 치는 것으로, 우리가 잘 알고 있는 '곤장을 맞는다'라고 표현하는 벌이랍니다. 그것보다 더 큰 죄를 저지르면 관아에 가두어 벌을 주었는데 죄인의 목에 나무로 된 긴 칼을 두르고 움직이지 못하게 했답니다. 그리고 그보다 더 큰 죄를 저질렀을 때에는 죄인을 외딴 시골이나 먼 섬으로 보내서 일정 기간 동안 밖으로 벗어나지 못하도록 하는 귀양을 보냈습니다.

오늘의 어휘

다음 낱말의 알맞은 뜻을 찾아 선으로 이으세요.

존경 •	• 여러모로 깊이 생각하는 모양.
시기 •	• 윗사람을 대할 때 지켜야 하는 예절.
버릇 •	• 남이 잘 되는 것을 샘내고 미워하는 것.
곰곰이 •	• 어떤 사람을 우러르고 받들어 모시는 것.
현명하게 •	• 마음이 너그럽고 슬기로우며 세상의 이치를 잘 알게.

1 다음 빈칸에 들어갈 알맞은 말을 오늘의 어휘에서 찾아 쓰세요.

- 동생은 아직 어려서 [   ]이 없다.
- [   ] 생각해 보니 네 말이 맞는 것 같아.
- 어려운 일이지만 잘 생각해서 [   ] 판단해.
- 내가 가장 [   ]하는 사람은 우리 할아버지이다.
- 친구를 [   ]만 하지 말고 너도 열심히 공부하렴.

2 다음 글에서 밑줄 친 말과 뜻이 비슷한 말을 찾아 쓰세요.

'사촌이 땅을 사면 배가 아프다'라는 속담이 있다. 사촌이 땅을 사면 샘이 나서 배가 아프다는 말로, 가까운 사람이 잘 되는 것을 기뻐해 주지는 않고, 오히려 시기하고 질투한다는 뜻이다.

(   )

돌로 만든 갓 ❸ | 전래 동화

글의 구조

글자 수

768

200 400 600 800 1000

하루는 어린 원님이 돌로 물건을 만드는 돌장이를 불렀습니다.

며칠 뒤, 돌장이가 커다란 돌덩이를 들고 다시 관가로 들어왔습니다. 어린 원님은 아전들을 불러 모았습니다.

"여봐라! 이게 무엇이냐?"

아전들은 돌장이가 가지고 온 돌덩이를 내려다보았어요. 5

"돌덩이가 아니옵니까? 그런데 돌이 마치 갓처럼 생겼사옵니다."

"잘 보았다. 이것은 바로 갓이니라. 돌로 만든 갓이지."

아전들은 **어이없다는** 듯이 **키득거렸어요**.

어린 원님은 아전들에게 말했습니다.

"이것은 내가 너희들에게 주는 갓이다. 너희들은 목이 하도 **뻣뻣하여** 인사를 못 하는 것 같더구나. 그래서 돌장이를 시켜 돌로 갓을 만들도록 하였느니라. 이 갓을 쓰면 뻣뻣했던 목이 **절로** 숙여질 것이니, 내게 머리를 숙여 인사할 수 있을 것이다. 이제부터 아전들은 모두 이 갓을 쓰도록 하라!" 10

아전들은 원님의 명령대로 돌로 만든 갓을 쓰게 되었어요. 15

"아이고, 목이야!"

돌로 만든 갓을 쓴 아전들은 고개를 들 수가 없었습니다. 그제야 잘못을 깨달은 아전들은 부끄러워 얼굴이 빨개졌어요. 그리고 눈물을 흘리며 어린 원님께 용서를 빌었지요.

"저희들이 잘못했사오니 한 번만 용서해 주십시오." 20

어린 원님은 **의젓한** 목소리로 아전들에게 말했습니다.

"겉모습만 보고 그 사람을 어찌 알 수 있단 말이냐? 어리다는 이유로 너희들이 나를 **업신여겨서야** 되겠느냐? 이제라도 잘못을 **뉘우쳤다고** 하니, 지난 일들은 모두 용서해 주겠노라. 앞으로 나를 도와 이 마을을 살기 좋은 곳으로 만들도록 하자." 25

"예, **명심**하겠습니다."

그 뒤 아전들은 어린 원님을 도와 마을을 위해 열심히 일했답니다.

- **어이없다는** 일이 너무나 뜻밖이어서 기가 막히다는.
- **키득거렸어요** 참다못하여 입 속에서 새어 나오는 소리로 자꾸 웃었어요.
- **뻣뻣하여** 몸이나 물건이 굳어 있어.
- **절로** 저절로. 다른 힘을 빌리지 않고 스스로.
- **의젓한** 말이나 몸가짐이 점잖고 믿음직한.
- **업신여겨서야** 잘난 체하고 뽐내는 마음으로 남을 낮추어 보거나 하찮게 여겨서야.
- **뉘우쳤다고** 스스로 제 잘못을 깨닫고 마음속으로 스스로 반성하고 꾸짖었다고.
- **명심** 어떤 것을 잊지 않게 마음속에 깊이 새김.

지문 독해

중심 내용

1 이 글에서 가장 중요한 일은 무엇인지 빈칸에 알맞은 말을 쓰세요.

원님이 아전들에게 (   )로 만든 갓을 쓰게 한 일

어휘

2 이 글에서 다음 뜻을 가진 말을 찾아 쓰세요. (3글자)

돌을 다루어 물건을 만드는 사람.

(   )

세부 내용

3 원님이 아전들에게 돌로 만든 갓을 쓰게 한 까닭으로 알맞은 것을 두 가지 고르세요. (,   )

① 그동안 아전들이 한 수고를 칭찬하려고
② 아전들이 원님을 무서워해서 멀리 떠나게 하려고
③ 마을 사람들에게 존경을 받는 아전들을 혼내 주려고
④ 자신을 업신여기며 인사를 하지 않는 아전들을 혼내 주려고
⑤ 돌로 만든 갓을 쓰고 목이 절로 숙여져서 자신에게 인사를 하게 만들려고

감상

4 원님이 한 일을 보고, 자신의 생각을 알맞게 말한 친구는 누구인가요? (   )

① 아리: 아전들을 용서해 주지 않는 원님은 속이 좁은 사람이야.
② 영지: 돌로 만든 갓을 아전들에게 쓰라고 하다니 원님은 장난이 너무 심해.
③ 세훈: 원님은 아전들이 목을 다쳐서 함께 일을 하지 못하기를 바라고 있어.
④ 하윤: 일을 열심히 한 아전들에게 돌로 만든 갓을 상으로 주는 것을 보니 원님은 재미있고 유쾌한 성격이야.
⑤ 주원: 잘못했다고 말하는 아전들의 사과를 받아 주고 지난 일들을 모두 용서해 주는 원님은 너그러운 성격이야.

지문 분석

정답과 해설 24쪽

1 마음 변화 아전들의 마음 변화를 생각하며 ( ) 안에 들어갈 알맞은 말에 ○표 하세요.

처음에 어린 원님이 아전들에게 돌로 만든 갓을 보여 줌.	(어이없어서, 부끄러워서) 키득거리며 웃음.

↓

어린 원님이 아전들에게 돌로 만든 갓을 쓰라고 함.	돌로 만든 갓을 쓰고 자신들의 잘못을 깨닫게 되자 (어이없음, 부끄러움).

2 주제 원님이 아전들에게 한 말을 보고, 보기 에서 알맞은 말을 찾아 써넣어 이 글의 주제를 완성하세요.

보기

속마음 겉모습 어리다 많다

원님의 말	"겉모습만 보고 그 사람을 어찌 알 수 있단 말이냐? 어리다는 이유로 너희들이 나를 업신여겨서야 되겠느냐? 이제라도 잘못을 뉘우쳤다고 하니, 지난 일들은 모두 용서해 주겠노라. 앞으로 나를 도와 이 마을을 살기 좋은 곳으로 만들도록 하자."

↓

주제	• 사람을 ( )만 보고 판단하지 말아야 한다. • 나이가 ( )는 이유로 업신여기지 말아야 한다.

배경지식 「돌로 만든 갓」 전체 줄거리

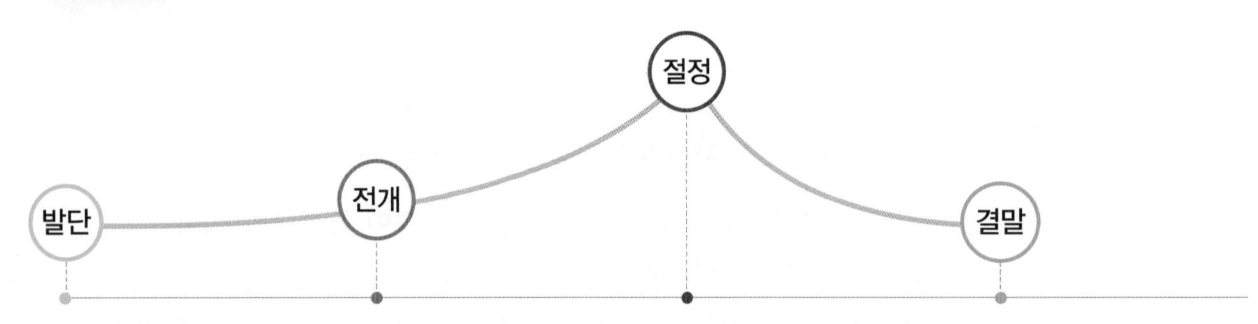

발단	전개	절정	결말
어느 마을에 나이가 어린 새 원님이 오고 이에 불만을 품은 아전들은 어린 원님을 골려 주어 되돌려 보내려고 함.	원님이 어려운 일들을 현명하게 처리해 마을 사람들의 존경을 받게 되자, 아전들은 원님을 시기함.	원님은 아전들의 못된 버릇을 고치기 위해 목이 절로 숙여질 것이라며 돌로 만든 갓을 쓰게 함.	돌로 만든 갓을 쓰게 된 아전들은 원님에게 용서를 빌고, 그뒤 어린 원님을 도와 열심히 일함.

오늘의 어휘 다음 낱말의 알맞은 뜻을 찾아 선으로 이으세요.

명심 •	• 몸이나 물건이 굳어 있어.
절로 •	• 말이나 몸가짐이 점잖고 믿음직한.
의젓한 •	• 남을 낮추어 보거나 하찮게 여겨서야.
뻣뻣하여 •	• 저절로. 다른 힘을 빌리지 않고 스스로.
업신여겨서야 •	• 어떤 것을 잊지 않게 마음속에 깊이 새김.

1 다음 빈칸에 들어갈 알맞은 말을 오늘의 어휘에서 찾아 쓰세요.

- 선생님의 말씀을 흘려듣지 말고 [　　　　]해라.
- 식탁 위에 두었던 빵이 [　　　　] 먹을 수 없었다.
- 기쁜 소식을 들으니 춤과 노래가 [　　　　] 나온다.
- 그 아이들이 너보다 키가 작다고 [　　　　] 되겠니?
- 동생은 혼자서도 잘 수 있다며 [　　　　] 목소리로 말했다.

2 다음 글에서 밑줄 친 말과 뜻이 비슷한 말을 찾아 쓰세요.

여러분이 건강하고 튼튼하게 방학을 보내기 위해서는 <u>유념</u>해야 할 사항 몇 가지가 있습니다. 첫째는 아침에 일찍 일어나고 밤에 늦게 자지 않기, 둘째는 핸드폰이나 텔레비전 같은 전자 기기를 오래 보지 않기, 셋째는 일주일에 3~4일 정도 운동하기입니다. 이 세 가지를 명심하고 잘 지킨다면 건강하고 알찬 방학을 보낼 수 있을 것입니다.

(　　　　　　　　)

행복한 왕자 ❶ | 오스카 와일드

글의 구조

글자 수

"저 **동상** 좀 봐! 칼과 눈에 박힌 루비와 사파이어가 반짝반짝 빛나잖아?"

"금으로 만든 몸은 정말 아름다워."

"온 도시를 내려다보는 저 동상은 참 행복할 거야."

사람들은 도시 **한복판**의 높은 곳에 서 있는 동상을 "행복한 왕자"라고 부르며 부러워했습니다. 5

따뜻한 남쪽 나라인 이집트로 날아가던 제비 한 마리가 잠시 쉬기 위해 행복한 왕자 동상의 어깨에 앉아 있는데 톡 하고 물방울이 떨어졌습니다.

그런데 놀랍게도 그것은 동상의 눈에서 떨어진 눈물이었습니다.

"아니, 동상이 울고 있잖아. 다, 당신은 **쇠붙이**가 아닌가요?"

"맞아. 하지만 나는 모든 것을 볼 수 있고 또 생각할 수도 있어." 10

"당신은 누구세요? 왜 눈물을 흘리세요?"

"사람들은 나를 '행복한 왕자'라고 불러. 나도 오래 전에는 사람이었단다. 그때는 눈물이 무엇인지 몰랐지. 낮에는 아름다운 정원에서 뛰어놀고, 밤이면 **연회장**에서 사람들과 어울려 멋진 춤을 추었거든. 사람들은 그때부터 나를 행복한 왕자라고 불렀단다. 그런데 정원 둘레에는 아주 높은 담이 15 있어서 나는 담 너머에 어떤 사람들이 사는지, 그들이 어떤 생활을 하는지 전혀 몰랐어. 그러다 영원히 눈을 감았지. 내가 죽자 사람들이 나를 동상으로 만들어 이렇게 높은 곳에 세워 놓은 거란다."

"그럼 이제 담 밖을 볼 수 있겠네요?"

"그렇단다. **덕분**에 난 이 도시에 불행한 사람들이 너무나 많다는 것을 알 20 게 되었어. **비참하게** 사는 사람들, 배고픔으로 괴로워하는 사람들, 몸이 아파 고생하는 사람들 말이야. 그래서 이렇게 눈물을 흘리는 거야."

- **동상** 사람이나 동물의 모습으로 만든 기념물.
- **한복판** 어떤 것의 한가운데.
- **쇠붙이** 열이나 전기를 잘 전달하며 펴지고 늘어나는 성질이 있는 물질을 부르는 말.
- **연회장** 잔치를 여는 곳.
- **덕분** 베풀어 준 도움이나 은혜.
- **비참하게** 몹시 슬프고 끔찍하게.

중심 내용

1 이 글에 나온 인물은 누구인지 빈칸에 알맞은 말을 쓰세요.

사람들이 "(   )"라고 부르는 동상과 따뜻한 남쪽 나라인 이집트로 날아가던 (   ) 한 마리

어휘

2 동상이 되기 전 왕자의 상황과 가장 관련 있는 속담에 ○표 하세요.

(1) 아니 땐 굴뚝에 연기 날까: 원인이 없으면 결과가 있을 수 없다. (   )

(2) 바늘구멍으로 하늘 보기: 전체를 보지 못하고 매우 좁은 곳만 본다. (   )

(3) 티끌 모아 태산: 아무리 작은 것이라도 모이면 나중에 큰 덩어리가 된다. (   )

세부 내용

3 동상이 된 왕자가 눈물을 흘린 까닭은 무엇인가요? (   )

① 동상이 된 뒤에 도시에서 쫓겨나게 되어서
② 더 이상 아름다운 정원에서 뛰어놀 수 없어서
③ 연회장에서 사람들과 어울려 멋진 춤을 추던 때가 그리워서
④ 사람일 때는 눈물이 없었다가 동상이 된 뒤에 눈물이 생겨서
⑤ 비참하게 사는 사람들, 배고픈 사람들, 몸이 아픈 사람들을 보아서

적용

4 동상이 된 왕자와 비슷한 경험을 한 친구는 누구인가요? (   )

① 반찬이 맛없다며 투정하다가 아버지께 혼이 난 석훈
② 친구와 놀이공원에 놀러 가기로 했다가 약속을 어긴 수경
③ 넘어진 친구를 보고 고소해하는 모습을 친구에게 들킨 혜지
④ 자리에 앉아 혼자 눈물을 흘리는 짝꿍에게 울고 있는 까닭을 물어본 태민
⑤ 텔레비전 뉴스에서 아프리카 어린이들이 먹을 것이 없어 고통 받는 것을 알게 되어 눈물을 흘린 정아

지문 분석

정답과 해설 25쪽

1 인물 마음

이 글에 나온 인물들이 한 일과 그때의 마음을 생각하며 (　　　) 안에 들어갈 알맞은 말에 ○표 하세요.

	인물들이 한 일	마음
사람들	온갖 보석으로 장식한 왕자를 봄.	(부러워함, 질투함)
왕자	담 너머에 사는 사람들을 봄.	(슬픔, 외로움)

2 사건 파악

왕자의 상황에 따라 일어난 일을 모두 찾아 선으로 이으세요.

- 왕자가 사람이었을 때 •
- 왕자가 동상으로 만들어졌을 때 •

- • 눈물을 흘리게 됨.
- • 눈물이 무엇인지 모름.
- • 담 너머 사람들이 어떻게 생활하는지 모름.
- • 도시에 불행한 사람들이 너무나 많다는 것을 알게 됨.

배경지식 좋은 소식을 가져온다고 알려진 동물, 제비

좋은 소식을 가져온다는 제비를 본 적이 있나요? 제비는 작은 몸에 비해 날개가 크고, 가느다랗고 긴 가위 모양의 꽁지깃이 있어서 하늘에서 방향 조절을 잘하면서 날아다닙니다. 먹잇감인 곤충이 많아지는 4월 말쯤에 알을 낳고, 새끼들이 둥지를 떠나면 7월에 한 번 더 낳습니다. 부모 제비는 하루 종일 쉬지 않고 먹이를 물어다 주며 새끼를 키우고, 새끼 제비들은 태어난 지 한 달쯤 뒤면 둥지를 떠납니다. 제비는 따뜻한 곳에서 살기 때문에 가을에서 추운 겨울에는 따뜻한 나라로 갔다가 봄이 되면 다시 우리나라로 돌아온답니다.

오늘의 어휘

다음 낱말의 알맞은 뜻을 찾아 선으로 이으세요.

동상 •	• 잔치를 여는 곳.
덕분 •	• 어떤 것의 한가운데.
한복판 •	• 몹시 슬프고 끔찍하게.
연회장 •	• 베풀어 준 도움이나 은혜.
비참하게 •	• 사람이나 동물의 모습으로 만든 기념물.

1 다음 빈칸에 들어갈 알맞은 말을 오늘의 어휘에서 찾아 쓰세요.

- 길 [ ]에 서 있지 말고 비켜 주세요.
- 광화문에는 세종 대왕의 [ ]이 있다.
- [ ]의 문이 열리자 사람들이 몰려 나왔다.
- 동생이 도와준 [ ]에 청소를 빨리 끝냈다.
- 우리 주변에 가난하고 [ ] 사는 이웃들을 도와야 한다.

2 다음 글에서 밑줄 친 말과 뜻이 비슷한 말을 찾아 쓰세요.

우리나라가 일본의 지배를 받고 있던 때에 독립을 위해서 애쓰신 많은 분들이 계시다. 그중에는 일본 경찰에게 붙잡혀 <u>끔찍하게</u> 고통을 받다가 돌아가신 분들이 많다. 더욱 안타까운 것은 오늘날 그 후손들이 도움을 받지 못하고 비참하게 생활하는 경우가 많다는 것이다.

( )

행복한 왕자 ❷ | 오스카 와일드

글의 구조

발단 — 전개 — 절정 — 결말

글자 수

749

200 400 600 800 1000

"제비야, 저기 멀리 다 쓰러져 가는 집에 아이가 병에 걸려 **신음**하고 있어. 내 **칼자루**에 있는 루비를 뽑아다가 전해 주렴. 내 발은 받침대에 단단히 붙어 있어서 움직일 수가 없어."

"저는 이집트로 가야 해요."

"오늘 하룻밤만 내 부탁을 들어줘."

왕자의 슬픈 표정이 제비의 마음을 아프게 했습니다.

"딱 오늘 하룻밤만이에요."

제비는 그 집으로 날아가 루비를 **탁자** 위에 내려놓고 다시 돌아왔습니다.

"왕자님, 그런데 이상해요. 날씨는 추운데 가슴이 따뜻해지는 것 같아요."

"그건 네가 착한 일을 했기 때문이란다."

다음 날이 되었습니다.

"제비야, 저 멀리 떨어진 마을에 젊은이가 너무 추워 글을 쓸 수 없단다. 네가 좀 도와주겠니?"

"하룻밤만이에요."

"내 눈에 박힌 사파이어를 빼서 갖다 주렴."

"차마 왕자님의 눈을 뽑을 수는 없어요."

"난 괜찮아."

제비는 사파이어를 빼서 젊은이에게 가져다주었습니다. 제비는 그다음 날도 왕자의 부탁대로 **광장**에 있는 성냥팔이 소녀에게 왕자의 한쪽 눈에 남아 있던 사파이어마저 빼서 갖다주었습니다.

제비는 앞을 볼 수 없게 된 왕자가 불쌍했습니다.

"오늘부터 제가 왕자님 곁을 지킬게요."

"안 돼. 날씨가 점점 더 추워지고 있단다."

하지만 다음 날부터 제비는 도시를 날아다니며 보고 들은 일들을 왕자에게 이야기해 주었습니다. 왕자는 자신의 몸을 **뒤덮고** 있던 황금을 조금씩 불쌍한 사람들에게 나누어 주었습니다. 제비가 나누어 준 금이 사람들에게 기쁨과 행복을 주는 동안 행복한 왕자는 점점 **초라한** 모습으로 변해 갔습니다.

- **신음** 아프거나 괴로워서 끙끙거리는 소리를 냄.
- **칼자루** 칼을 안전하게 쥘 수 있도록 만든 부분.
- **탁자** 떠받치는 다리가 있고 위가 평평하여 물건을 올려놓을 수 있는 가구.
- **광장** 많은 사람이 모일 수 있게 만든 넓은 공간.
- **뒤덮고** 빈 곳이 없이 온통 덮고.
- **초라한** 겉모습이나 옷차림이 보잘것없는.

중심 내용

1 이 글에서 중심이 되는 내용으로 알맞은 말에 ○표 하세요.

왕자의 제비가 나누어 준 것이 사람들에게 (기쁨과 행복, 절망과 슬픔)을 주는 동안 행복한 왕자는 점점 (멋있는, 초라한) 모습으로 변해 감.

세부 내용

2 이 글의 내용으로 알맞은 것에 ○표 하세요.

(1) 제비는 도시 사람들에게 왕자의 소식을 전해 주었다. (　　)
(2) 왕자는 받침대에 발이 붙어 있어서 마음대로 움직일 수 없었다. (　　)
(3) 왕자는 자신의 눈에 있는 사파이어를 직접 뽑아 제비에게 주었다. (　　)

세부 내용

3 며칠 동안 왕자를 도와주던 제비가 결국 이집트로 떠나지 못한 까닭은 무엇인가요? (　　)

① 왕자가 같이 살자고 붙잡아서
② 두 날개를 다쳐서 날 수 없어서
③ 따뜻한 곳보다 추운 곳이 더 좋아져서
④ 두 눈이 모두 멀어 버린 왕자가 불쌍해서
⑤ 왕자가 제비에게 따뜻한 집과 먹이를 주어서

감상

4 이 글을 읽고 인물에 대해 알맞게 짐작하여 말한 것은 무엇인가요? (　　)

① 왕자는 보석이 없어서 초라해 보일까 봐 걱정했던 것 같아.
② 제비는 남쪽 나라로 갈 수 없게 만든 왕자가 원망스러웠을 것 같아.
③ 제비가 보석을 갖다 준 사람들은 모두 왕자에게 고마워했을 것 같아.
④ 날씨가 추운데도 제비의 가슴이 따뜻해진 것은 착한 일을 했기 때문인 것 같아.
⑤ 왕자가 더 이상 가진 것을 나누어 줄 수 없도록 앞을 보지 못하게 눈에서 보석을 빼낸 것을 보니 제비는 잔인한 성격인 것 같아.

지문 분석

정답과 해설 26쪽

1 인물 성격

인물의 행동을 생각하며 (   ) 안에 들어갈 알맞은 말에 ○표 하세요.

인물	인물의 행동	인물의 성격
왕자	자신이 가진 보석들을 가난한 사람들에게 모두 나누어 줌.	다른 사람의 아픔에 (공감, 공유) 하고, 자신을 희생하면서 다른 사람을 (돕는, 부러워하는) 성격임.
제비	왕자의 부탁을 거절하지 못하고, 자신의 모든 것을 나누어 준 왕자의 곁을 지키겠다고 함.	다른 사람을 (무시, 배려)하며 (자신감, 책임감)이 강함.

2 사건 전개

행복한 왕자가 한 일의 순서대로 정리하여 빈칸에 알맞은 말을 쓰세요.

병에 걸린 아이에게 칼자루에 있는 (   )를 줌.

↓

추워서 글을 쓸 수 없는 젊은이에게 (   )에 박힌 사파이어를 줌.

↓

성냥팔이 소녀에게 한쪽 눈에 남아 있던 (   )를 줌.

↓

자신의 몸을 뒤덮고 있던 (   )을 사람들에게 조금씩 나누어 줌.

배경지식 우리 주변의 이웃을 도울 수 있는 방법에는 무엇이 있을까요?

겨울철 길거리에서 구세군 자선냄비를 본 적 있나요? 구세군 자선냄비는 세계 어린이들을 돕기 위해 만들어진 단체인 유니세프에서 주관합니다. 구세군 자선냄비의 종소리는 크리스마스가 가까워지면 세계 100여 개 국가에서 울려 퍼지는데, 사람들이 한 푼 두 푼 넣은 마음을 모아 도움이 필요한 사람들에게 나누어 주는 것입니다. 요즘은 이런 방법 이외에도 소외된 이웃을 돕는 일을 하는 기관에 정기적으로 후원금을 내거나 직접 찾아가서 자신의 재능을 기부하여 돕는 등 우리 주변의 이웃을 돕는 다양한 방법이 있답니다.

오늘의 어휘

다음 낱말의 알맞은 뜻을 찾아 선으로 이으세요.

신음 •	• 조금씩 더하거나 덜하는 모양.
표정 •	• 겉모습이나 옷차림이 보잘것없는.
광장 •	• 아프거나 괴로워서 끙끙거리는 소리를 냄.
점점 •	• 많은 사람이 모일 수 있게 만든 넓은 공간.
초라한 •	• 마음속의 생각이나 기분이 얼굴에 드러남.

1 다음 빈칸에 들어갈 알맞은 말을 오늘의 어휘에서 찾아 쓰세요.

- [ ]에 많은 사람들이 모여 있었다.
- 친구와 나의 사이가 [ ] 멀어지고 있다.
- [ ]만 보아도 네 기분이 어떤지 알 수 있어.
- 그 남자는 아무것도 가진 것 없이 [ ] 모습이었다.
- 몸살감기에 걸리신 엄마는 밤새 [ ] 소리를 내셨다.

2 다음 글에서 밑줄 친 말과 뜻이 반대인 말을 찾아 쓰세요.

필리핀으로 가족 여행을 떠났을 때의 일이었다. 우리는 멋진 호텔에서 수영을 하며 즐겁게 놀고, 밤에는 시장에 들러 이것저것을 구경했다. 그런데 알록달록 화려한 옷차림을 한 우리와 달리 시장 주변을 돌아다니는 필리핀 아이들의 초라한 모습이 자꾸 눈에 들어왔다.

(　　　　　　　　)

행복한 왕자 ❸ | 오스카 와일드

글의 구조

글자 수

따뜻한 남쪽 나라로 떠날 때를 놓친 제비는 온몸을 떨었습니다. 그래도 제비는 왕자의 곁을 떠나지 않았습니다. **진심**으로 왕자를 사랑하기에 차마 떠날 수가 없었습니다.

"왕자님, 손에 입을 맞춰도 될까요? 이제 **작별** 인사를 해야 할 것 같아서요." 5

"이제 이집트로 돌아간다는 말이지? 손이 아니라 내 입술에 입을 맞춰도 좋아. 나도 너를 사랑한단다."

제비는 왕자의 입술에 입을 맞추었습니다. 그러고나서 **풀썩** 쓰러져 숨을 거두었습니다. 제비의 몸은 금세 딱딱하게 굳었습니다.

바로 그 순간, 동상의 가슴 속에서 무엇인가 깨지는 소리가 들렸습니다. 10 **납**으로 만든 동상의 심장이 두 조각 나는 소리였습니다.

다음 날 아침, 광장을 지나가던 사람들은 ㉠볼품없이 변한 행복한 왕자의 동상을 보고 말했습니다.

"저런, 쯧쯧쯧……. 왜 저렇게 초라하고 꾀죄죄해졌지? 보기가 너무 흉해!"

사람들은 마침내 행복한 왕자의 동상을 **철거하기로** 했습니다. 그리고 동상을 녹이기 위해 **용광로**에 갖다 넣었지요. 15

"신기하네. 다른 곳은 다 녹았는데 납으로 만든 심장이 녹지를 않아."

사람들은 행복한 왕자의 심장을 쓰레기 **더미**에 버렸습니다.

그러던 어느 날 하느님이 천사에게 도시로 내려가 세상에서 가장 귀한 것 두 가지를 가져오라고 명령했습니다. 20

천사는 행복한 왕자의 심장과 죽은 제비를 가져갔습니다.

하느님이 말했습니다.

"아주 잘 가져왔구나. 이 귀여운 제비는 하늘나라의 정원에서 영원히 노래하며 살 것이고, 행복한 왕자는 황금으로 만든 도시에서 나와 함께 영원히 살 것이다." 25

- **진심** 거짓 없이 진실된 마음.
- **작별** 서로 인사를 나누고 헤어짐.
- **풀썩** 힘없이 주저앉거나 내려앉는 모양.
- **납** 열에 잘 녹는 무르고 무거운 금속.
- **철거하기로** 건물이나 시설 등을 무너뜨리거나 치워 없애기로.
- **용광로** 쇠붙이나 광석을 녹여서 쇳물을 뽑아내는 큰 가마.
- **더미** 많은 물건이 한데 쌓인 큰 덩어리.

중심 내용

1 **세상에서 가장 귀한 것 두 가지를 가져오라는 하느님의 명령에 천사가 가져온 것은 무엇인지 쓰세요.**

행복한 왕자의 (　　　　　　), 죽은 (　　　　　　)

어휘

2 **㉠과 바꾸어 쓰기에 알맞지 않은 말을 두 가지 고르세요. (　　,　　)**

① 멋없게　② 섬세하게　③ 빈틈없게
④ 초라하게　⑤ 보잘것없게

세부 내용

3 **이 글의 내용으로 알맞은 것을 두 가지 고르세요. (　　,　　)**

① 왕자의 동상을 용광로에 넣자마자 모두 녹아 버렸다.
② 사람들은 왕자의 동상이 초라해진 것을 무척 슬퍼했다.
③ 제비가 죽자, 왕자의 동상에 있던 심장은 두 조각이 났다.
④ 제비는 왕자를 사랑해서 죽을 때까지 왕자를 떠날 수 없었다.
⑤ 사람들은 광장을 지나가며 행복한 왕자가 한 일에 고마움을 표현했다.

감상

4 **이 글의 제목인 '행복한 왕자'에 대한 자신의 생각을 알맞게 말하지 못한 것의 기호를 쓰세요.**

㉮ 왕자와 제비가 서로 사랑하는 마음을 나누고, 살아 있을 때 그 사랑을 이루었으니까 '행복한 왕자'라고 생각해.
㉯ 사람들은 겉모습만 보고 '행복한 왕자'라고 불렀지만, 다른 사람의 아픔에 공감할 수 있게 된 왕자가 진짜 '행복한 왕자'라고 생각해.
㉰ 궁궐 안에 살 때는 자신의 행복밖에 몰랐던 '행복한 왕자'였다면, 동상이 된 후에는 다른 사람의 슬픔을 알고, 자기 것을 나눌 수 있는 진짜 '행복한 왕자'가 되었어.

(　　　　　　)

지문 분석

정답과 해설 27쪽

1 사건 파악 **이야기 속 사건이 일어난 까닭으로 알맞은 것을 찾아 선으로 이으세요.**

이야기 속 사건		까닭
제비가 쓰러져 숨을 거두자, 왕자 동상의 가슴 속 심장이 두 조각 남. •		• 다른 사람의 아픔에 공감하고, 자신을 희생했던 왕자의 사랑이 너무 따뜻하고 단단해서
왕자의 동상을 용광로에 넣자, 다른 곳은 다 녹았지만 납으로 만든 심장만 녹지 않음. •		• 사랑하는 제비의 죽음으로 인한 왕자의 슬픔이 너무 커서

2 주제 **행복한 왕자가 한 일을 보고, 보기에서 알맞은 말을 찾아 써넣어 주제를 완성하세요.**

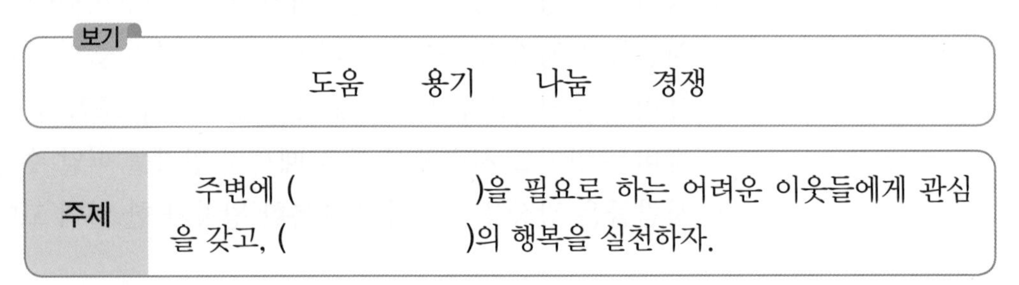

보기

도움 용기 나눔 경쟁

주제	주변에 ( )을 필요로 하는 어려운 이웃들에게 관심을 갖고, ( )의 행복을 실천하자.

배경지식 **「행복한 왕자」 전체 줄거리**

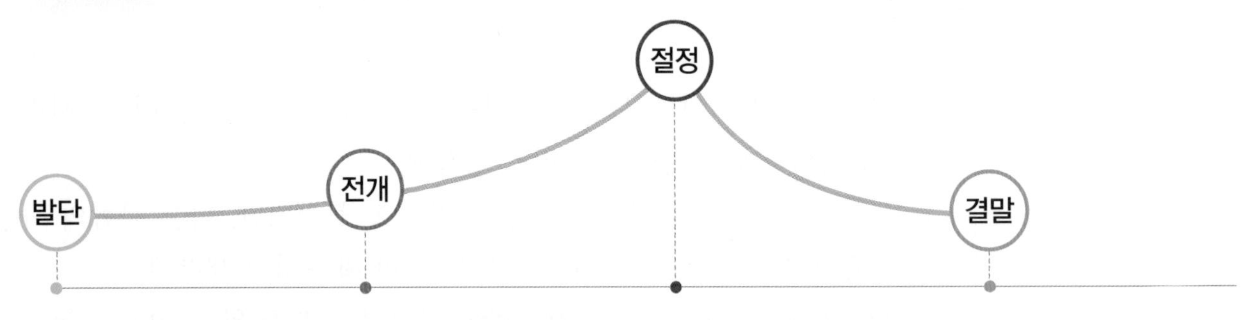

발단	전개	절정	결말
동상이 되어 높은 곳에 놓인 왕자는 고통 받는 사람들을 보고 마음이 아파 눈물을 흘리다 제비를 만남.	왕자는 제비에게 자신이 가진 보석들을 불쌍한 사람들에게 갖다 주라는 부탁을 하고, 제비는 왕자 곁을 지키게 됨.	제비가 얼어 죽자 왕자의 납으로 만든 심장은 두 조각이 나고, 사람들이 동상을 용광로에 녹였지만 심장만 녹지 않음.	세상에서 가장 귀한 것 두 가지를 가져오라는 하느님의 말에 천사는 왕자의 심장과 죽은 제비를 가져감.

오늘의 어휘

다음 낱말의 알맞은 뜻을 찾아 선으로 이으세요.

더미 •	• 거짓 없이 진실된 마음.
작별 •	• 서로 인사를 나누고 헤어짐.
진심 •	• 많은 물건이 한데 쌓인 큰 덩어리.
볼품없이 •	• 겉으로 드러나 보이는 모습이 초라하게.
철거하기로 •	• 건물이나 시설 등을 무너뜨리거나 치워 없애기로.

1 다음 빈칸에 들어갈 알맞은 말을 오늘의 어휘에서 찾아 쓰세요.

- 내 [　　　　]을 담아서 편지를 썼어.
- 골목에 쓰레기 [　　　　]가 쌓여 있다.
- 옷을 그렇게 [　　　　] 입으면 어떡하니?
- 친구와 [　　　　] 인사를 나누며 눈물을 흘렸다.
- 시청은 어린이 놀이터를 [　　　　] 결정했다고 발표했다.

2 다음 글에서 밑줄 친 말과 뜻이 비슷한 말을 찾아 쓰세요.

누군가에게는 볼품없이 여겨지는 쓰레기인 비닐봉지, 플라스틱 라이터를 수십 개 주워 다양한 각도로 촬영한 뒤 작품을 만들어 내는 사람들이 있다. 보잘것없는 플라스틱 쓰레기로 화려한 작품을 만든 뒤, 작품을 통해 사람들에게 플라스틱 쓰레기로 인한 해양 생물의 죽음이 심각하다는 것을 알리려는 의도이다.

(　　　　　　　　)

칠판 앞에 나가기 싫어 ❶ | 다니엘 포세트

글의 구조

발단 — 전개 — 절정 — 결말

글자 수

704

200 400 600 800 1000

오늘은 목요일. 나는 배가 아프다. 어머니께서는 초콜릿을 너무 많이 먹었기 때문이라고 말씀하신다. 하지만 초콜릿을 많이 먹는다고 꼭 목요일에만 배가 아프다는 것은 말이 안 된다.

아버지께서는 내가 게을러서 학교에 안 가고 집에서 놀고 싶어서 **핑계**를 댄다고 생각하신다. 물론 나는 씩씩해지고 싶다. 하지만 내 배는 씩씩하지가 않다.

우리 부모님께서는 **짐작**으로 무엇을 알아냈을 때 아주 좋아하신다. 그럴 땐 기분이 **우쭐해지시는** 모양이다. 하지만 어머니, 아버지께서 내게 물어봐 주신다면 나는 왜 배가 아픈지 설명할 수 있을 것 같다.

사실, 목요일마다 선생님께서는 학생 한 명을 불러서 칠판 앞에 나가 수학 문제를 풀게 하신다. 그런데 나는 칠판 앞에 나가는 것이 아주 겁이 난다. 그리고 겁이 나면 숫자도 제대로 안 세어진다.

창피해서 이런 이야기를 친구들에게 할 수도 없다. 나 같은 겁쟁이가 또 있을 리도 없고, 애들이 다 나를 놀릴 것이 뻔하다.

선생님께도 말씀 드릴 수가 없다. 선생님께서는 **구구단**도 하나 제대로 외우지 못하느냐고 그러실 것이다. 하지만 우리 형하고 **복습**을 많이 했는데도 그렇다.

내 여자 친구 폴린느가 칠판 앞에 나가서 처음부터 끝까지 줄줄이 다 외우던 것을 떠올리기만 해도 내가 너무 바보 같다는 생각이 들고 배가 더 많이 아픈 것 같다.

학교 버스 안에서 애들은 다 웃고 떠든다. 하지만 나는 이 **끔찍한** 칠판 말고 다른 생각을 할 수가 없다. 교실에 앉으면 그때부터 고통이 시작된다.

- **핑계** 어떤 일을 피하거나 감추려고 둘러대는 말.
- **짐작** 사정이나 형편 등을 어림잡아 헤아리는 것.
- **우쭐해지시는** 자신의 생각대로 되어 만족스러운 것을 뽐내시는.
- **구구단** 곱셈구구. 1부터 9까지 수를 둘씩 곱해서 나온 값을 나타낸 것.
- **복습** 배운 것을 다시 익혀 공부함.
- **끔찍한** 몹시 슬프고 싫은.

갈래

1 이 글에 대한 설명으로 알맞은 것은 무엇인가요? (　　　)

① 연극을 공연하기 위한 극본이다.
② 상대방에게 안부를 묻는 편지글이다.
③ 오래전부터 전해 내려오는 이야기이다.
④ 어떤 인물의 삶을 바탕으로 하여 기록한 글이다.
⑤ 작가의 상상력을 바탕으로 만들어진 이야기이다.

세부 내용

2 '내'가 목요일마다 배가 아픈 까닭으로 알맞은 것에 ○표 하세요.

(1) 초콜릿을 너무 많이 먹어서 (　　　)
(2) 학교에 안 가고 집에서 놀고 싶어서 (　　　)
(3) 칠판 앞에 나가 수학 문제를 풀게 될까 봐 겁이 나서 (　　　)

세부 내용

3 이 글의 내용으로 알맞은 것은 무엇인가요? (　　　)

① '나'는 친구들 앞에서 언제나 구구단을 정확히 외운다.
② '나'는 아이들이 겁쟁이라고 놀리는 것을 신경 쓰지 않는다.
③ 어머니와 아버지는 '내'가 목요일마다 학교에 가기 싫은 진짜 까닭을 모르신다.
④ '나'는 폴린느가 칠판 앞에 나가서 구구단을 잘 외우는 것이 부러워서 배가 아프다.
⑤ '나'는 칠판 앞에 나가는 것이 겁나지만 실제로 나가면 선생님의 질문에 답을 잘한다.

추론

4 이 글 다음에 이어질 장면으로 알맞은 것의 기호를 쓰세요.

㉮ '내'가 음식을 잘못 먹어 배가 아파서 병원으로 실려 가는 장면
㉯ 교실에 도착한 '내'가 발표를 하게 될까 봐 안절부절못하는 장면
㉰ 폴린느가 '나'에게 구구단을 잘 외우는 방법을 알려 달라고 부탁하는 장면

(　　　　　　　)

지문 분석

정답과 해설 28쪽

1 인물 특징 이 글에 나온 인물들이 한 일을 생각하며 (   ) 안에 들어갈 알맞은 말에 ○표 하세요.

어머니	'내'가 배가 아픈 것이 초콜릿을 너무 많이 먹어서라고 말씀하심.	→ '나'의 기분이나 마음을 잘 (살피고, 모르고) '나'에 대해 (배려, 판단)함.
아버지	'내'가 게을러서 집에서 놀고 싶어 핑계를 댄다고 생각하심.	

2 인물 성격 '나'의 말과 행동을 생각하며 빈칸에 알맞은 말을 보기에서 찾아 쓰세요.

보기

부끄러움 겁쟁이

'나' — 칠판 앞에 나가서 발표하는 것이 겁나고, 창피해서 친구들에게도 말하지 못함. — 나는 (   )이/가 많고 스스로를 (   )(이)라고 생각함.

배경지식 **발표와 연설은 어떻게 다른가요?**

'발표'와 '연설'은 모두 여러 사람 앞에서 이야기하는 것을 말해요. 그런데 발표는 어떤 사실이나 결과를 세상에 널리 드러내어 알리는 것이고, 연설은 여러 사람 앞에서 자신의 주장이나 의견을 이야기하는 것이라는 점이 조금 다르답니다. 예를 들어 새 학기에 만난 친구들 앞에서 자기소개를 하는 것이나, 자신이 생각한 내용에 대해 사람들 앞에서 말하는 것은 발표이고, 학급에서 임원을 뽑을 때 하는 선거 유세 등은 연설이지요. 발표와 연설은 모두 공식적인 자리에서 하는 것이므로 높임 표현을 사용해서 공손하게 말해야 한답니다.

오늘의 어휘

다음 낱말의 알맞은 뜻을 찾아 선으로 이으세요.

핑계 •		• 끊이지 않고 잇따라.
짐작 •		• 배운 것을 다시 익혀 공부함.
복습 •		• '겁이 많은 사람'을 낮추어 이르는 말.
겁쟁이 •		• 사정이나 형편 등을 어림잡아 헤아리는 것.
줄줄이 •		• 어떤 일을 피하거나 감추려고 둘러대는 말.

1 다음 빈칸에 들어갈 알맞은 말을 오늘의 어휘에서 찾아 쓰세요.

- 내 [ ]에 그 시계는 서랍에 있을 거야.
- 배운 것은 바로 [ ]해야 더 잘 기억할 수 있다.
- 잘못했으면 사과를 해야지, [ ]만 대면 어떡하니?
- 오빠는 천둥소리를 듣고 떠는 나를 [ ]라고 놀렸다.
- 아이들은 아이스크림을 먹기 위해 [ ] 가게로 왔다.

2 다음 글에서 밑줄 친 말과 뜻이 반대인 말을 찾아 쓰세요.

예습은 앞으로 배울 것을 미리 공부하는 것이다. 미리미리 공부해 두면 수업 시간에 더 잘 이해할 수 있다. 그러나 예습을 너무 많이 하면 학교에서 그 내용을 배울 때 흥미가 떨어질 수 있다. 예습보다 더 중요한 것은 복습을 통해 그날 학교에서 배운 것을 반드시 그날 이해하는 것이다.

( )

칠판 앞에 나가기 싫어 ❷ | 다니엘 포세트

글의 구조

발단 - 전개 - 절정 - 결말

글자 수

755 (200 400 600 800 1000)

선생님께서 내 쪽으로 다가오신다. 내 귀는 빨간 신호등처럼 달아오른다. 선생님께서 꼭 내 책상 옆에서 멈추실 것만 같다. 후유, 다행히 그냥 지나가셨다. 이런, 다시 오신다.

나는 엉덩이를 슬슬 미끄러뜨리면서 몸을 낮춘다. 이렇게 작아 보이게 하고 있으면 선생님께서 나를 보지 못하실 것이다. 선생님께서 목소리를 가다듬기 위하여 기침을 하신다. 벌써 "에르반! 칠판으로!" 하는 소리가 들리는 것만 같다. **만일** 선생님께서 내 이름을 부르면 다리가 **후들거려서** 앞까지 나갈 수 있을지 모르겠다. 3 더하기 5는 뭐였더라?

[가] 내 머릿속은 고장 난 라디오 같다. 아버지께서 **수리**를 하시기 전에는 지지직거리는 소리만 내던 라디오처럼 뭐가 뭔지 모르겠다. 두 줄로 숫자를 정리해 보려고 하면 할수록 숫자들은 내 머릿속에서 온통 **뒤범벅**이 되어 뒹군다. 꼭 쉬는 시간에 운동장에 엉켜서 뒹구는 아이들처럼. 아니, 그런데 선생님께서 무슨 말씀을 하시는 거지?

"여러분, 지난 시간에 선생님이 오늘 **연수**를 받으러 가야 한다고 말했었죠? 자, 이제 가야 할 시간이 되어서 오늘은 다른 선생님을 소개하겠어요."

단숨에 나는 엉덩이를 의자 깊숙이 들이밀며 허리를 쭉 편다.

〈중략〉

두 뺨이 **발그레한** **곱슬머리** 선생님께서 들어오신다. 우리 선생님께서 말씀하셨다.

"여러분, 비숑 선생님이십니다. 자, 이제 선생님은 갈 테니까 새로 오신 선생님 말씀을 잘 듣도록 하세요."

나는 비숑 선생님께서 목요일 아침에 아이들을 칠판 앞에 내보내게 생겼나 안 생겼나 알아내려고 얼굴을 자세히 쳐다본다.

- **만일** 혹시 있을지도 모르는 뜻밖의 경우.
- **후들거려서** 팔다리나 몸이 자꾸 크게 떨려서.
- **수리** 고장 나거나 허름한 데를 손보아 고침.
- **뒤범벅** 여러 가지가 마구 뒤섞여서 구별할 수 없는 것.
- **연수**(硏 갈 연, 修 닦을 수) 필요한 지식이나 기술을 공부함.
- **단숨에** 쉬지 않고 바로.
- **발그레한** 조금 빨간.
- **곱슬머리** 고불고불하게 말려 있는 머리털.

갈래

1 **일이 일어난 장소는 어디인가요? (　　　　)**

① 교무실
② '나'의 집
③ 학교 교실
④ 학교 강당
⑤ 학교로 가는 길

세부 내용

2 **이 글의 내용으로 알맞은 것은 무엇인가요? (　　　　)**

① '나'는 칠판 앞으로 불려 나갔다.
② '나' 대신 폴린느가 수학 문제를 풀어 주었다.
③ 두 뺨이 발그레한 곱슬머리 선생님이 새로 오셨다.
④ 선생님께서 오늘은 문제를 풀지 않는 날이라고 하셨다.
⑤ '나'는 오늘 수학 문제를 잘 풀어서 선생님께 칭찬을 들었다.

표현

3 **선생님께서 부르실까 봐 겁이 나서 엉망이 된 '나'의 머릿속을 빗대어 표현한 말을 가에서 찾아 쓰세요.**

고장 난 (　　　　　　　　)

적용

4 **이 글의 '나'와 비슷한 마음을 느낀 친구는 누구인가요? (　　　　)**

① 부모님이 항상 언니 편만 들어 속상한 민지
② 내일 아버지와 야구 경기를 보러 가서 설레는 정민
③ 달리기 시합에서 안타깝게 1등을 놓쳐 아쉬운 경태
④ 가장 아끼는 장난감을 동생이 부러뜨려 화가 난 혜수
⑤ 내일 있을 수학 시험이 걱정되어 안절부절못하는 영진

지문 분석

정답과 해설 29쪽

1 사건 전개

'나'의 행동을 생각하며 ㉮에 들어갈 내용으로 알맞은 것에 ○표 하세요.

선생님께서 내 쪽으로 다가오실 때 나는 엉덩이를 슬슬 미끄러뜨리며 몸을 낮춤.	➔	㉮	➔	단숨에 나는 엉덩이를 의자 깊숙이 들이밀며 허리를 쭉 폄.

(1) 선생님께서 '나' 대신 폴린느의 이름을 부르심. ( )

(2) 오랫동안 몸을 낮추고 있어서 엉덩이가 아파짐. ( )

(3) 담임 선생님께서 연수를 가셔야 해서 다른 선생님께서 오셨다는 소식을 들음. ( )

2 마음 변화

'나'의 마음 변화를 생각하며 빈칸에 알맞은 말을 보기에서 찾아 쓰세요.

보기

긴장 체념 안심 흥분

선생님께서 내 쪽으로 다가오시자 (   )되고 불안함.

↓

발표를 하지 않을 수도 있다는 생각에 (   )이 됨.

배경지식 명연설가인 처칠도 발표를 어려워했다고요?

사람들 앞에서 말을 하게 되는 상황이 온다면 무척 긴장돼서 작은 목소리로 덜덜 떨며 말하게 되지요? 그런데 사람들에게 명연설가로 알려진 영국의 처칠 수상도 어렸을 때 남 앞에 서는 걸 몹시 두려워했다고 합니다. 처칠은 발음이 좋지 않았는데 그것을 극복하기 위해 책을 많이 읽고, 말하는 연습도 많이 했다고 해요. 사람들 앞에 서서 말하는 것이 긴장될 때에는 사람들이 모두 벌거벗고 있는 재미있는 상황을 상상하기도 했대요. 이렇듯 처음부터 말을 잘하는 사람은 아무도 없어요. 긴장을 조절하는 연습, 말을 해 보는 연습을 많이 하다 보면 사람들 앞에서도 긴장하지 않고 말할 수 있는 날이 올 거예요.

오늘의 어휘

다음 낱말의 알맞은 뜻을 찾아 선으로 이으세요.

만일 •	• 조금 빨간.
뒤범벅 •	• 쉬지 않고 바로.
단숨에 •	• 팔다리나 몸이 자꾸 크게 떨려서.
발그레한 •	• 혹시 있을지도 모르는 뜻밖의 경우.
후들거려서 •	• 여러 가지가 마구 뒤섞여서 구별할 수 없는 것.

1 다음 빈칸에 들어갈 알맞은 말을 오늘의 어휘에서 찾아 쓰세요.

- 형은 [　　　　] 산 정상까지 뛰어올라 갔다.
- 수정이는 사과처럼 [　　　　] 볼을 가지고 있었다.
- 네 소식을 듣고 다리가 [　　　　] 서 있을 수가 없었어.
- 갑자기 내린 큰비에 길이 온통 흙으로 [　　　　]되었다.
- [　　　　] 네가 그런 짓을 했다면 너를 용서하지 않을 거야.

2 다음 글에서 밑줄 친 말과 뜻이 비슷한 말을 찾아 쓰세요.

내가 가장 좋아하는 과일은 수박이다. 무더운 여름에 친구들과 신나게 뛰어놀고 집으로 돌아와서 먹는 수박은 무척 꿀맛이다. 그런데 어제 낮잠을 자고 일어나 보니 냉장고에 가득했던 수박이 <u>한꺼번에</u> 사라졌다. 형의 친구들이 놀러 와서 남은 수박을 단숨에 먹어버린 것이다.

(　　　　　　　　)

글의 구조

발단 - 전개 - 절정 - 결말

글자 수

751

200 400 600 800 1000

칠판 앞에 나가기 싫어 ③ | 다니엘 포세트

아, 그런데 믿을 수 없는 일이 일어나고 있었다. 새로 오신 선생님의 귀가 빨개지신 것이다. 꼭 ㉠나처럼! 그리고 손수건을 돌돌 말고 계시는 것이다. ㉡나도 칠판 앞에 나가면 그러는데…….

선생님께서는 눈을 어디에다 두어야 할지를 모르고 계셨다. 22명의 아이들이 선생님만 쳐다보고 있었기 때문이다. 5

22 더하기 22, ㉢나는 재빨리 계산을 해 보았다. 44.

겁이 나는데 44개의 눈동자가 쳐다보고 있다는 것은 **끔찍한** 일이다. 선생님께서도 ㉣나처럼 배가 아프실까? 나는 선생님께서 곧 탁자 뒤로 숨으실 것만 같이 느껴졌다.

선생님께서는 **만년필**을 못 찾아서 책가방을 뒤지고 계셨다. 아이들이 떠들기 시작하였다. 10

〈중략〉

선생님께서는 **자그마한** 목소리로 이렇게 말씀하셨다.

"자, 누구 칠판 앞으로 나와 보겠어요?"

아니, 이럴 수가! 또 시작이었다. 15

하지만 선생님을 도와 드리고 싶은 마음이 생겼다. ㉤나는 손을 번쩍 들고 말하였다.

"저요!"

선생님께서는 **한시름** 놓으시는 것 같이 보였다. 선생님께서 내게 웃어 보이셨고, 나는 처음으로 친구들 가방에 걸려 넘어지지 않고 칠판 앞까지 나갔다. 선생님께서 질문을 하시기도 전에 나는 내가 아는 구구단을 **모조리** 다 외워 버렸다. 가만히 보고만 계시던 선생님께서는 내가 구구단을 다 외우고 나니까 그제야 사실은 **문법**에 대한 질문을 하려 했었다고 말씀하셨다. 20

할 수 없다! 그래도 아이들은 놀라서 입을 다물지 못하였다. 그리고 나는 기분이 아주 으쓱해졌다. 자기 혼자만 겁쟁이가 아니라는 것을 알고 나면 완전히 달라지는 법이다. 25

- **끔찍한** 어떤 일이 무섭거나 싫거나 하여 몸이 떨리는.
- **만년필** 글씨를 쓰는 펜의 종류 중 하나. 펜대 속에 넣은 잉크가 펜촉으로 흘러나와 글씨를 쓸 수 있음.
- **자그마한** 조금 작은.
- **한시름** 마음에 항상 남아 있는 큰 근심이나 걱정.
- **모조리** 하나도 남김없이 모두.
- **문법** (文 글월 문, 法 법 법) 말과 글을 쓰는 데 필요한 규칙.

중심 내용

1 **이 글에서 가장 중요한 일은 무엇인지 빈칸에 들어갈 알맞은 말에 ○표 하세요.**

'내'가 새로 오신 선생님이 (긴장, 기대)하고 있다는 것을 알고, 용기를 내어 (손, 책)을 들어 발표하겠다고 한 일

세부 내용

2 **㉠~㉤ 중에서 나머지와 마음이 다른 '나'는 누구인지 기호를 쓰세요.**

(   )

세부 내용

3 **'내'가 손을 번쩍 든 까닭은 무엇인가요? (   )**

① 선생님께 '나'를 알리고 싶었기 때문이다.
② 담임 선생님께서 언제 돌아오시는지 궁금했기 때문이다.
③ '나'와 똑같이 겁을 내는 선생님을 돕고 싶었기 때문이다.
④ 아이들에게 새로운 '나'의 모습을 보여 주고 싶었기 때문이다.
⑤ '나'도 선생님처럼 칠판 앞에 서면 겁이 난다고 말하고 싶었기 때문이다.

추론

4 **앞으로 바뀔 '나'의 모습으로 알맞은 것은 무엇인가요? (   )**

① '나'는 친구들과 더 친하게 지낼 것이다.
② '나'는 다시는 칠판 앞에 서서 발표를 못할 것이다.
③ '나'는 수업 시간에 칠판 앞에 서서 수업을 받을 것이다.
④ '나'는 새로 온 선생님께만 수업을 받고 싶다고 생각할 것이다.
⑤ '나'는 칠판 앞에 나가서 발표하는 일을 어려워하지 않을 것이다.

지문 분석

1 사건 전개 이 글에서 일어난 일을 생각하며 빈칸에 알맞은 말을 쓰세요.

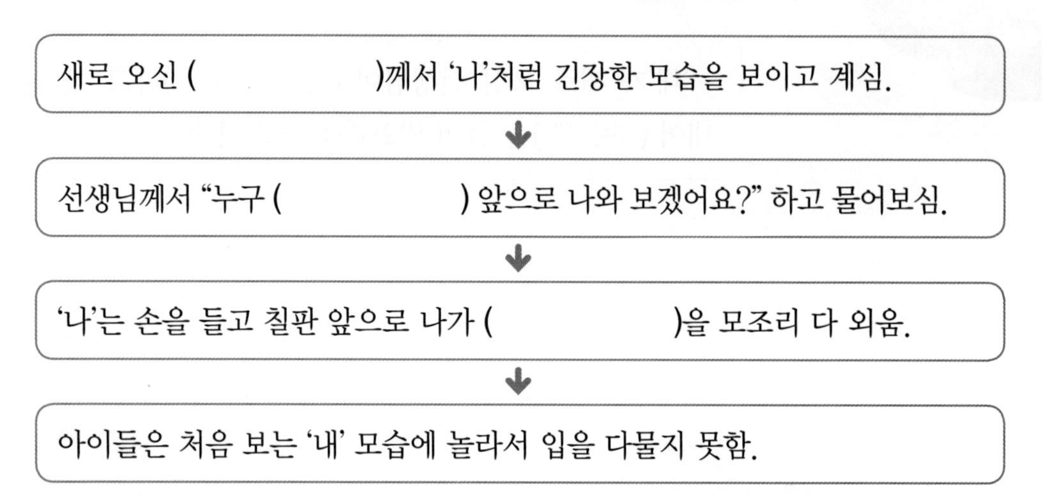

2 인물 마음 말과 행동을 통해 알 수 있는 선생님과 '나'의 마음으로 알맞은 것에 ○표 하세요.

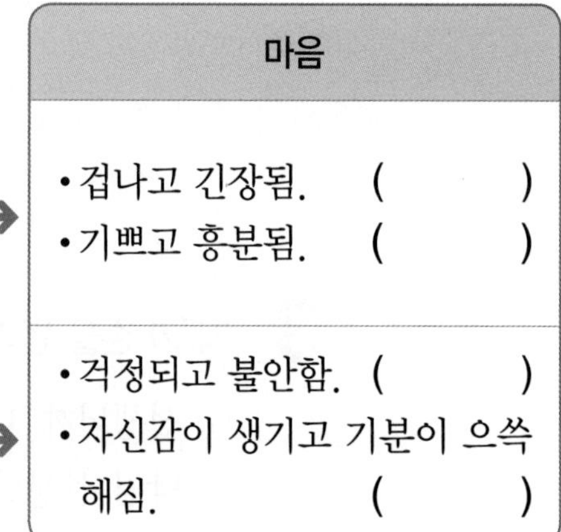

인물	말과 행동		마음
선생님	귀가 빨개지고, 손수건을 돌돌 말고, 만년필을 못 찾아서 책가방을 뒤짐.	→	• 겁나고 긴장됨. (　　) • 기쁘고 흥분됨. (　　)
'나'	먼저 손을 들어 칠판 앞으로 나가 구구단을 외움.	→	• 걱정되고 불안함. (　　) • 자신감이 생기고 기분이 으쓱해짐. (　　)

배경지식 「칠판 앞에 나가기 싫어」 전체 줄거리

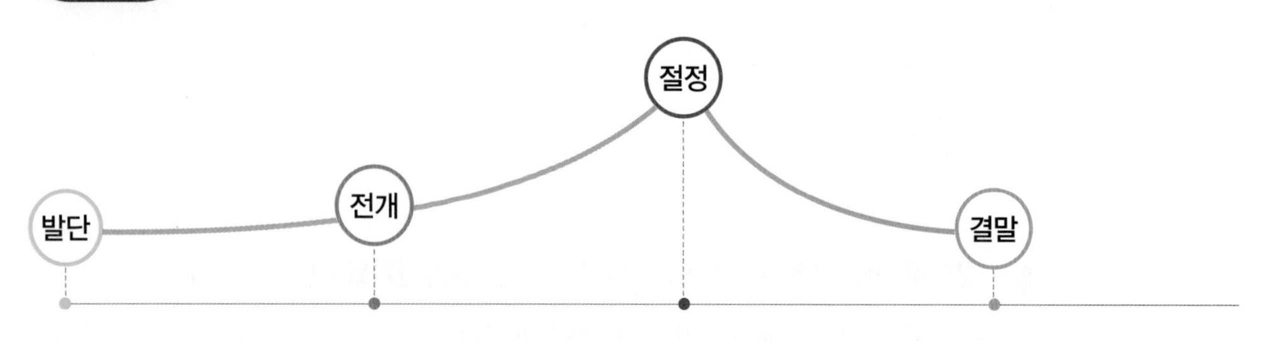

- 발단: '나'는 선생님이 칠판 앞에 나가 수학 문제를 풀게 하시는 목요일이 되면 배가 아파서 학교에 가기 싫어함.
- 전개: '나'는 선생님께서 발표를 시키실까 봐 몸을 숨겼는데 오늘 담임 선생님 대신 새로운 선생님이 오셨다고 말씀하심.
- 절정: '나'는 새로 오신 비숑 선생님이 아이들 앞에서 긴장한 모습을 보이시는 것을 보고 몹시 놀람.
- 결말: 비숑 선생님을 돕기 위해 '나'는 손을 번쩍 들고 칠판 앞으로 나가 구구단을 외우고 자신감이 생김.

오늘의 어휘

다음 낱말의 알맞은 뜻을 찾아 선으로 이으세요.

끔찍한 •	• 하나도 남김없이 모두.
뒤지고 •	• 어깨를 들먹이며 우쭐해졌다.
한시름 •	• 마음에 항상 남아 있는 큰 근심이나 걱정.
모조리 •	• 어떤 일이 무섭거나 싫거나 하여 몸이 떨리는.
으쓱해졌다 •	• 어떤 것을 찾으려고 구석구석 들추거나 살피고.

1 다음 빈칸에 들어갈 알맞은 말을 오늘의 어휘 에서 찾아 쓰세요.

- 네가 도와줘서 걱정을 [　　　] 덜었어.
- 친구는 남은 과자를 [　　　] 입에 털어 넣었다.
- 이번 시험에서 1등을 하고 나니 어깨가 [　　　].
- 친구들이 모두 나를 바라보자 [　　　] 기분이 들었다.
- 문을 열었을 때 동생이 내 책상을 [　　　] 있는 모습을 보았다.

2 다음 글에서 밑줄 친 말과 뜻이 비슷한 말을 찾아 쓰세요.

우리 반은 옆 반과 축구 시합을 하면 언제나 큰 점수 차이로 졌다. 우리 반 선수들은 이번에는 옆 반을 꼭 이기고 싶다며 매일 방과 후에 열심히 연습했다. 그 덕분에 이번 시합에서는 우리 반이 큰 점수 차이로 이겨서 어깨가 으쓱해졌다. 그 모습에 응원하던 나머지 친구들도 덩달아 기분이 우쭐해졌다.

(　　　　　　　)

반딧불 | 윤동주

가자 가자 가자
숲으로 가자
달 조각을 주우러
숲으로 가자.

그믐밤 반딧불은
㉠부서진 달 조각

가자 가자 가자
숲으로 가자
달 조각을 주우러
숲으로 가자.

글의 짜임

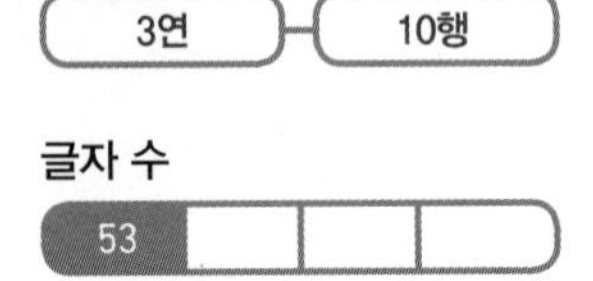

글자 수

53

0 200 400 600 800

- **숲** '수풀'의 준말. 나무들이 무성하게 우거지거나 꽉 들어찬 것.
- **조각** 한 물건에서 따로 떼어 내거나 떨어져 나온 작은 부분.
- **주우러** 바닥에 떨어지거나 흩어져 있는 것을 집으러.
- **그믐밤** 음력으로 그달의 마지막 날 밤. 달이 뜨지 않음.
- **반딧불** 반딧불잇과의 딱정벌레로, 배의 뒤쪽 마디에서 연한 황색 빛을 냄.
- **부서진** 액체나 빛 등이 세게 부서져 산산이 흩어진.

지문 독해

갈래

1 **이 글에 대한 설명으로 알맞은 것은 무엇인가요? (   )**

① 배경이 되는 장소가 여러 곳이다.
② 흉내 내는 말을 다양하게 사용했다.
③ 사물을 다른 대상에 빗대어 표현했다.
④ 연과 행이 구분되지 않고 이야기하듯이 썼다.
⑤ 1연과 2연이 반복되는 구조로 이루어져 있다.

표현

2 **㉠은 무엇을 빗대어 표현한 것인가요? (   )**

① 밤하늘을 가득 채운 별빛
② 은은하게 비치고 있는 달빛
③ 점점 사라져 가고 있는 달빛
④ 빛을 내지 못하게 된 반딧불
⑤ 어둠 속에서 반짝이는 반딧불

표현

3 **이 시에서 반복되는 말로 알맞지 않은 것은 무엇인가요? (   )**

① 숲　② 가자　③ 반딧불
④ 주우러　⑤ 달 조각

감상

4 **이 시를 읽고 말한 감상으로 알맞은 것을 찾아 기호를 쓰세요.**

㉮ 반복되는 말을 지나치게 사용해서 지루하고 재미없게 느껴졌어.
㉯ 밝은 달빛 아래서 반짝이는 반딧불의 모습을 통해 자연의 아름다움을 느낄 수 있었어.
㉰ 반딧불이 내는 빛을 '달 조각'이라고 표현한 것에서 말하는 이의 깨끗하고 순수한 성품을 느낄 수 있었어.

(   )

지문 분석

정답과 해설 31쪽

1 표현

이 시에서 반복되는 표현과 그 표현이 주는 느낌을 생각하며 보기에서 알맞은 말을 찾아 빈칸에 쓰세요.

보기

약화 강조

반복되는 표현	
가자 가자 가자	→ 말하는 이가 반딧불을 만날 수 있는 곳으로 함께 가야 한다는 자신의 의지를 (　　　　　)함.

2 소재 의미

이 시가 다음과 같은 시대적 배경에서 쓰였다고 할 때, 각각의 소재가 의미하는 것으로 알맞은 것을 찾아 선으로 이으세요.

윤동주는 일제 강점기에 활동한 젊은 시인으로, 일제에 고통 받는 우리나라의 처지를 가슴 아프게 생각하고 그 생각을 시로 표현하였다.

숲 •	• 미래의 희망
달 조각 •	• 우리나라의 어두운 처지
그믐밤 •	• 희망을 찾을 수 있는 장소

배경지식 천연기념물이 된 '반딧불이'에 대해 알아볼까요?

'반딧불'의 원래 이름은 '반딧불이'예요. 딱정벌레목 반딧불잇과에 속하는 곤충이죠. 많은 사람들은 개똥벌레라고도 부른답니다.

반딧불이는 6월 즈음이 되면 번데기에서 어른벌레로 변하여 활동하는데, 몸에서 노란 빛을 낸답니다. 마치 크리스마스 트리에 있는 전구 같아 보이지 않나요?

예전에는 들과 산에 반딧불이가 무척 많았었는데, 지금은 환경 오염이 심해지고, 반딧불이의 먹이와 서식지가 모두 줄어들어서 정말 깨끗한 곳에서만 볼 수 있어요. 그래서 이제는 쉽게 만나 보기 어려운 천연기념물이 되었답니다.

오늘의 어휘

다음 낱말의 알맞은 뜻을 찾아 선으로 이으세요.

낱말	뜻
숲	음력으로 그달의 마지막 날 밤.
조각	액체나 빛 등이 세게 부서져 산산이 흩어진.
주우러	바닥에 떨어지거나 흩어져 있는 것을 집으러.
그믐밤	나무들이 무성하게 우거지거나 꽉 들어찬 것.
부서진	한 물건에서 따로 떼어 내거나 떨어져 나온 작은 부분.

1 다음 빈칸에 들어갈 알맞은 말을 오늘의 어휘에서 찾아 쓰세요.

- 산에 떨어진 쓰레기를 (   ) 갔다.
- 깨진 유리 (   )을 밟지 않도록 조심해라.
- 달도 없는 (   )에 어두운 길을 걸어가려니 무서웠다.
- 이 그림은 파도가 바다에 부딪혀 (   ) 모습을 잘 그려 냈다.
- 나무가 무성하게 우거진 (   )에는 바람이 움직이는 소리만 들렸다.

2 다음 글에서 밑줄 친 말과 뜻이 비슷한 말을 찾아 쓰세요.

신라 시대의 보물 중에는 웃는 기와로 유명한 '얼굴무늬 수막새'가 있다. 이 기와는 부서져서 조각만 남아 있다. 그러나 남은 부분에 이마와 두 눈, 코, 잔잔한 미소와 두 뺨의 턱선이 조화를 이루며 남아 있어 신라의 높은 예술 수준을 보여 준다.

(   )

시 02

지문 분석

푸른 하늘 속으로 | 전원범

땅뺏기를 하다가
쳐다본 하늘.
파란색 **도화지** 한 장.

금 **그을** 수 없는
하늘 **속**으로

야아
선생님 **찬** 공이
쏘옥 들어간다.

㉠ 아이들도
선생님도
뛰어들어가는
푸른 하늘.

글의 짜임

글자 수

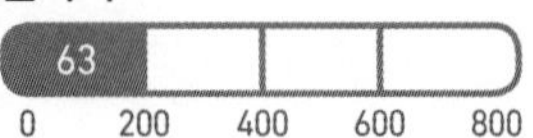

- **땅뺏기** 어린이가 하는 놀이의 하나. 각자의 말을 튕겨 금을 그어서 땅을 차지함.
- **쳐다본** 위를 향하여 올려 본.
- **도화지** 그림을 그리는 데 쓰는 종이.
- **금** 다른 것과 구분하기 위해 그은 선.
- **그을** 어떤 부분을 나타내기 위하여 줄을 그릴.
- **속** 둘러싸인 것의 안쪽으로 들어간 부분.
- **찬** 발로 힘껏 친.
- **쏘옥** 안으로 깊이 들어가거나 밖으로 내미는 모양.

중심 내용

1 **이 시는 무엇을 노래한 것인지 빈칸에 알맞은 말을 쓰세요.**

푸른 하늘과 어우러져 뛰어노는 (   )과 선생님의 모습

세부 내용

2 **이 시에서 일어난 일로 알맞은 것은 무엇인가요? (   )**

① 공이 하늘에 금을 긋는다.
② 아이들이 서로서로 쳐다본다.
③ 선생님이 공을 높이 차올렸다.
④ 푸른 하늘에서 갑자기 공이 떨어졌다.
⑤ 선생님이 땅빼기 놀이를 함께 하고 있다.

표현

3 **이 시에서 하늘을 무엇에 빗대어 표현했는지 쓰세요.**

파란색 (   ) 한 장

감상

4 **㉠처럼 표현한 까닭을 알맞게 말하지 못한 친구를 쓰세요.**

지연: 모두 공이 날아간 하늘을 보고 뛰고 있기 때문인 것 같아.
준서: 모두 어디로 가야 할지 몰라서 허둥지둥 헤매고 있기 때문인 것 같아.
윤서: 선생님과 아이들이 뛰어노는 모습이 푸른 하늘과 잘 어울리기 때문인 것 같아.

(   )

지문 분석

정답과 해설 32쪽

1 표현 효과

이 시에서 말을 길게 늘여서 얻는 효과에 대한 설명으로 알맞은 것을 찾아 선으로 이으세요.

표현		효과
야아 •		• 공이 더 높이 솟아오르는 느낌을 줌.
쏘옥 •		• 더 크고 신나게 외치는 느낌을 줌.

2 소재 의미

이 시에서 다음 의미를 가지는 장소는 어디인지 생각하여, 빈칸에 알맞은 말을 쓰세요.

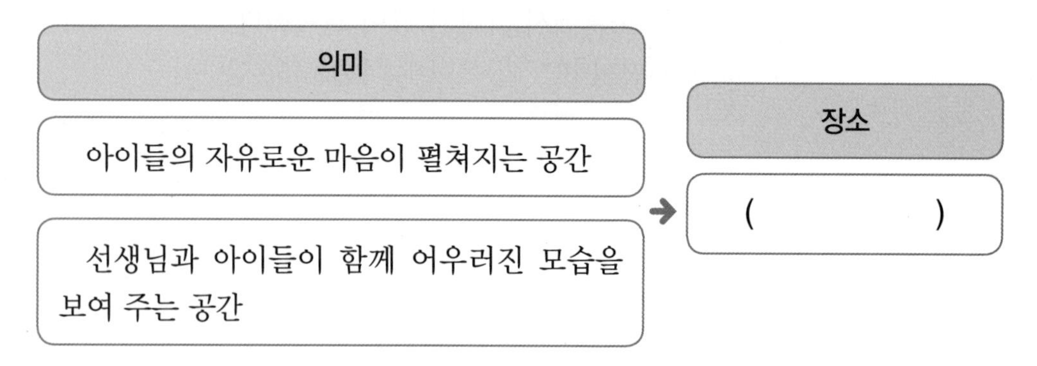

의미		장소
아이들의 자유로운 마음이 펼쳐지는 공간 선생님과 아이들이 함께 어우러진 모습을 보여 주는 공간	→	(　　　　　)

배경지식 '땅뺏기'는 어떻게 하는 놀이일까요?

'땅뺏기'는 옛날에 아이들이 많이 하던 놀이입니다. 이 놀이를 할 때에는 먼저 땅바닥에 지름 1~2m 정도의 원이나 네모를 그리고 각자 자기 손으로 한 뼘 크기의 반원을 그려 자기 땅을 정합니다. 그다음에 지름 1~2cm의 둥글납작한 돌을 말로 삼아 자기 땅을 넓혀 가는 거예요.

가위바위보에 따라 순서가 정해지면, 엄지손가락으로 말을 세 번 튕겨서 자기 집으로 되돌아오게 해야 해요. 그러면 말이 지나갔던 선 안이 자기 땅이 된답니다. 그런데 이때 말을 잘못 튕겨서 자기 집으로 돌아오지 못하거나 밖으로 나가면 공격권을 상대에게 넘겨주게 되지요. 이렇게 가장 넓은 땅을 차지하는 사람이 이기게 된답니다.

오늘의 어휘

다음 낱말의 알맞은 뜻을 찾아 선으로 이으세요.

금 •	• 발로 힘껏 친.
찬 •	• 위를 향하여 올려 본.
그을 •	• 그림을 그리는 데 쓰는 종이.
쳐다본 •	• 다른 것과 구분하기 위해 그은 선.
도화지 •	• 어떤 부분을 나타내기 위하여 줄을 그릴.

1 다음 빈칸에 들어갈 알맞은 말을 오늘의 어휘에서 찾아 쓰세요.

- (　　　　)을 밟은 선수는 바로 실격을 당한다.
- 아이는 크레파스로 (　　　　)에 그림을 그렸다.
- 지호가 (　　　　) 공이 상대편 골대까지 날아갔다.
- 중요한 단어나 문장에는 밑줄을 (　　　　) 필요가 있다.
- 선선한 바람이 불어 (　　　　) 하늘은 무척 파랗고 예뻤다.

2 다음 글에서 밑줄 친 말과 뜻이 비슷한 말을 찾아 쓰세요.

담임 선생님께서 내일 체험학습은 비가 오면 취소된다고 말씀하셨다. 창을 통해 바라본 하늘은 곧 비가 올 것처럼 구름이 많고 어둑했다. 시간이 지나 창문을 열고 쳐다본 하늘은 금방 갤 것 같지 않았다. 나는 걱정할 시간에 얼른 잠을 자는 게 낫겠다는 생각에 창문을 닫고 침대에 누웠다.

(　　　　　　　　)

돌아오는 길 | 박두진

비비새가 혼자서
앉아 있었다.

마을에서도
숲에서도
멀리 떨어진,
논벌로 지나간
전봇줄 위에,

혼자서 동그마니
앉아 있었다.

한참을 걸어오다
되돌아봐도,
그때까지 혼자서
앉아 있었다.

글의 짜임

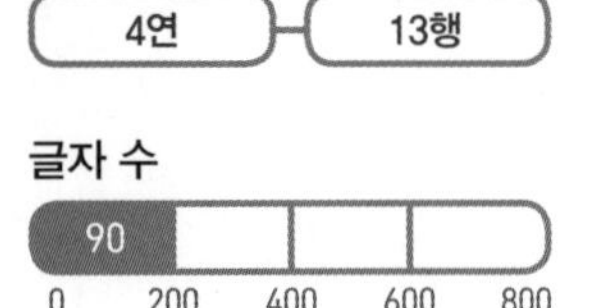

글자 수: 90 (0 / 200 / 400 / 600 / 800)

- **비비새** '붉은머리 오목눈이'의 전라도 사투리로 '뱁새'라고도 함.
- **논벌** 논으로 이루어진 넓고 평평한 땅.
- **전봇줄** 전신, 통신을 위하여 만든 줄로 전봇대를 연결하는 줄.
- **동그마니** 사람이나 사물이 혼자 떨어져 있는 모양.
- **한참** 시간이 꽤 많이 지나는 동안.

갈래

1 이 글에 대한 설명으로 알맞은 것은 무엇인가요? (　　　)

① 연과 행으로 이루어진 글이다.
② 지식이나 정보를 전달하는 글이다.
③ 글쓴이의 주장이 잘 드러나는 글이다.
④ 사실을 바탕으로 이해하기 쉽게 쓴 글이다.
⑤ 사람들의 입에서 입으로 전해 내려오는 이야기를 쓴 글이다.

세부 내용

2 이 시의 내용으로 알맞은 것은 무엇인가요? (　　　)

① 말하는 이는 친구와 함께 비비새를 바라보았다.
② 비비새는 마을에서 멀리 떨어진 곳에 혼자 있다.
③ 비비새는 혼자 있어 외로운 마음에 말하는 이를 바라보았다.
④ 비비새는 숲에서 가까운 논벌로 지나간 전봇줄 위에 앉아 있다.
⑤ 말하는 이가 한참 뒤에 되돌아보니 비비새는 외롭다는 듯 지저귀고 있었다.

표현

3 3연에서 비비새가 혼자 떨어져 앉아 있는 모습을 표현한 말을 찾아 쓰세요. (4글자)

(　　　　　　　　)

감상

4 이 시를 읽고 생각이나 느낌을 알맞게 말하지 못한 친구의 이름을 쓰세요.

현진: 말하는 이는 1연과 비슷한 내용을 3연에서 반복해서 말하고 있어.
민우: 비비새가 허허벌판 같은 논벌 전봇줄 위에 혼자 있어서 더 외롭고 쓸쓸한 느낌이 들어.
유라: 말하는 이는 한참을 걸어오다가 되돌아봤을 때 비비새가 사라져 버려서 안타까웠나 봐.

(　　　　　　　　)

지문 분석

정답과 해설 33쪽

1 글의 구조 **각 연의 중심 내용을 찾아 선으로 이으세요.**

1연 •		• 돌아오는 길에 본 혼자 앉아 있는 비비새
2, 3연 •		• 한참 걸어오다가 되돌아보았을 때도 혼자 앉아 있는 비비새
4연 •		• 마을과 숲에서 멀리 떨어진 논벌 위를 지나가는 전봇줄에 혼자 앉아 있는 비비새

2 주제 **이 시의 주제를 생각하여 보기에서 알맞은 말을 찾아 빈칸에 쓰세요.**

보기

무서움 외로움 두려움 고마움

주제	혼자 앉아 있는 비비새를 보고 느낀 (　　　　)

배경지식 **작가는 왜 비비새를 시의 대상으로 썼을까요?**

비비새는 '붉은머리오목눈이' 또는 '뱁새'라고 불리는 새인데, 떼를 지어 다닌다고 합니다.

말하는 이가 혼자 앉아 있는 비비새를 바라보게 된 까닭은 무엇일까요? 주로 떼를 지어 다니는 비비새의 특성을 생각해 보면 혼자 논벌의 전봇줄 위에 앉아 있는 비비새는 쉽게 보기 어려운 모습이라 눈에 띄었을 거예요. 아마도 비비새의 그런 모습이 말하는 이 자신의 외로운 처지와 비슷하다고 느껴져서 비비새를 걱정하는 마음이 든 것은 아닐까 상상해 볼 수 있습니다. 이렇게 시에 나오는 대상의 특성을 이해하고, 말하는 이의 마음을 상상해 보면 시를 더 깊이 이해할 수 있답니다.

정답과 해설 33쪽

오늘의 어휘

다음 낱말의 알맞은 뜻을 찾아 선으로 이으세요.

혼자 •	• 시간이 꽤 많이 지나는 동안.
마을 •	• 논으로 이루어진 넓고 평평한 땅.
논벌 •	• 주로 시골에서, 여러 집이 모여 사는 곳.
한참 •	• 사람이나 사물이 혼자 떨어져 있는 모양.
동그마니 •	• 어울리거나 함께 있지 않고 따로 떨어져서.

1 다음 빈칸에 들어갈 알맞은 말을 오늘의 어휘에서 찾아 쓰세요.

- 추수가 끝난 [   ]은 텅 비어 있었다.
- [   ] 걸어가니 박물관 입구가 나왔다.
- 우리 [   ]에서는 집집마다 소를 기른다.
- 아무도 없는 운동장에 축구공이 [   ] 혼자 놓여 있다.
- 부모님의 도움 없이 [   ]서 가스렌지 불을 켤 수 있게 되었다.

2 다음 글에서 밑줄 친 말과 뜻이 비슷한 말을 찾아 쓰세요.

꽃이 피는 따뜻한 봄에 혼자 집 뒷산으로 나가 운동을 했다. 파란 하늘 아래서 산을 오르고 나니 가슴이 뻥 뚫리는 기분이 들었다. 산에서 내려와 들판을 걷다가 푸른 잔디 사이에 홀로 피어 있는 붉은 꽃 한 송이를 보았다.

(   )

바다 | 박필상

글의 짜임

글자 수

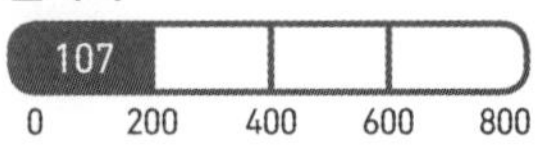

바다는 엄마처럼
가슴이 넓습니다.
온갖 물고기와
조개들을 **품**에 안고
파도가
칭얼거려도
다독다독 달랩니다.

바다는 아빠처럼
못하는 게 없습니다.
시뻘건 아침 해를
번쩍 들어 올리시고
배들도
갈매기 **떼**도
둥실둥실 띄웁니다.

- **온갖** 이런저런 여러 가지의.
- **품** 두 팔을 벌려서 안기는 가슴.
- **칭얼거려도** 짜증을 내며 자꾸 중얼거리거나 떼를 써도.
- **다독다독** 가볍게 두드려 누르고 달래는 모양.
- **번쩍** 물건을 매우 가볍게 들어 올리는 모양.
- **떼** 여럿이 함께 모여 있는 무리.

갈래

1 **이 글을 읽는 방법으로 가장 알맞은 것은 무엇인가요? (   )**

① 자신의 경험과 관련지어 읽는다.
② 글쓴이의 의견을 파악하며 읽는다.
③ 시간과 장소의 변화를 파악하며 읽는다.
④ 일의 방법이나 차례를 정리하며 읽는다.
⑤ 글쓴이의 주장과 근거를 정리하며 읽는다.

표현

2 **이 시에서 '바다'를 무엇에 빗대어 표현하였는지 모두 찾아 쓰세요.**

(   )와 (   )

세부 내용

3 **이 시에서 알 수 있는 바다가 하는 일로 알맞지 않은 것은 무엇인가요? (   )**

① 바람을 잠재운다.
② 파도를 달래 준다.
③ 갈매기 떼를 띄운다.
④ 아침 해를 들어 올린다.
⑤ 물고기와 조개를 품에 안아 준다.

감상

4 **이 시를 읽고 감상을 알맞게 말하지 못한 친구는 누구인지 쓰세요.**

효준: 이 시를 읽으니 나를 무섭게 혼내시던 엄마의 모습이 생각나서 마음이 불안했어.
윤희: 이 시를 읽으니까 어릴 때 아빠가 나를 번쩍 들어 올려서 어깨에 목마를 태워 주시던 생각이 났어.
주희: 이 시를 읽으면 내가 울 때마다 꼭 안아 주시던 엄마가 생각나서 바다가 더 포근하게 느껴지는 것 같아.

(   )

지문 분석

정답과 해설 34쪽

1 표현

이 시의 1연과 2연에서 바다를 무엇에 빗대어 표현하였는지, 그 까닭은 무엇인지 찾아 선으로 이으세요.

1연 •	• 엄마 •	• 힘이 세고 못 하는 것이 없어서
2연 •	• 아빠 •	• 온갖 것들을 품어 줄 만큼 가슴이 넓어서

2 글의 구조

이 시는 1연과 2연이 비슷한 짜임으로 이루어져 있습니다. 보기에서 알맞은 말을 찾아 빈칸에 써서 시의 짜임을 정리하세요.

보기

차이점　　공통점　　까닭　　대상

1행	바다를 빗대어 표현한 (　　　　　　)
2행	그 대상에 빗대어 표현한 (　　　　　　)
3~7행	바다와 빗대어 표현한 대상의 (　　　　　　)

배경지식 바다는 우리에게 어떤 존재일까요?

바다는 지구상에 육지를 제외한 짠물이 모여 하나로 이어진 넓고 큰 공간을 말해요. 지구본을 돌려 보면 아마 갈색이나 초록색으로 표시되는 육지보다 파란색으로 표시되는 바다 부분이 넓다는 것을 알 수 있을 거예요. 그만큼 지구에서 바다가 차지하는 면적은 큰데, 바닷물은 지구 표면의 약 70 퍼센트를 차지하고 있어요. 이것은 상상하기 어려울 정도로 엄청난 크기지요. 바다는 엄청난 크기만큼 지구에서도 중요한 역할을 한답니다. 바다는 생물이 살아가는 데 필요한 물을 공급해 주고, 날씨를 조절하는 역할을 하며 수산물을 제공해 주기도 합니다. 또, 깊은 곳에 숨겨진 바닷속 광물 자원들은 아직 발견되지 않은 보물 창고와도 같답니다.

정답과 해설 34쪽

오늘의 어휘

다음 낱말의 알맞은 뜻을 찾아 선으로 이으세요.

품	이런저런 여러 가지의.
온갖	매우 어둡고 짙게 붉은.
번쩍	두 팔을 벌려서 안기는 가슴.
시뻘건	물건을 매우 가볍게 들어 올리는 모양.
칭얼거려도	짜증을 내며 자꾸 중얼거리거나 떼를 써도.

1 다음 빈칸에 들어갈 알맞은 말을 오늘의 어휘에서 찾아 쓰세요.

- 아기가 엄마 (   )에서 새근새근 잠을 잔다.
- 친구는 (   ) 얼굴로 씩씩거리며 화를 냈다.
- 산에는 (   ) 종류의 꽃들이 가득 피어 있었다.
- 나무꾼은 장작을 팬 뒤 나뭇단을 (   ) 들고 갔다.
- 동생이 장난감을 사 달라고 (   ) 엄마는 들어주지 않으셨다.

2 다음 글에서 밑줄 친 말과 뜻이 비슷한 말을 찾아 쓰세요.

아프리카 탄자니아의 세렝게티 평원에 건기가 시작되면 지구상의 온갖 동물이 대이동을 하는 모습을 볼 수 있다. 누우 떼를 비롯해서 얼룩말, 가젤 등 모든 초식 동물 무리가 물과 풀을 찾아 마사이마라로 먼 거리를 이동하는 것이다.

(   )

발가락 | 류호철

글의 짜임

5연 - 14행

글자 수

109

0 200 400 600 800

내 양말에 구멍이 뽕
발가락이 쏙 나왔다.

발가락은 **꼼틀꼼틀**
저거끼리 좋다고 논다.

나도 좀 보자
나도 좀 보자
서로 **밀치기** 한다.

모처럼 구경하려는데
와 밀어내노
서로서로 얼굴을 내민다.

그런데 엄마가 양말을 **기워서**
발가락은 다시
캄캄한 세상에서
숨도 못 쉬고 살게 되었다.

- **꼼틀꼼틀** 몸의 한 부분을 비틀며 자꾸 움직이는 모양.
- **저거끼리** '자기들끼리'의 방언.
- **밀치기** 힘껏 밀기.
- **모처럼** 마음속으로 준비를 단단히 하고 나서 처음으로.
- **와 밀어내노** '왜 밀어내니?'의 방언.
- **기워서** 구멍 난 곳에 다른 조각을 대거나 그대로 꿰매어서.
- **캄캄한** 아주 까맣게 어두운.

중심 소재

1 이 시에서 중심이 되는 내용은 무엇인가요? (   )

① 양말에 구멍이 난 까닭
② 엄마가 양말을 기운 방법
③ 발가락들이 얼굴을 뽐낸 까닭
④ 발가락들이 서로 도와주는 모습
⑤ 구멍 난 양말 밖으로 발가락들이 나온 일

표현

2 '발가락'을 사람처럼 표현한 부분으로 알맞지 않은 것은 무엇인가요? (   )

① 발가락이 쏙 나왔다
② 모처럼 구경하려는데
③ 저거끼리 좋다고 논다
④ 서로서로 얼굴을 내민다
⑤ 숨도 못 쉬고 살게 되었다

어휘

3 이 시에 쓰인 흉내 내는 말이 나타내는 것을 찾아 선으로 이으세요.

(1)	뽕	㉮	발가락이 양말 밖으로 삐져나온 모양.
(2)	쏙	㉯	발가락이 자꾸 움직이는 모양.
(3)	꼼틀꼼틀	㉰	양말에 구멍이 난 모양.

추론

4 이 시를 읽고 떠오르는 장면으로 알맞지 않은 것을 두 가지 고르세요. (,   )

① 양말에 구멍이 난 장면
② 엄마가 양말을 신겨 주는 장면
③ 엄마가 구멍 난 양말을 기우는 장면
④ 양말을 서랍 깊숙한 곳에 넣어 두는 장면
⑤ 양말에 난 구멍으로 발가락을 꼼지락거리는 장면

지문 분석

정답과 해설 35쪽

1 표현 효과 이 시에 쓰인 다음 표현이 주는 효과로 알맞은 것에 모두 ○표 하세요.

방언		효과
와 밀어내노	→	• 발가락들이 예쁜 척하는 모습을 재미있게 보여 줌. ( ) • 발가락이 토라진 듯한 느낌을 더 생생하게 표현함. ( ) • 발가락들이 실제로 대화를 나누는 것처럼 자연스러운 느낌을 줌. ( )

2 인물 마음 이 시에서 알 수 있는 발가락들의 마음 변화를 생각하며 보기에서 알맞은 말을 찾아 빈칸에 쓰세요.

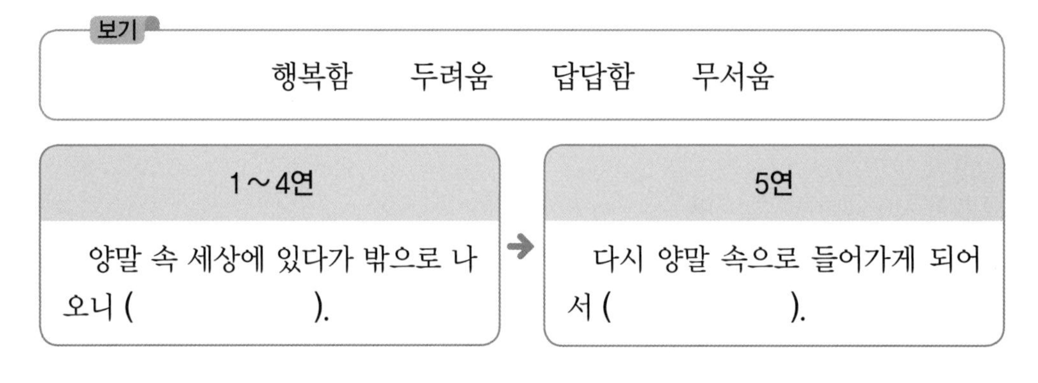

보기

행복함 두려움 답답함 무서움

1～4연		5연
양말 속 세상에 있다가 밖으로 나오니 ( ).	→	다시 양말 속으로 들어가게 되어서 ( ).

배경지식 건강을 나타내는 제2의 심장인 발에 대해 알아볼까요?

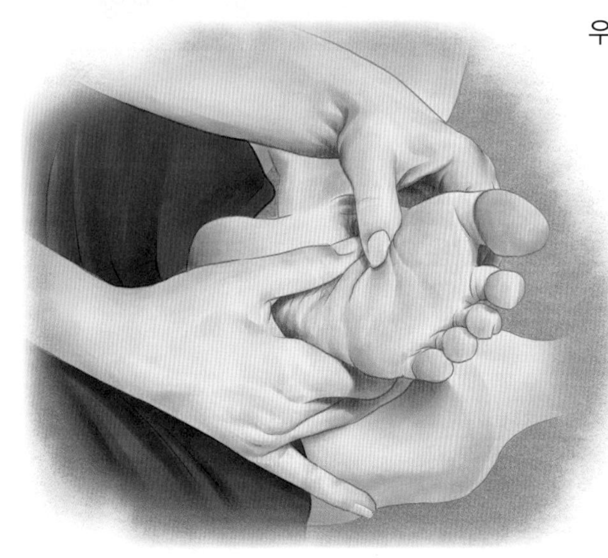

우리는 발이라고 하면 먼저 냄새나고, 지저분한 부분이라는 생각이 들지요. 하지만 발은 우리 몸의 건강 지도라고 해도 될 만큼 온몸의 중요한 기운이 모여 있는 곳입니다. 그래서 발을 '제2의 심장'이라고 부르기도 해요. 특히 발바닥은 모든 장기와 연결되어 있어서 아플 때 그곳을 지압해 주면 아픈 부분을 회복하는 효과를 얻을 수 있다고 해요. 또 발과 무릎을 오므렸다 벌렸다 하며 발끝을 탁탁 쳐서 자극을 주면 몸의 막힌 부분이 뚫리는 효과가 있답니다. 여러분도 오늘은 온종일 우리 몸을 데리고 다니느라 고생한 내 발에게 5분만 시간을 내서 조물조물 마사지를 해 주면 어떨까요?

오늘의 어휘

다음 낱말의 알맞은 뜻을 찾아 선으로 이으세요.

서로 •	• 아주 까맣게 어두운.
캄캄한 •	• 둘 이상의 것의 양쪽이 번갈아서.
모처럼 •	• 몸의 한 부분을 비틀며 자꾸 움직이는 모양.
기워서 •	• 마음속으로 준비를 단단히 하고 나서 처음으로.
꼼틀꼼틀 •	• 구멍 난 곳에 다른 조각을 대거나 그대로 꿰매어서.

1 다음 빈칸에 들어갈 알맞은 말을 오늘의 어휘에서 찾아 쓰세요.

- 구멍 난 양말을 [   ] 신었다.
- [   ] 마음먹고 방 정리를 했다.
- 해가 뜨지 않아 [   ] 밤에 길을 떠났다.
- 낙지 다리가 [   ] 움직이는 모습을 모았다.
- 두 사람은 [   ] 자신의 잘못이 아니라고 주장했다.

2 다음 글에서 밑줄 친 말과 뜻이 비슷한 말을 찾아 쓰세요.

오늘은 정말 슬픈 날이다. 친구들과 놀러 가기로 약속해서 <u>일부러</u> 아끼는 옷을 입고 외출을 했는데, 그만 돌부리에 걸려 넘어지고 말았다. 모처럼 기분이 좋아서 나갔는데 무릎이 까지고 옷도 찢어진데다 친구들 앞에서 창피한 모습을 보인 것이 속상했다.

(   )

연 | 김녹촌

연을 올린다.
바람에 연을 걸어
꿈을 올린다.

시끄럽다고 쫓겨난 노마도
방이 비좁아 밀려 나온 돌이도
하늘에 훌쩍
마음을 띄워 보낸다.

꼬리연
방패연
광대연…….

여울물 차고 오르는
잉어 떼처럼

퍼드덕거리며 **맴돌며**
마구 하늘을 **쏘다닌다.**

노마도 / 돌이도
벌써 / 하늘에 떴다.

휘휘 **얼레**
푸른 하늘을 감으며
달나라 로켓도 타 본다.

겨울 하늘은
짓눌린 아이들의
마음의 놀이터

연이 퍼드덕거린다.
겨울 꿈이 퍼드덕거린다.

글의 짜임

글자 수

210
0 200 400 600 800

- **여울물** 강이나 바다의 바닥이 얕거나 폭이 좁은 곳에 흐르는 물.
- **퍼드덕거리며** 매우 힘차게 꼬리나 날개를 치며.
- **맴돌며** 제자리에서 몸을 뱅뱅 돌며.
- **쏘다닌다** 아무 데나 마구 바쁘게 돌아다닌다.
- **얼레** 연을 매어서 날리는 데 쓰는 실을 감을 때 쓰는 기구.
- **짓눌린** 어떤 마음이 밖으로 드러나지 않도록 마구 눌린.

갈래

1 **이 시에서 표현한 것은 무엇인가요? (　　　　)**

① 새들이 퍼드덕거리는 모습
② 아이들이 마을을 뛰노는 모습
③ 어렵게 살아가는 사람들의 모습
④ 잉어 떼가 여울물을 차고 오르는 모습
⑤ 아이들이 겨울 하늘에 연을 날리는 모습

표현

2 **이 시에서 '겨울 하늘'을 무엇에 빗대어 표현하였는지 쓰세요.**

짓눌린 아이들의 (　　　　　　　　)

세부 내용

3 **이 시에서 아이들에게 '연'이 의미하는 것은 무엇인가요? (　　　　)**

① 꿈　　② 가족　　③ 여행
④ 친구　　⑤ 하늘

감상

4 **이 시를 읽고 말한 생각으로 알맞지 않은 것의 기호를 쓰세요.**

㉮ 꼬리연, 방패연, 광대연처럼 다양한 연이 하늘에 띄워진 것은 아이들의 다양한 꿈의 모습을 나타내는 것 같아.
㉯ 노마와 돌이는 추운 겨울에 집에서 쫓겨나 갈 곳이 없어져서 마음을 달래려고 마을 여기저기를 쏘다닌 것 같아.
㉰ 연을 하늘에 띄우고 달나라 로켓도 타 본다는 말에서 마음을 자유롭게 펼치고 싶은 아이들의 마음이 잘 나타난 것 같아.

(　　　　　　　　)

지문 분석

정답과 해설 36쪽

1 표현 효과

이 시에 쓰인 감각적 표현을 생각하며 (   ) 안에 들어갈 알맞은 말에 ○표 하세요.

여울물 차고 오르는 잉어 떼처럼 퍼드덕거리며 맴돌며 마구 하늘을 쏘다닌다.	➔	연이 하늘로 올라가는 모습을 잉어 떼의 모습에 빗대어 표현해서 (시각적, 후각적) 효과가 잘 나타남.

2 주제

시의 각 연의 중심 내용을 정리하고, 시의 주제를 완성하세요.

1~3연	아이들이 마음을 담아 ( )을 날림.
4~5연	( ) 떼처럼 힘차게 올라가 하늘을 날아다니는 연의 모습
6~7연	노마와 돌이의 연이 하늘에 뜨고, 아이들이 ( )를 감으며 하늘 높이 연을 날림.
8~9연	겨울 하늘은 아이들의 마음에 놀이터가 되어 주고, 연에 담긴 아이들의 ( )이 힘차게 날개를 침.

↓

주제	아이들이 겨울 ( )에 연을 날리며 꿈을 키우는 모습

배경지식 겨울철의 장난감, 연에 대해 알아볼까요?

연은 종이에 대나무 가지를 가로세로, 대각선으로 맞추어 붙이고 실로 줄을 매어 공중에 날리며 노는 장난감이에요. 추운 겨울이 되면 우리나라를 향해 차갑고 강한 바람이 불어오는데, 옛날 아이들은 이 바람을 이용해 겨울철에 연을 많이 날리고 놀았답니다.

연을 날리며 연싸움을 하기도 했는데 연을 누가 더 높이 띄우는지를 겨루거나, 연을 여러 방향으로 급회전 시키기, 갑자기 올려보내기 등을 하며 누가 더 연을 잘 다루는지 겨루었답니다. 또 연을 높이 띄우고 서로 연에 달린 줄을 엇갈리며 상대방 연의 연줄을 끊는 놀이를 하기도 했습니다.

오늘의 어휘

다음 낱말의 알맞은 뜻을 찾아 선으로 이으세요.

떼 •	• 제자리에서 몸을 뱅뱅 돌며.
얼레 •	• 목적이나 행동을 같이하는 무리.
여울물 •	• 어떤 마음이 밖으로 드러나지 않도록 마구 눌린.
맴돌며 •	• 연을 매어서 날리는 데 쓰는 실을 감을 때 쓰는 기구.
짓눌린 •	• 강이나 바다의 바닥이 얕거나 폭이 좁은 곳에 흐르는 물.

1 다음 빈칸에 들어갈 알맞은 말을 오늘의 어휘 에서 찾아 쓰세요.

- 아이들이 [ ]를 감아 연을 띄운다.
- 독수리가 하늘을 [ ] 먹잇감을 찾고 있었다.
- 들판에 젖소 [ ]가 한가로이 풀을 뜯고 있었다.
- 귀를 기울이니 멀리서 [ ]이 흐르는 소리가 들렸다.
- 선생님의 무서운 눈빛에 [ ] 아이들은 아무 말도 하지 못했다.

2 다음 글에서 밑줄 친 말과 뜻이 비슷한 말을 찾아 쓰세요.

양은 성질이 온순하고 풀이나 나뭇잎, 나무껍질 등을 먹고 사는 초식 동물이다. 떼를 지어 살며, 높은 곳에 올라가는 것을 좋아한다. 양을 기르는 목장에는 양몰이 개를 함께 기르기도 한다. 양몰이 개는 양이 무리를 벗어나 다른 곳으로 가지 않도록 지휘하는 역할을 한다.

( )

수필·극

힘들다, 힘들어 | 공선옥

오늘 아침 학교에 가 보니 아니 글쎄 금붕어 한 마리가 죽어 있지 않은가. 아마 사랑 꽃이 너무 예뻐 그쪽으로 나오고 싶어 하다가 그만 머리를 어항 유리벽에 세게 **부딪쳐** 죽은 것 같다는 생각이 들어 나는 너무너무 슬펐다. 그런데 우리 선생님이 교실에 들어와 어머, 금붕어가 죽었네, 하시면서 **뜰채**로 죽은 금붕어를 떠 가지고 나가셨다. 선생님은 금붕어가 왜 죽었는지에 대해서 우리들에게 물어보시지도 않고 **곧바로** 나가 버리시는 것이었다. 너무 **순식간**에 일어난 일이라 우리들은 그저 멍하니 있었다. 그리고 다시 선생님께서 들어오셨다. 선생님은 아무 말씀이 없으셨다. 나는 공부가 하나도 머리에 들어오지 않았다. 선생님이 김아름, 하고 내 이름을 불렀다. 나는 벌떡 일어나긴 했지만 그만 나도 모르게 울고 말았다. 선생님이 왜 우느냐고 물었다.

"금붕어가 사랑 꽃 있는 데로 나오고 싶어서 그래서 죽은 거예요, 선생님. 그러니까 사랑 꽃 밑에다 묻어 줘야 해요."

"아, 그래서 아름이가 우는 게로구나. 선생님은 그것도 모르고 그냥 금붕어가 **수명**이 다했나 보다고만 생각했지. 정말 미안하구나, 아름아."

쉬는 시간에 선생님과 함께 친구들이랑 **화단**으로 갔다. 거기에는 많은 사랑 꽃이 피어 있었다. 우리는 그곳에 금붕어를 묻었다. 선생님은 우리들에게 약속하셨다. 다시는 죽은 금붕어를 아무 데나 버리지 않겠다고. 그리고 말씀하셨다.

선생님이 너희를 가르치는 게 아니라 너희들이 나를 가르치는구나, 라고. 그래서 나는 **겨우** 기분이 좋아져서 집으로 왔다.

글의 구조

발단 – 전개 – 절정 – 결말

글자 수

744 (200 / 400 / 600 / 800 / 1000)

- **부딪쳐** (무엇을 어디에) 세차게 마주 닿아서.
- **뜰채** 물고기 등을 건져 올릴 때 쓰는 그물이 달린 도구.
- **곧바로** 바로 그 즉시에.
- **순식간** 아주 짧은 동안.
- **수명** 사람이나 생물이 살아 있는 동안.
- **화단** 흙을 한층 높게 쌓아 올리고 꽃을 심은 곳.
- **겨우** 매우 힘들게. 간신히.

갈래

1 일이 일어난 장소는 어디인지 알맞은 것을 두 가지 고르세요. (　　,　　)

① 학교 교실　② 학교 연못　③ 학교 화단
④ 학교 운동장　⑤ 학교 교무실

세부 내용

2 오늘 아침에 '내'가 겪은 일은 무엇인지 빈칸에 알맞은 말을 쓰세요.

어항 속에 (　　　　　　) 한 마리가 죽어 있는 것을 발견함.

세부 내용

3 선생님께서 하신 일로 알맞지 않은 것은 무엇인가요? (　　　)

① '나'에게 미안하다고 사과하셨다.
② 쉬는 시간에 아이들과 화단으로 가셨다.
③ 뜰채로 죽은 금붕어를 떠 가지고 나가셨다.
④ 금붕어가 왜 죽었는지 아이들에게 물어보셨다.
⑤ 죽은 금붕어를 아무 데나 버리지 않겠다고 약속하셨다.

추론

4 '나'의 행동에 대해 짐작하여 말한 내용으로 알맞지 않은 것의 기호를 쓰세요.

㉮ '나'는 금붕어에게 먹이를 제대로 주지 못한 것이 속상해서 울었을 거야.
㉯ '나'는 선생님께서 금붕어를 아무 데나 버리셨을까 봐 걱정이 되어서 울었어.
㉰ '나'는 죽은 금붕어 생각이 자꾸 나서 공부가 하나도 머리에 들어오지 않은 거야.

(　　　　　　)

지문 분석

정답과 해설 37쪽

1 사건 전개 **이 글에서 일어난 일을 순서대로 정리하여 빈칸에 알맞은 말을 쓰세요.**

아침에 학교에 가 보니 (　　　　　　) 한 마리가 죽어 있었음.

↓

선생님이 교실에 들어와 (　　　　　　)로 죽은 금붕어를 떠 가지고 나가셨다가 다시 돌아오셔서 아무 말씀이 없으심.

↓

'내'가 우는 바람에 (　　　　　　)께서 금붕어에 대한 '나'의 마음을 알게 되심.

↓

쉬는 시간에 선생님, 친구들과 함께 (　　　　　　)에 금붕어를 묻어 줌.

2 마음 변화 **'나'의 마음 변화를 생각하며 (　　　) 안에 들어갈 알맞은 말에 ○표 하세요.**

일이 일어난 때	'나'의 마음
금붕어의 죽음을 본 후	너무 (외로움, 슬픔).
↓	
선생님과 함께 금붕어를 묻고 난 후	기분이 (좋아짐, 가라앉음).

배경지식 **힘없고 가난한 이웃에게 따뜻한 관심을 가진 공선옥 작가**

공선옥 작가는 1963년 전남 곡성에서 출생하여, 1991년 「창작과비평」 겨울호에 중편 「씨앗불」을 발표하면서 작품 활동을 시작했습니다. 공선옥 작가는 우리 사회의 어두운 구석을 파헤치고, 힘없고 가난한 이웃에 대하여 따뜻한 관심을 쏟은 작품들을 발표해 왔습니다. 이 가운데 생명의 소중함과 어머니의 사랑에 대해 쓴 「붉은 포대기」, 힘든 세월을 보내면서 흩어져 살고 있는 사람들의 삶과 아픔을 그린 「유랑가족」은 공선옥 작가의 대표작입니다. 이외에도 동화 「울지 마, 샨타!」, 산문집 「자운영 꽃밭에서 나는 울었네」, 「공선옥, 마흔에 길을 나서다」, 「행복한 만찬」 등의 작품이 있습니다.

오늘의 어휘

다음 낱말의 알맞은 뜻을 찾아 선으로 이으세요.

수명 •	• 바로 그 즉시.
겨우 •	• 아주 짧은 동안에.
부딪쳐 •	• 매우 힘들게. 간신히.
곧바로 •	• 사람이나 생물이 살아 있는 동안.
순식간 •	• (무엇을 어디에) 세차게 마주 닿아서.

1 다음 빈칸에 들어갈 알맞은 말을 오늘의 어휘 에서 찾아 쓰세요.

- 배가 고파 밥 한 그릇을 [ ]에 먹었다.
- 인간의 평균 [ ]이 점점 늘어나고 있다.
- 며칠 동안 고생해서 [ ] 그림을 완성했다.
- 학교 수업을 마치자마자 [ ] 집으로 갔다.
- 빗길에 미끄러진 자전거가 벽에 [ ] 사고가 났다.

2 다음 글에서 밑줄 친 말과 뜻이 비슷한 말을 찾아 쓰세요.

불은 늘 생각하지 못한 곳에서 일어나며, 한번 불이 나면 일순간에 모든 것을 잃게 된다. 산에 올라가 자신이 피우던 담배꽁초를 아무 곳에나 무심코 던지는 사소한 행동 때문에 불이 번져 온 산을 태우는 것은 순식간이다.

( )

안네의 일기 | 안네 프랑크

글의 구조

글자 수

779 (200 400 600 800 1000)

1942년 7월 8일 수요일

키티!

온 세상이 뒤집히는 일이 일어나고야 말았어! 그렇지만 키티, 나는 지금 살아 있어. 그게 중요한 거야. 아빠도 그렇게 말씀하셨어. 지금 이런 나의 심정을 네가 이해할 수 있을까? 이럴 게 아니라 일요일 오후에 일어난 일을 차근차근 이야기해야겠다. 〈중략〉

"안네야! SS(에스에스: **나치스**의 **친위대**)에서 아빠에게 호출장을 보냈어! 이를 어쩌면 좋아!"

호출장이라니! 난 온몸이 바르르 떨렸어. 호출장이 무엇을 의미하는지 너무나도 잘 알고 있었기 때문에……. 순간, 강제 **수용소**와 차가운 감방 모습이 머릿속을 스치고 지나갔어. 아빠를 그런 곳에 보낼 수는 없는 일이었어.

"언니, 어떡해?"

"아니야. 엄마가 아빠는 안 가실 거라고 했어. 지금 엄마가 내일 **은신처**로 피신하는 문제를 의논하려고 반단 씨한테 가셨어. 반단 씨는 아빠 회사 **동료**인데, 우리와 함께 가족 모두가 **피신**하기로 하셨대."

1943년 5월 1일 토요일

키티!

㉠은신처에서의 생활이 점점 비참해지고 있어. 물론 피신하지 못한 다른 유대인들에 비하면 이 곳은 **낙원**이나 다름없어. 그렇다 해도, 이곳에서의 생활도 점점 눈에 띄게 나빠지고 있어.

예를 들어, 모두가 함께 사용하는 식탁에는 오랫동안 갈지 않아서 낡고 더러워진 식탁보가 깔려 있어. 너무 더러워서 가끔 내가 걸레로 닦아 보지만 소용없었어.

반단 씨 부부는 겨울 내내 담요 한 장으로 지냈어. **배급** 나오는 비누가 부족해서 빨래를 할 수 없었단다. 〈중략〉

모든 것이 부족하고 낡고 작았어. 하지만 은신처 식구들은 모두 이 정도의 고통은 견딜 수 있을 거야.

- **나치스** 히틀러가 이끌었던 독일의 정당.
- **친위대** 임금이나 대통령을 안전하게 지키는 부대.
- **수용소** 피난민이나 포로 등의 많은 사람을 가두어 두는 곳.
- **은신처** 남의 눈을 피해서 몸을 숨긴 장소.
- **동료** 일터나 단체에서 함께 일하는 사람.
- **피신** 위험을 피해서 몸을 숨기는 것.
- **낙원** 아무 걱정 없이 편안하고 즐겁게 살 수 있는 곳.
- **배급** 물건이나 먹을거리를 나누어 주는 것.

지문 독해

갈래

1 이 글의 특징으로 알맞은 것에 ○표 하세요.

(1) 현실에 있을 법한 사건을 작가가 꾸며 낸 글이다. ( )
(2) 무대에서 연극으로 공연하기 위해 지어낸 글이다. ( )
(3) 자신이 겪은 일을 일기장과 대화하듯이 쓴 글이다. ( )

세부 내용

2 이 글의 내용으로 알맞은 것은 무엇인가요? ( )

① 안네의 아빠는 강제 수용소로 보내졌다.
② 안네가 붙인 일기장의 이름은 '키티'이다.
③ 은신처에서의 생활은 점점 나아지고 있다.
④ 안네의 가족만 은신처로 피신하기로 했다.
⑤ 은신처에는 모든 물건이 풍족하게 갖추어져 있다.

표현

3 ㉠에서 안네의 가족이 지내고 있는 은신처를 빗대어 표현한 말을 찾아 쓰세요.

( )

감상

4 이 글을 읽고 말한 생각이나 느낌으로 알맞지 않은 것은 무엇인가요? ( )

① 은신처로 피신하면서 안네의 가족들은 모두 많이 불안했을 거야.
② 안네는 자신과 가족들이 살아 있다는 것에 감사해하고 있을 거야.
③ 은신처 생활이 힘들다고 하는 걸 보면 안네는 은신처에 가기 싫었던 것 같아.
④ 힘든 은신처 생활을 하면서도 긍정적으로 생각하는 안네에게 배울 점이 많아.
⑤ 일기장에 이름을 붙여 친구처럼 대한 것을 보면 안네는 은신처에서 외로웠던 것 같아.

지문 분석

정답과 해설 38쪽

1 인물 마음 안네가 겪은 상황을 생각하며 그때 안네의 마음으로 알맞은 것에 ○표 하세요.

안네가 겪은 상황		안네의 마음
SS(나치스의 친위대)에서 아빠에게 호출장을 보냈다는 소식을 들음.	→	• 긴장되고 설렘. ( ) • 놀랍고 두려움. ( )
은신처에서의 생활이 점점 눈에 띄게 나빠지고 있음.	→	• 슬프고 우울함. ( ) • 궁금하고 떨림. ( )

2 사건 전개 안네가 쓴 일기의 마지막 부분에 이어질 내용을 생각하며 보기에서 알맞은 말을 찾아 빈칸에 쓰세요.

보기

화려　　안전　　편안한　　고통스러운

모든 것이 부족하고 낡고 작았어. 하지만 은신처 식구들은 모두 이 정도의 고통은 견딜 수 있을 거야. 무서운 바깥세상보다 훨씬 (　　　　　) 하고 (　　　　　) 생활이라는 것을 알고 있었기 때문이야.

배경지식 안네 프랑크의 삶에 대해 알아볼까요?

이 글을 쓴 안네 프랑크는 1929년 독일 프랑크푸르트에서 태어난 유대계 독일인입니다. 안네의 가족은 1933년 나치의 유대인 학살 정책이 심해지자 네덜란드 암스테르담으로 망명했습니다. 안네의 가족은 건물 창고에 교묘하게 만들어진 은신처에서 생활했는데, 안네가 일기를 쓰기 시작한 1942년도가 바로 그때입니다. 안네는 은신처 안에서 사춘기 소녀의 마음뿐만 아니라 당시 시대 상황, 나치의 만행 등을 일기장인 키티에게 털어놓았습니다. 하지만 누군가의 신고로 수용소에 끌려가게 된 안네는 결국 죽음을 맞이합니다. 그리고 훗날, 가족 중 유일하게 살아남았던 안네의 아버지가 안네의 일기를 받아 책으로 출간했고, 그렇게 안네가 쓴 일기는 세상에 나와 안네가 바라던 작가의 꿈을 이루게 됩니다.

오늘의 어휘

다음 낱말의 알맞은 뜻을 찾아 선으로 이으세요.

피신 •	• 위험을 피해서 몸을 숨기는 것.
동료 •	• 남의 눈을 피해서 몸을 숨긴 장소.
낙원 •	• 일터나 단체에서 함께 일하는 사람.
은신처 •	• 아무 걱정 없이 편안하고 즐겁게 살 수 있는 곳.
수용소 •	• 피난민이나 포로 등의 많은 사람을 가두어 두는 곳.

1 다음 빈칸에 들어갈 알맞은 말을 오늘의 어휘에서 찾아 쓰세요.

- 그 아저씨는 아버지 회사 (　　　　)야.
- 군인들은 (　　　　)의 위치를 알아냈다.
- 범인은 경찰을 피해 시골로 (　　　　)했다.
- 안네는 독일군에 의해 (　　　　)로 끌려갔다.
- 이 공원은 강아지들이 마음껏 뛰어놀 수 있는 (　　　　)이다.

2 다음 글에서 밑줄 친 말과 뜻이 비슷한 말을 찾아 쓰세요.

지진이 발생했을 때 집이나 학교 같은 실내에 있다면 먼저 두 손으로 머리를 감싸고 식탁이나 책상 밑으로 들어가 머리를 보호해야 한다. 그리고 안내 방송을 들으며 침착하게 안전한 곳으로 <u>대피</u>한다. 이때 승강기로 이동하는 것은 위험하므로 계단을 이용하여 안전한 곳으로 피신해야 한다.

(　　　　　　　　)

오즈의 마법사 | 라이먼 프랭크 바움

글의 구조

발단 - 전개 - 절정 - 결말

글자 수

665

200 400 600 800 1000

양철 나무꾼: (다급한 목소리로) 나 좀 도와줘. 난 일 년째 이 자리에 이렇게 서 있단 말이야.

도로시: (이상하다는 듯 쳐다보며) 왜 못 움직이니?

양철 나무꾼: 몸을 연결하는 나사가 소나기를 맞고 **녹슬어서** 그래. **오두막**에서 기름을 가져다 뿌리면 움직일 수 있을 거야. 5

도로시와 허수아비가 오두막으로 달려가 기름통을 가져온다. 그리고 양철을 연결하고 있는 나사마다 기름칠을 해 준다. 양철 나무꾼이 몸을 부드럽게 움직이게 된다.

양철 나무꾼: (활짝 웃으며) 고마워. 너희들은 누구니?

도로시: 난 도로시야. 10

허수아비: 난 허수아비.

도로시: 우리는 지금 에메랄드 시에 있는 마법사 오즈를 만나러 가는 중이야. **소원**을 빌어야 하거든.

허수아비: 도로시는 **고향**에 가는 게 소원이고, 난 똑똑한 머리를 갖는 게 소원이야. 15

양철 나무꾼: 난 마음을 갖는 게 소원인데.

도로시: 왜 마음을 갖고 싶은데?

양철 나무꾼: 나도 처음부터 양철은 아니었어. 난 **평범한** 나무꾼이었단다. 난 아름다운 아가씨를 사랑했지. 그 아가씨는 새집만 있으면 나와 결혼하겠다고 했어. 그래서 난 날마다 나무를 베어 집을 지었지. 그런데 그 아가씨와 사는 마음씨 **고약한** **노파**가 동쪽 나라 마녀한테 결혼을 못 하게 해 달라고 부탁했지. 동쪽 나라 마녀는 내 다리를 잘랐어. 20

도로시가 눈을 동그랗게 뜨고 양철 나무꾼의 말에 계속 귀를 기울인다.

- **녹슬어서** 쇠붙이가 공기와 만나 붉거나 푸르게 변해서.
- **오두막** 사람이 겨우 살아갈 수 있을 만큼 작은 집.
- **소원** 이루어지기를 바라는 일.
- **고향** 태어나서 자란 곳.
- **평범한** 뛰어나거나 다른 점이 없이 남들과 비슷한.
- **고약한** 성격이나 하는 말과 행동이 까다롭고 사나운.
- **노파** 늙은 여자.

지문 독해

갈래

1 이 글에 대한 설명으로 알맞은 것은 무엇입니까? (　　　　)

① 작가의 경험을 솔직하게 쓴 글이다.
② 실제 일어난 일을 바탕으로 쓴 글이다.
③ 여행을 하면서 느낀 점을 적은 글이다.
④ 일을 하는 차례나 방법에 대해 알려 주는 글이다.
⑤ 인물의 대사를 통해 이야기를 풀어 나가는 글이다.

세부 내용

2 양철 나무꾼이 움직이지 못한 까닭은 무엇인지 빈칸에 알맞은 말을 쓰세요.

몸을 연결하는 (　　　　　　)가 녹슬어서

세부 내용

3 이 글에 나오는 등장인물과 등장인물의 소원을 찾아 선으로 이으세요.

	등장인물		소원
(1)	도로시	㉮	똑똑한 머리를 갖는 것
(2)	양철 나무꾼	㉯	고향에 가는 것
(3)	허수아비	㉰	마음을 갖는 것

추론

4 이 글을 읽고 인물에 대해 알맞게 짐작하여 말한 친구는 누구인지 쓰세요.

우현: 집에 돌아갈 수 없게 된 도로시는 함께 살 새 친구들을 찾아서 기뻐하고 있어.
소진: 아가씨와 결혼을 못 하게 하려고 양철 나무꾼의 다리를 자른 노파는 정말 잔인한 사람이야.
유리: 도로시와 허수아비는 어려움에 처한 양철 나무꾼을 그냥 지나치지 않고 도와준 따뜻한 친구들이야.

(　　　　　　)

지문 분석

정답과 해설 39쪽

1 마음 변화 양철 나무꾼의 마음 변화를 생각하며 ( ) 안에 들어갈 알맞은 말에 ○표 하세요.

상황		양철 나무꾼의 마음
지나가는 도로시와 허수아비를 보고 부름.	→	도로시와 허수아비에게 도움을 요청해야 해서 (속상함, 다급함).
도로시와 허수아비가 양철 나무꾼이 움직일 수 있게 해 줌.		다시 몸을 움직일 수 있게 되어서 (기쁨, 궁금함).

2 사건 전개 일이 일어난 순서대로 보기 에서 기호를 찾아 써넣어 글의 내용을 정리하세요.

보기

㉮ 양철 나무꾼이 도움을 요청함.
㉯ 양철 나무꾼이 몸을 움직일 수 있게 됨.
㉰ 도로시와 허수아비가 양철 나무꾼의 나사에 기름칠을 해 줌.
㉱ 도로시와 허수아비가 오두막으로 달려가서 기름통을 가져옴.
㉲ 도로시와 허수아비가 양철 나무꾼이 움직이지 못하게 된 사연을 들음.

( ) → ( ) → ( ) → ( ) → ( )

배경지식 「오즈의 마법사」 이야기의 전체 줄거리

어느 날 갑자기 불어온 회오리바람 때문에 오즈의 나라로 떨어지게 된 도로시는 고향으로 돌아가기 위해 에메랄드 시에 사는 위대한 마법사 오즈를 찾아갑니다. 도로시는 마법사를 찾으러 가는 길에 똑똑해지고 싶은 허수아비, 심장이 필요한 양철 나무꾼, 겁쟁이 사자를 만납니다. 도로시 일행이 만난 마법사 오즈는 사악한 서쪽 마녀를 쓰러뜨리면 모두의 소원을 들어주겠다는 조건을 내걸었고, 도로시와 친구들은 힘을 합쳐 서쪽 마녀를 물리치고 에메랄드 시로 돌아옵니다.

오즈는 허수아비에게 두뇌를, 양철 나무꾼에게 심장을, 사자에게 용기를 각각 상으로 주었습니다. 그리고 도로시는 신고 있던 은색 구두의 굽을 맞부딪쳐서 무사히 고향으로 돌아갈 수 있었습니다.

정답과 해설 39쪽

오늘의 어휘

다음 낱말의 알맞은 뜻을 찾아 선으로 이으세요.

소원 •	• 태어나서 자란 곳.
고향 •	• 이루어지기를 바라는 일.
평범한 •	• 뛰어나거나 다른 점이 없이 남들과 비슷한.
고약한 •	• 쇠붙이가 공기와 만나 붉거나 푸르게 변해서.
녹슬어서 •	• 성격이나 하는 말과 행동이 까다롭고 사나운.

1 다음 빈칸에 들어갈 알맞은 말을 오늘의 어휘에서 찾아 쓰세요.

- 그는 [ ]을 떠나기로 마음먹었다.
- 소녀는 별똥별을 보며 [ ]을 빌었다.
- 철로 된 대문이 [ ] 잘 열리지 않았다.
- 그 사람은 얼굴은 곱지만 [ ] 마음씨를 가졌다.
- 이 옷은 [ ] 모양이지만 사람들에게 인기가 많다.

2 다음 글에서 밑줄 친 말과 뜻이 반대인 말을 찾아 쓰세요.

그 식당의 요리는 겉으로 보기에는 아주 평범한 모양이다. 처음 보는 사람은 쉽게 구할 수 있는 재료로 만든 요리라고 생각할 수 있지만 한입 먹어 보면 정말 <u>특별한</u> 맛이 난다. 그 식당은 한 번 가본 사람은 꼭 다시 가게 되는 곳이다.

( )

토끼의 재판 | 방정환

글의 구조

발단 - 전개 - 절정 - 결말

글자 수

674

200 400 600 800 1000

[앞부분 이야기] 길을 가던 나그네가 사냥꾼이 궤짝 속에 가둬 둔 호랑이를 구해 준다. 그러나 배가 고픈 호랑이는 나그네를 잡아먹으려 하고, 나그네는 소나무와 길에게 물어보지만 모두 호랑이가 옳다고 대답한다.

나그네: 이번에는 누구에게 물어보아야 하나? 마지막인데……. (**풀**이 죽은 모습으로 고개를 숙인다.)

하얀 토끼가 지나간다.

나그네: 토끼님, 토끼님! 재판 좀 해 주세요. 이 궤짝 속에 갇힌 호랑이를 살려 준 나하고, 살려 준 나를 잡아먹으려는 호랑이하고 누가 옳습니까? 5

토끼: (귀를 기울이고 한참 생각하다) 누가 누구를 살려 주었어요? 누가 누구를 잡아먹으려 해요? 아, 당신이 이 호랑이를 잡아먹으려고 해요?

나그네: 아니지요. 내가 호랑이를 잡아먹으려 하는 게 아니라, 이 호랑이가 궤짝에 갇혀 있었는데 내가 살려 주었어요. 10

토끼: 네, 알았습니다. 그러니까 이 호랑이하고 당신이 궤짝 속에 갇혀 있었다고요?

나그네: 아니지요. 호랑이가…….

호랑이: (답답하다는 듯이 화를 내며) 왜 이렇게 **말귀**를 못 알아듣지? (궤짝 속으로 들어가며) 이 궤짝 속에 내가 이렇게 있었어. 내가 이렇게 갇혀 있었단 말이야. 알았지? 15

토끼가 얼른 달려들어 **문고리**를 걸어 잠근다.

토끼: (웃으면서) 이제야 알았습니다. 설명하시지 않아도 잘 알겠습니다. 호랑이님이 어떻게 이 궤짝 속에 들어갔는지 잘 알았습니다. 그럼 저는 바빠서 **이만** 가 보겠습니다. 20

나그네: (토끼를 쫓아가며) 토끼님, ㉠ **대단히** 고맙습니다. 이 은혜를 어떻게 갚아야 할지…….

호랑이는 궤짝 속에 쭈그려 울부짖고, 사냥꾼들이 돌아와 궤짝을 메고 고개를 넘어간다.

- **나그네** 살던 곳을 떠나 다른 곳에 잠시 머물거나 떠도는 사람.
- **궤짝** 물건을 넣도록 나무로 네모나게 만든 상자.
- **풀** 활발한 기운이나 힘 있는 기세.
- **말귀** 말이 뜻하는 내용.
- **문고리** 문을 걸어 잠그거나 열고 닫는 손잡이로 쓰기 위하여 문에 다는 고리.
- **이만** 이 정도로 하고.
- **대단히** 몹시 크거나 많이.

갈래

1 이 글을 읽는 방법으로 알맞은 것에 ○표 하세요.

(1) 글쓴이의 주장과 주장을 뒷받침하는 내용을 정리하며 읽는다. (　　)

(2) 이야기 속 인물이 설명하는 내용을 살펴보고, 그 내용이 정확한지 확인하며 읽는다. (　　)

(3) 해설, 지문, 대사를 보면서 인물의 속마음과 그렇게 행동한 까닭을 짐작하며 읽는다. (　　)

세부 내용

2 이 글에서 가장 먼저 일어난 일은 무엇인가요? (　　)

① 토끼가 문고리를 잠가 버렸다.
② 토끼가 말을 못 알아듣는 척했다.
③ 누가 옳은지 토끼에게 물어보았다.
④ 호랑이가 나그네를 잡아먹으려 했다.
⑤ 나그네가 궤짝에 갇힌 호랑이를 구해 주었다.

어휘

3 ㉠과 바꾸어 쓰기에 알맞지 않은 말은 무엇인가요? (　　)

① 매우　② 무척　③ 단단히
④ 상당히　⑤ 참으로

추론

4 '소나무'와 '길'이 호랑이의 편을 들며 했을 말로 알맞은 것을 찾아 선으로 이으세요.

(1) 소나무 •　　• ㉮ "인간들은 날마다 나를 밟고 다니면서도 고마워할 줄 몰라. 더럽게 침도 뱉고. 그러니까 나그네를 잡아먹어도 돼."

(2) 길 •　　• ㉯ "인간들은 내가 맑은 공기를 마시게 해 주는데도 나를 마구 꺾고 베어 버려. 그러니까 나그네를 잡아먹어도 돼."

지문 분석

정답과 해설 40쪽

1 인물 특징 이 글에 나온 인물의 마음과 행동을 생각하며 (　　　) 안에 들어갈 알맞은 말에 ○표 하세요.

상황		
토끼가 상황을 설명하는 나그네의 말을 제대로 이해하지 못하는 척함. →	호랑이의 마음	토끼가 말귀를 못 알아듣는 것이 (답답함, 속상함).
	호랑이의 행동	스스로 궤짝 (밖, 속)으로 들어감.

2 교훈 이 글에서 인물이 한 일을 보고, 보기 에서 알맞은 말을 찾아 써넣어 인물이 주는 교훈을 완성하세요.

보기

은혜　　원수　　신중　　복잡

호랑이	자신을 도와준 사람에 대한 (　　　　)를 저버리는 행동을 하면 결국 벌을 받게 된다.
토끼	어떤 일이든 (　　　　)하게 생각하여 판단하고, 지혜롭게 문제를 해결해야 한다.

배경지식 꾀 많은 인물로 이야기에 자주 등장하는 동물, 토끼

옛이야기에 나오는 토끼는 꾀가 많은 동물로 그려집니다. 특히 「토끼전」에 나오는 토끼는 정말 유명하지요. 거북에게 속아 용궁에 간 토끼는 간을 빼앗길 위기에 처하지만 자신의 몸속에 있는 간을 육지에서 말리는 중이라고 거짓말을 하고 무사히 도망칩니다. 그런데 이 이야기는 거기서 끝이 아니에요. 육지로 돌아와 신나게 뛰어다니던 토끼는 독수리에게 다시 잡히고 맙니다. 토끼는 이번에는 독수리에게 맛있는 음식이 나오는 주머니를 주겠다고 거짓말을 한 뒤, 독수리가 따라 들어올 수 없는 바위 구멍 속으로 도망치지요. 물속과 하늘에서 모두 죽을 뻔했지만 엄청난 꾀를 부려 무사히 살아난 것이랍니다.

정답과 해설 40쪽

오늘의 어휘

다음 낱말의 알맞은 뜻을 찾아 선으로 이으세요.

풀 •	• 이 정도로 하고.
궤짝 •	• 말이 뜻하는 내용.
말귀 •	• 활발한 기운이나 힘 있는 기세.
이만 •	• 물건을 넣도록 나무로 네모나게 만든 상자.
나그네 •	• 살던 곳을 떠나 다른 곳에 잠시 머물거나 떠도는 사람.

1 다음 빈칸에 들어갈 알맞은 낱말을 오늘의 어휘에서 찾아 쓰세요.

- 이 [ ]에는 어릴 적 내 보물이 들어 있다.
- 날이 어두워졌으니 오늘은 [ ] 돌아가야겠다.
- 세 점이나 뒤진 상대편은 완전히 [ ]이 꺾였다.
- 이렇게 [ ]를 못 알아듣다니, 너무 답답하구나.
- 지나가는 [ ]인데, 하룻밤 묵어갈 수 있을까요?

2 다음 글에서 밑줄 친 말과 뜻이 비슷한 말을 찾아 쓰세요.

산속 외딴곳에 있는 어느 집에 허름한 모습을 한 나그네가 찾아왔다. 깜짝 놀란 하인은 주인에게 달려가 그 사실을 알렸다. 주인은 외진 곳까지 길손이 올 일이 없어 이상하다고 생각했지만, 하인에게 일단 안으로 모시라고 하였다.

( )

오늘의 어휘 찾아보기

바른 독해의 빠른시작

정답과 해설

초등 국어

문학 독해 3단계

3·4학년

동아출판

- **글의 종류** 창작 동화
- **글의 특징** 창남이를 통해 어려운 환경에서도 자신보다 더 어려운 이웃을 돕는 모습을 보여 주는 감동적인 이야기입니다.
- **글의 주제** 어려운 상황에서도 자기보다 더 어려운 사람을 도울 수 있어야 합니다.
- **글 ❶ 중심 내용** 어려운 형편에도 당당하고 친구들에게 인기가 많은 창남이가 어느 날 체육 시간에 혼자만 웃옷을 벗지 않았습니다.

013쪽 지문 독해

1 창남이(한창남) **2** ㉯ **3** ② **4** ㉯

1 이 글에서 중심이 되는 인물은 '창남이'입니다. 창남이는 우리 반에서 가장 인기 있는 친구로, 이름이 창남이고 성이 한씨인데 비행사인 안창남 아저씨와 이름이 비슷하여 친구들은 모두 그를 '비행사'라고 부른다고 하였습니다.

2 '다만'과 바꾸어 쓸 수 없는 말은 '전혀'입니다.

오답 풀이

'다만'은 '다른 것이 아니라 오로지.'라는 뜻으로 '오로지, 오직, 단지'와 바꾸어 쓸 수 있습니다. '전혀'는 '도무지, 아주, 완전히'의 뜻으로 '다만'과 바꾸어 쓸 수 없습니다.

3 체육 시간에 창남이의 얼굴이 빨개졌을 때 그런 행동을 하는 것은 처음 보았다는 것에서 원래는 부끄러움이 많지 않은 성격임을 알 수 있습니다.

오답 풀이

① 창남이는 우리 반에서 가장 인기 있는 친구라고 하였습니다.
③ 다른 친구가 걱정이 있어 얼굴을 찡그릴 때에는 재미난 말로 기분을 풀어 준다고 하였습니다.
④ 안창남 아저씨와 이름이 비슷하여 친구들은 모두 그를 '비행사'라고 부른다는 부분에서 안창남 아저씨가 '비행사'임을 알 수 있습니다.
⑤ 창남이의 차림새에서 창남이의 가정 형편이 어렵다는 것을 알 수 있었지만 창남이는 단 한번도 창피해하거나 남의 것을 부러워하지 않는다고 하였습니다.

4 옷을 벗으라는 선생님의 말씀에도 웃옷을 벗지 못한 것에서 창남이가 옷 안에 체육복을 입지 않았음을 짐작할 수 있습니다.

유형 분석 / 추론

글의 내용을 꼼꼼하게 읽으면 숨겨진 내용을 짐작하는 데 도움이 됩니다. 이 글에서는 창남이와 다른 아이들의 행동이 어떻게 다른지를 통해 창남이가 웃옷을 벗지 못한 까닭을 짐작할 수 있습니다.

014쪽 지문 분석

1

일이 일어난 때	겨울, (체육) 시간
등장인물	창남이, 반 아이들, 체육 (선생님)
일어난 일	아이들이 날씨가 추워 체육복 위에 (웃옷)을 입자 선생님께서 벗으라고 하셨는데, 창남이만 벗지 않고 있었음.

2

창남이
- 우리 반에서 가장 인기 있는 친구임.
- 비행사 안창남과 이름이 같아 별명이 '비행사'임.
- (유쾌한, 단순한) 성격을 가짐. (유쾌한에 동그라미)
- 처한 가정 형편이 어렵지만 (소심함, 당당함). (당당함에 동그라미)

1 일이 일어난 때와 장소, 등장인물, 일어난 일을 정리하면 이야기를 이해하는 데 도움이 됩니다. 이 글에서 일이 일어난 때는 겨울의 체육 시간으로, 등장인물인 창남이와 반 아이들, 선생님 사이에 일어난 일을 보여 주고 있습니다.

2 글에서 창남이가 한 말이나 행동을 찾아보고, 그것을 통해 성격을 짐작해 봅니다. 창남이는 시원스럽고 유쾌한 성격을 가진 친구이며, 처한 가정 형편이 어렵지만 당당하게 행동합니다.

015쪽 오늘의 어휘

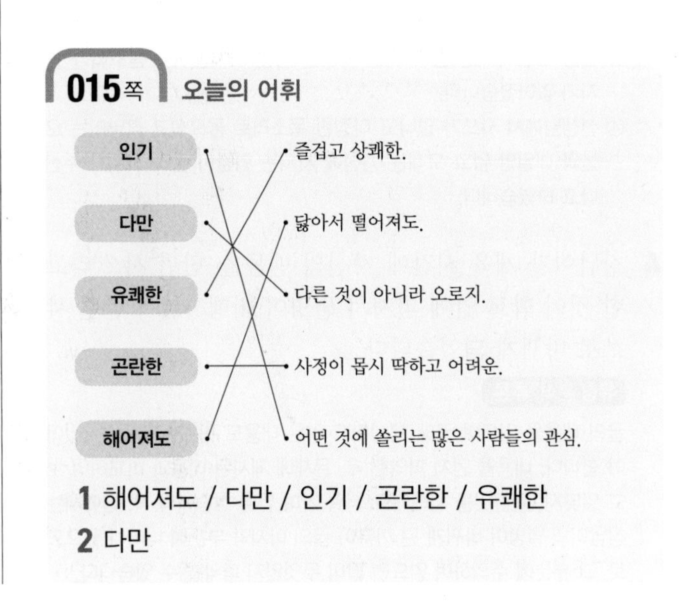

1 해어져도 / 다만 / 인기 / 곤란한 / 유쾌한
2 다만

- **글 ❷ 중심 내용** 체육 시간에 창남이가 자신의 맨몸을 '만년 샤쓰'라고 표현해서 '만년 샤쓰'라는 별명이 생겼는데, 이튿날 창남이가 다시 얇고 해어진 옷에 양말도 안 신고 학교에 왔습니다.

017쪽 지문 독해

1 ⑤ **2** 맨몸 **3** ⑤ **4** 서준

1 동화를 읽을 때 등장인물, 일이 일어난 때와 장소, 일어난 일을 파악하며 읽으면 내용을 이해하는 데 도움이 됩니다.

오답 풀이

① 시를 읽는 방법에 대한 설명입니다.
② 주장하는 글을 읽는 방법입니다.
③ 설명하는 글을 읽는 방법입니다.
④ 동화는 실제 일어난 일이 아니라 있음 직한 일을 꾸며 쓴 이야기입니다.

2 창남이는 언제나 변함없이 똑같다는 뜻에서 '맨몸'을 만년 샤쓰라고 말하였습니다.

3 집안 형편 때문에 샤쓰를 입지 못한 창남이의 사정을 들은 선생님께서 창남이에게 오늘은 웃옷을 입고 운동하라고 말씀하셨습니다.

오답 풀이

① 창남이가 웃옷을 벗자 아무것도 입지 않은 맨몸이 나왔고 아이들은 모두 그 모습을 보고 깔깔깔 웃었습니다.
② 창남이가 웃옷이 없어서 못 입었다고 말씀드리자 선생님의 무섭던 눈에 눈물이 고였습니다.
③ 창남이가 샤쓰를 입지 못한 사정을 들은 아이들의 웃음소리가 갑자기 없어졌습니다.
④ 선생님께서 샤쓰가 없냐고 다정한 목소리로 물으셨고 창남이는 오늘과 내일만 없고 모레는 인천에 사시는 형님이 올라와서 사 주신다고 하였습니다.

4 창남이가 체육 시간에 자신의 맨몸을 '만년 샤쓰'라고 한 것이 학교 안에 퍼져서 별명이 비행사에서 만년 샤쓰로 바뀌게 되었습니다.

유형 분석/추론

글의 내용을 읽으며 글에 제시되지 않은 내용도 함께 파악할 수 있어야 합니다. 내용을 먼저 파악한 후, 문제에 제시된 내용과 비교하여 보고 알맞지 않은 것을 차례대로 지워 가며 답을 찾습니다. 이 글에서는 창남이의 별명이 바뀌게 된 까닭이 글의 마지막 부분에 나타나 있으므로, 그 부분에 주의하며 읽으면 답이 무엇인지 파악할 수 있습니다.

018쪽 지문 분석

1

상황		마음
창남이에게 웃옷을 벗으라고 말함.	→	창남이가 농담을 하는 줄 알고 ((화가 남), 속상함).
창남이가 외투 안에 옷을 입지 못한 사정을 알게 됨.		창남이의 집안 사정을 알게 되어 (실망함, (안쓰러워함)).

2 (㉰) → (㉮) → (㉱) → (㉯) → (㉲)

1 처음에 선생님은 창남이가 장난을 치는 줄 알고 화가 나셨다가 창남이의 어려운 사정을 알고 안쓰러운 마음이 드셨습니다. 선생님의 화가 난 마음은 '체육 선생님께서는 창남이의 말에 화가 나 뚜벅뚜벅 걸어가시며 큰 소리로 말씀하셨다.'에서 알 수 있고, 선생님께서 창남이에게 안쓰러운 마음이 드신 것은 선생님의 눈에 눈물이 고이며 오늘은 웃옷을 입고 운동하라고 하신 것에서 알 수 있습니다.

2 시간의 흐름에 따라 일어난 일을 정리해 봅니다. 이 글에서는 체육 시간에 일어난 일(㉰ → ㉮ → ㉱)이 먼저이고, 창남이가 새로운 별명을 얻게 된 것(㉯)과 창남이가 체육 시간에 입은 옷보다 더 얇은 웃옷에 해어진 바지를 입고 양말도 신지 않고 학교에 온 것(㉲)은 그 후에 일어난 일입니다.

019쪽 오늘의 어휘

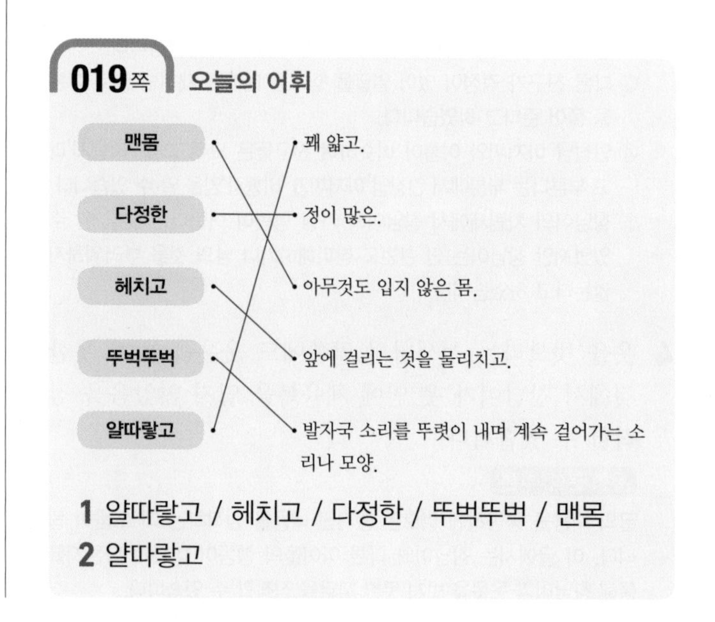

1 얄따랗고 / 헤치고 / 다정한 / 뚜벅뚜벅 / 맨몸
2 얄따랗고

• **글 ❸ 중심 내용** 창남이가 불이 나서 형편이 어려워진 동네 사람들에게 옷을 나누어 주느라 옷을 제대로 입고 오지 못한 것을 알게 된 선생님과 친구들이 고개를 숙였습니다.

021쪽 지문 독해

1 ⑤ **2** ④ **3** ⑤ **4** ㉰

1 이전 글에서 창남이는 얇은 웃옷에 얄따랗고 해어진 바지를 입고, 양말도 안 신고 학교에 왔습니다. 그 모습을 본 아이들이 웃었고, 선생님께서 그렇게 옷을 입고 온 까닭을 물으셨습니다. 그러므로 창남이가 옷을 제대로 입고 오지 못하게 된 까닭이 무엇인지 선생님께 말씀드린 것이 이 글의 중심 내용입니다.

2 동네에 큰불이 난 일에 대한 결과로 창남이의 옷이 없어졌다는 내용이 이어져야 하므로 앞뒤의 문장을 원인과 결과로 이어 주는 말인 '그래서'가 들어가야 합니다.

오답 풀이

① '그러나'는 반대되는 내용의 두 문장을 이어 줄 때 씁니다.
② '그리고'는 내용이 비슷한 두 문장을 이어 줄 때 씁니다.
③ '그런데'는 앞 문장과 관련시키면서 다른 방향의 문장을 이어 줄 때 씁니다.
⑤ '왜냐하면'은 결과가 되는 앞 문장과 원인이 되는 뒤 문장을 이어 줄 때 씁니다.

3 창남이네 동네에 큰불이 나서 창남이네 집도 반이 넘게 탔습니다. 다행히 창남이네 집은 반만 타서 쓰던 물건을 몇 가지 건졌는데, 창남이의 이웃집들은 모두 타 버려서 집이 없어 고생하고 있다고 하였습니다. 그래서 창남이의 어머니께서 창남이에게 우리는 집이 있어 추운 것은 면할 수 있으니 입을 것 한 벌씩만 남기고, 나머지 옷은 추위에 떨고 있는 동네 사람들에게 나누어 주자고 하셨습니다.

4 이 이야기의 창남이와 같은 생각을 가진 사람은 어려운 상황 속에서도 더 어려운 사람을 돕기 위해 적은 용돈을 모은 서우입니다.

유형 분석/적용

이야기의 '창남이'와 같은 사람을 고르기 위해서는 창남이의 성격과 행동을 먼저 파악해야 합니다. 어려운 상황 속에서도 자신보다 더 어려운 이웃을 도운 창남이의 모습을 생각해 보면 창남이와 같은 생각을 가진 친구를 찾을 수 있습니다.

022쪽 지문 분석

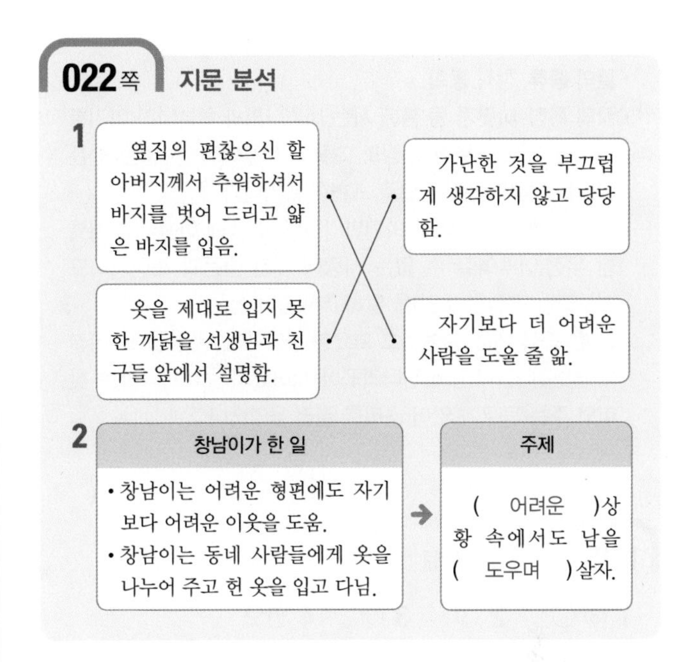

1 창남이가 옆집의 편찮으신 할아버지께 바지를 벗어 드리는 모습에서 어려운 상황에서도 자기보다 더 어려운 사람을 도울 줄 아는 성격임을 알 수 있고, 옷을 제대로 입지 못한 까닭을 선생님과 친구들 앞에서 설명하는 모습에서 가난한 것을 부끄러워하지 않고 당당하게 생각하는 성격임을 알 수 있습니다.

2 창남이와 창남이 어머니의 모습을 통해서 어려운 형편에서도 남을 도우며 살아야 한다는 이 글의 주제를 알 수 있습니다.

023쪽 오늘의 어휘

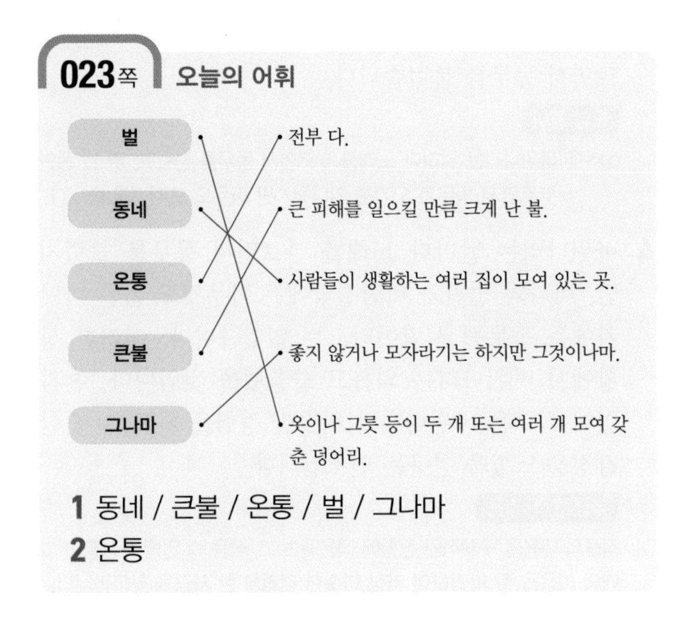

1 동네 / 큰불 / 온통 / 벌 / 그나마
2 온통

- **글의 종류** 창작 동화
- **글의 특징** 바닷가 돌 틈에 사는 바위나리와 하늘나라 아기별의 아름답고 애틋한 우정과 그들의 이루어질 수 없는 슬픈 운명을 아름다운 문장으로 표현한 글입니다.
- **글의 주제** 바위나리와 아기별의 모습을 통해 아름답고 애틋한 우정(이루어질 수 없는 사랑에 대한 슬픔과 죽어서라도 이루려는 간절한 소망)을 말하고 있습니다.
- **글 ❶ 중심 내용** 쓸쓸하고 고요한 바닷가에 무엇하고도 비길 수 없는 아름다운 바위나리꽃이 피어났지만 바위나리는 찾아와 주는 동무가 없어 소리를 질러 울었습니다.

025쪽 지문 독해

1 (3) ○ **2** ③ **3** ⑤ **4** 연오

1 바닷가에 산이라고는 없는 끝없는 모래 벌판이라 나무도 없고, 노래를 부르는 새조차 한 마리 없고, 풀 한 잎도 없었습니다.

2 바위나리는 파란 바다와 흰 모래 벌판 사이에 오뚝하게 피었습니다.

오답 풀이

① 오색이 영롱하게 여러 가지 꽃이 피어났지만 주위를 뒤덮을 정도로 많이 피어나지는 않았습니다.
② 바위나리는 주먹만 한 감장 돌 하나를 의지해 태어났습니다.
④ 주변에 동무될 사람이라고는 아무도 없었기 때문에 바위나리를 봐 줄 사람이 없었습니다.
⑤ 어여쁘고 깨끗한 풀 한 잎이 솟아나더니 고운 빨강 꽃, 노랑 꽃, 흰 꽃이 순서대로 피어 오색 꽃이 되었습니다.

3 주변에 아무도 없어 쓸쓸했던 바위나리는 노래를 부르면서 동무를 불렀습니다.

오답 풀이

①~④ 바위나리는 날마다 노래를 부르면서 동무를 불렀고, 몇 날 동안 부르면서 동무가 오기를 기다렸지만 아무도 오지 않았습니다.

4 바위나리는 날마다 노래를 부르면서 동무를 불렀지만, 바다와 벌판과 바람결밖에는 아무것도 없는 바닷가에는 동무될 사람이라고는 없었습니다. 이러한 상황에서 바위나리는 외롭고 쓸쓸했을 것입니다. 혼자 있어 외로운 바위나리와 비슷한 경험을 하고, 비슷한 감정을 느꼈을 친구는 연오입니다.

유형 분석/적용

작품의 내용을 구체적인 상황에 적용해 보고, 작품 속 인물의 상황과 그때의 마음을 잘 파악하여 가장 비슷한 경험을 한 사람을 찾아봅니다.

026쪽 지문 분석

1 (㉯) → (㉰) → (㉮)

2

일이 일어난 때		바위나리의 마음
바닷가에서 노래를 부를 때	→	동무가 찾아 오기를 (기대함).
찾아오는 동무가 없을 때	→	슬프고 (외로움).

1 아무도 없는 바닷가에 바위나리가 피었고, 바위나리는 노래를 부르며 동무를 찾았습니다. 하지만 아무도 찾아오지 않아 바위나리는 소리를 질러 울었습니다.

2 나무도 새도 풀 한 잎도 없는 바닷가 벌판에 바위나리가 피어났습니다. 바위나리는 날마다 날마다 어여쁘게 노래를 부르며 동무를 불렀지만 동무가 될 사람이라고는 하나도 없었습니다. 결국 혼자 외로워하던 바위나리는 소리를 질러 울었습니다.

유형 분석/마음 변화

글을 읽고 인물의 마음을 파악하기 위해서는 글 속에서 일어난 상황을 알고 그때 인물이 어떤 말과 행동을 했는지 알아야 합니다. 이 글에서 바위나리가 바닷가에서 노래를 부른 것은 자신의 노랫소리를 듣고 동무가 찾아오기를 바라고 기다리는 마음으로 한 행동입니다. 그러므로 동무가 찾아오기를 기대하는 마음임을 알 수 있습니다. 또 찾아오는 동무가 없어 소리를 지르며 우는 것은 자신의 슬프고 외로운 마음을 드러내기 위해 한 행동입니다.

027쪽 오늘의 어휘

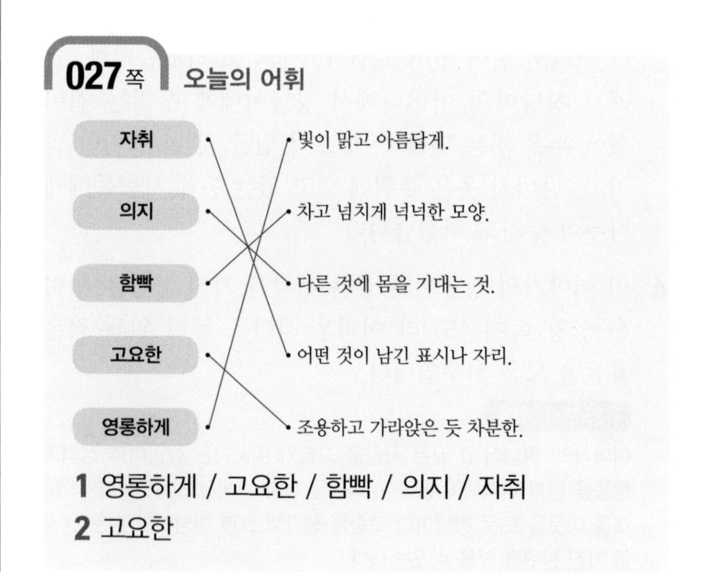

1 영롱하게 / 고요한 / 함빡 / 의지 / 자취
2 고요한

• **글 ❷ 중심 내용** 바위나리의 울음소리를 들은 하늘나라 아기별이 내려와 둘은 친구가 되어 즐겁게 놉니다. 새벽이 되어 아기별이 다시 하늘나라로 올라가야 하자 바위나리가 아기별을 붙잡았지만 아기별은 급하게 떠났습니다.

029쪽 지문 독해

1 아기별, 바위나리 **2** ② **3** ① **4** ㉲

1 바위나리의 울음소리를 들은 아기별은 바위나리를 달래 주기 위해 바닷가로 내려와 바위나리의 친구가 되었습니다.

2 아기별을 본 바위나리는 너무 기쁘고 행복해서 어쩔 줄을 모르고 가로 뛰고 세로 뛰었습니다. '가로 뛰고 세로 뛰다.'라는 말은 '감정이 세게 치밀어 올라서 이리저리 날뛰다.'라는 뜻으로 외롭게 있던 바위나리가 새로운 동무인 아기별을 만나 기쁘고 행복한 마음에 한 행동을 나타내는 것입니다.

3 아기별과 바위나리는 친구가 되어 달음질도 하고 노래도 부르고 숨바꼭질도 하면서 밤 가는 줄도 모르고 놀았습니다. 새벽이 되어 바위나리는 하늘나라로 돌아가야만 하는 아기별의 옷깃을 꼭 붙들고 울면서 놓지 않았습니다.

오답 풀이

② 아기별이 오고가는 시간을 보면 하늘 문은 밤이 되면 열리고, 새벽이 되면 닫힌다는 것을 알 수 있습니다.
③ 아기별은 바위나리를 만나서 달음질도 하고 노래도 부르고 숨바꼭질도 하면서 놀았습니다.
④ 아기별은 바위나리에게 오늘 밤에 또 온다고 약속하고 하늘로 돌아갔습니다.
⑤ 아기별은 별나라의 임금님께 다녀오겠다는 말을 하지도 않고 울음소리가 나는 곳을 찾아 내려왔습니다.

4 바위나리는 아기별을 좋아하고, 아기별과 헤어지고 싶지 않기 때문에 하늘 위로 올라가 버린 아기별이 다시 돌아오기를 간절히 기다리면서 슬퍼하는 내용이 이어질 것입니다.

유형 분석/추론

이어질 이야기를 찾을 때에는 먼저 글을 읽으며 등장하는 인물, 사건, 배경을 파악해 보아야 합니다. 그리고 등장하는 인물의 말과 행동을 통해 인물들의 성격이 어떤지 파악하여, 어떤 이야기가 이어지면 가장 자연스러울지 상상해 봅니다.

030쪽 지문 분석

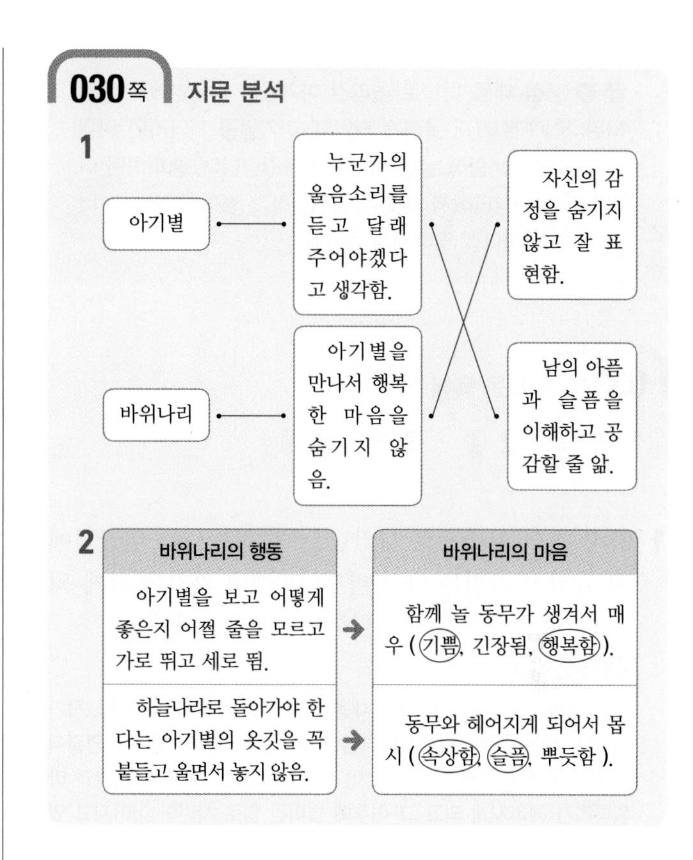

1 아기별은 바위나리의 울음소리를 듣고 달래 주려고 내려와서 바위나리와 즐겁게 놀아 주었습니다. 이런 행동에서 남의 아픔과 슬픔을 이해하고 공감해 주는 착하고 인정이 많은 성격임을 알 수 있습니다.

2 외로이 지내던 바위나리는 아기별을 만나게 되어서 매우 기뻤을 것입니다. 하지만 즐겁게 놀던 아기별이 하늘로 돌아가며 헤어져야 했을 때는 많이 슬펐을 것입니다.

031쪽 오늘의 어휘

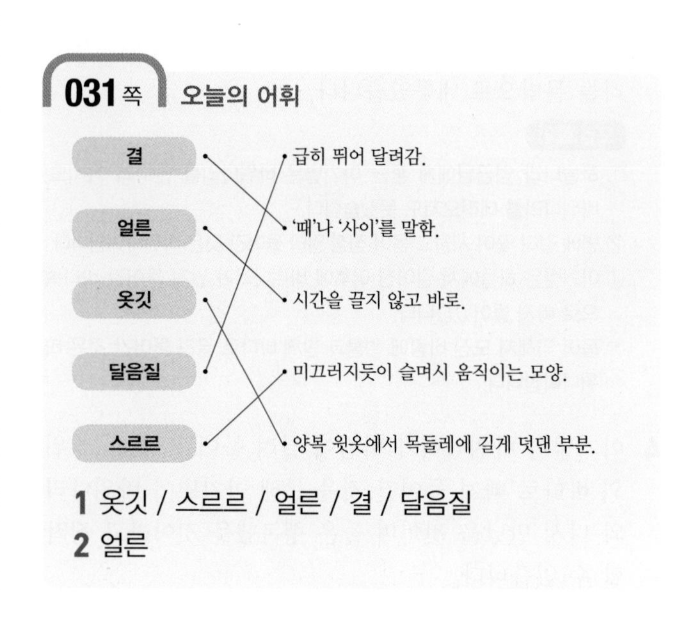

1 옷깃 / 스르르 / 얼른 / 결 / 달음질
2 얼른

- **글 ❸ 중심 내용** 하늘로 올라간 아기별은 임금님에게 들켜 바위나리에게 가지 못하게 되었고, 아기별을 기다리던 바위나리는 모진 바람에 날려 바다로 끌려갔습니다. 슬퍼하던 아기별도 하늘나라에서 내쫓겨 바위나리가 떨어져 내려간 바로 그 위의 바다에 떨어지게 됩니다.

033쪽 지문 독해

1 (3) ○ **2** ④ **3** ③ **4** ㉮

1 몰래 하늘 문밖으로 나갔던 것을 하늘나라 임금님에게 들킨 아기별은 다시 바위나리에게 가지 못하게 되었고, 둘은 서로를 그리워하며 슬퍼했습니다.

유형 분석/중심 내용

글의 전개상 가장 중요한 핵심 내용을 정리할 수 있어야 합니다. 작가는 핵심 내용을 뼈대로 하고, 다른 부수적인 내용들을 앞뒤로 연결시켜 이야기를 전개해 나갑니다. 이 글에서는 중심인물인 아기별과 바위나리가 헤어지게 되고 그 이후에 벌어진 일로 사건이 이어지고 있습니다.

2 '가슴이 미어지다.'는 '마음이 슬픔이나 고통으로 가득 차 견디기 힘들게 되다.'를 의미합니다. 아기별은 병들어 괴로워하고 있는 바위나리에게 아무 말도 하지 못하고 떠나온 뒤, 다시 만나러 가지 못해 슬퍼하며 고통스러워하고 있습니다. 이러한 마음을 '가슴이 미어지는 것 같다'라고 표현한 것입니다.

3 아기별은 밤마다 바위나리를 생각하며 울기만 하다가 빛을 잃게 되었습니다. 그 모습을 본 하늘나라 임금님은 빛이 없는 별은 쓸 데가 없으니 나가라며 아기별을 하늘 문밖으로 내쫓았습니다.

오답 풀이

① 하늘나라 임금님에게 혼난 아기별은 바위나리를 만나러 가지도, 바위나리를 데려오지도 못했습니다.
② 병에 걸려 꽃이 시들고 몸이 점점 말라 들어간 것은 바위나리입니다.
④ 아기별은 하늘에서 떨어진 이후에 바위나리가 날려 들어간 바다속으로 빠져 들어갔습니다.
⑤ 몸이 약해져 모진 바람에 썰물과 함께 바다로 끌려 들어간 것은 바위나리입니다.

4 아기별이 바위나리가 바람에 날려 들어간 바로 그 위의 바다로 빠져 들어간 것을 통해 아기별이 바위나리와 다시 만났을 것이며 둘은 행복했을 것이라고 짐작할 수 있습니다.

034쪽 지문 분석

1

바위나리	아기별
밤이 늦도록 아기별이 오기를 기다림.	날마다 바위나리를 생각하며 울다가 빛을 잃음.

↓

서로를 몹시 (아끼고 사랑하는, 존경하고 따르는) 사이임.

2

여러분은 바다를 들여다본 일이 있습니까?
바다는 물이 깊으면 깊을수록 환하고 맑게 보입니다.
웬일일까요?
그것은 지금도 (바다) 속에서 한때 (빛)을 잃었던 (아기별)이 다시 빛나고 있는 까닭이랍니다.

1 바위나리와 아기별은 서로를 몹시 아끼고 사랑하며 애틋한 마음을 가지고 있는 사이입니다.

오답 풀이

'존경하다'는 '다른 사람의 인격, 사상, 행동 따위를 받들어 공경하다'라는 뜻이므로 바위나리와 아기별 사이를 설명하는 말로 알맞지 않습니다.

2 이 글의 마지막 부분에 아기별이 바위나리가 바람에 날려 들어간 바다 깊은 곳으로 빠졌다고 한 내용에서 바다 속에서 빛을 잃었던 아기별이 다시 빛나고 있기 때문이라는 것을 알 수 있습니다.

035쪽 오늘의 어휘

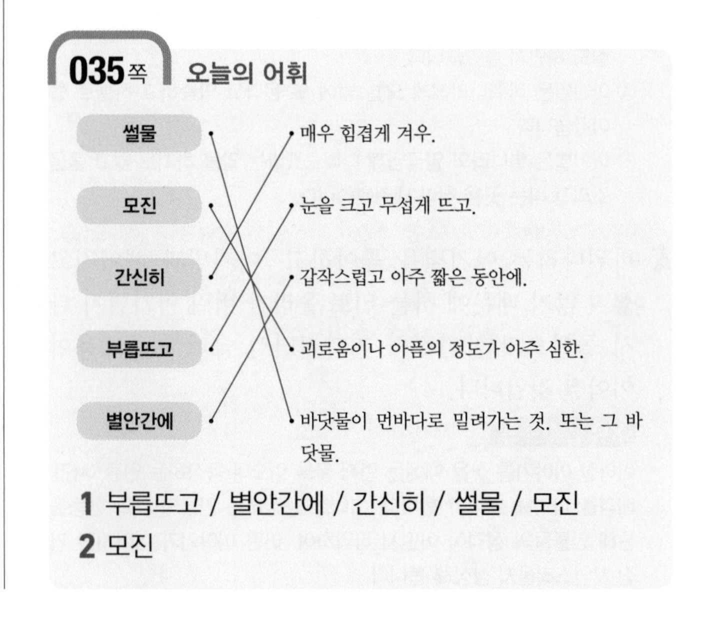

1 부릅뜨고 / 별안간에 / 간신히 / 썰물 / 모진
2 모진

- **글의 종류** 창작 동화
- **글의 특징** 엄마 성을 더 붙여 이고은별이라고 불러 달라는 아이의 눈을 통해 며느리 혼자 일하는 가부장적인 문화에 대해 비판을 제기하고, 바람직한 가족 문화의 방향을 제시하는 글입니다.
- **글의 주제** 우리 사회에 존재하는 아들과 남성 위주의 문화에 대해 문제를 제기하고 있습니다.
- **글 ❶ 중심 내용** 고은별은 엄마 성을 더 붙인 이고은별로 불리고 싶다고 캠프 선생님께 말하며 할머니 생신날 있었던 일을 이야기합니다.

037쪽 지문 독해

1 (1) ㉮ ㉱, (2) ㉯ ㉰ **2** (2) ○ **3** ④ **4** ㉰

1 고은별은 아빠 성을 따른 것이고, 주민등록 등본에 적혀 있는 이름입니다. 그리고 이고은별은 원래 이름에 엄마 성을 더 붙인 것이며, '내'가 불리고 싶은 이름입니다.

2 낱말의 뜻을 제대로 파악하려면 낱말의 기본형을 알아야 합니다. ㉠의 기본형은 '까다'로 '껍질 등을 벗기다.'라는 뜻으로 쓰였습니다. (1)에 쓰인 '까다'는 '알을 품어 새끼가 나오다.'라는 뜻이고, (2)에 쓰인 '까다'는 '껍질 등을 벗기다.'라는 뜻입니다.

유형 분석/표현

본문에 쓰인 낱말이 쓰인 문장을 읽고, 앞뒤 내용을 살펴보며 낱말의 뜻을 파악합니다. 같은 방법으로 문제에 제시된 문장을 읽으며 그 문장에 쓰인 낱말의 뜻을 파악하고, 같은 뜻으로 쓰인 낱말을 고릅니다.

3 할머니 생신날 부엌에서 땀을 뻘뻘 흘리며 벌건 얼굴로 부침개를 부치던 엄마는 '나'에게 마늘을 까 달라고 부탁하셨습니다.

4 선생님께서는 출석부에 '고은별'로 적혀 있는데 '내'가 '이고은별'로 불러 달라고 하자 당황하셨고, 그렇게 불러 달라고 한 까닭을 궁금해하셨습니다.

오답 풀이

㉮ 태영이가 '나'의 이름이 '고은별'이라고 말하는 것에서 '내'가 '이고은별'이라고 불러 달라고 하는 사정을 잘 모른다고 짐작할 수 있으며 '나'의 친한 친구인지는 이 글에서 알 수 없습니다.

㉯ 부침개를 부치는 엄마의 행동이 화가 났음을 표현하는 것인지 알 수 없습니다.

㉱ 고모들이 전날 엄마가 아팠던 것을 아는지는 알 수 없습니다.

038쪽 지문 분석

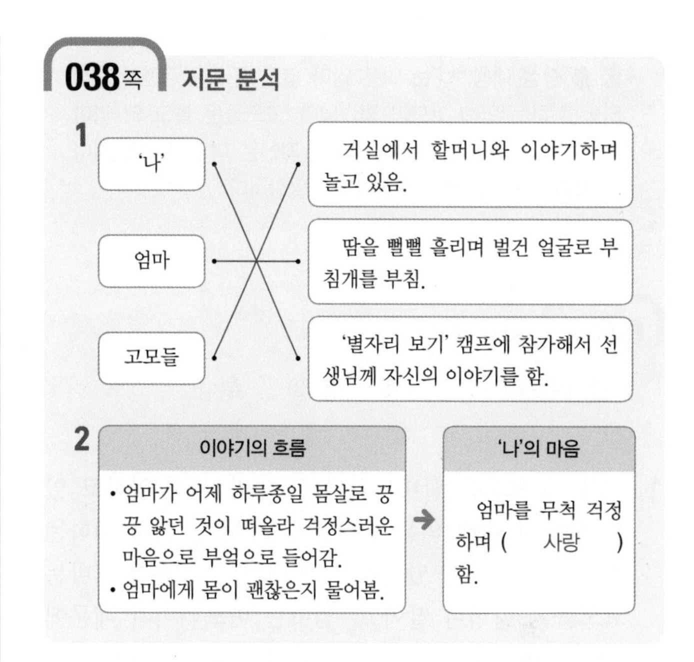

1 할머니 생신 전날 하루 종일 몸살로 끙끙 앓던 엄마는 생신날 땀을 뻘뻘 흘리며 벌건 얼굴로 부침개를 부치고 있었고, 큰 고모와 막내 고모는 거실의 할머니 곁에서 이야기하며 놀고 있었습니다. 이 일은 '내'가 왜 엄마만 일해야 되는지에 대해 의문과 불만이 생기게 되는 계기와 '이고은별'로 불리고 싶다고 생각하는 원인이 됩니다. 그리고 '나'는 이 일에 대해 '별자리 보기' 캠프에 참가해서 선생님께 이야기하였습니다.

2 '나'는 엄마의 건강을 걱정하고 있으며 '내'가 엄마에게 하는 행동을 통해 엄마를 사랑한다는 것을 알 수 있습니다.

039쪽 오늘의 어휘

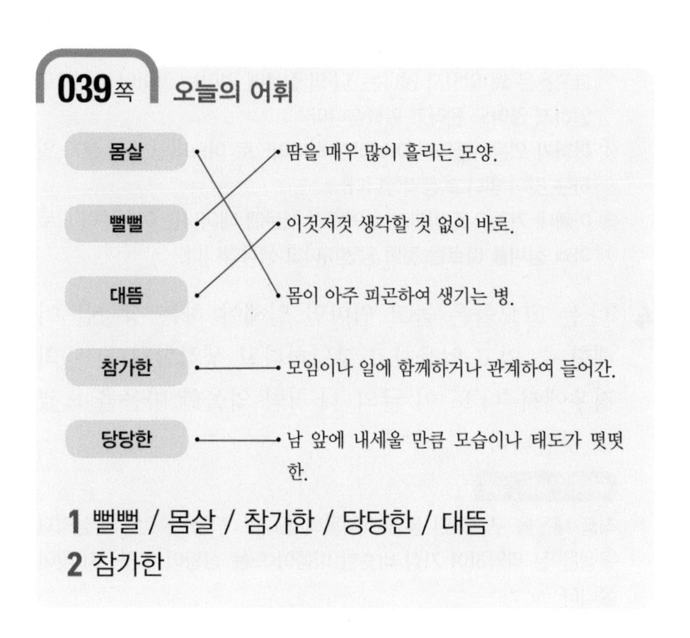

1 뻘뻘 / 몸살 / 참가한 / 당당한 / 대뜸
2 참가한

- **글 ❷ 중심 내용** '나'는 아픈 엄마 일도 안 도와주면서 음식 타박만 하는 막내 고모가 밉습니다. 고모들은 놀고 왜 엄마만 일하냐는 '나'의 질문에 엄마는 자신은 며느리이고, 엄마가 아빠에게 시집왔기 때문이라고 말합니다.

041쪽 지문 독해

1 딸, 며느리 **2** 가족 **3** ③ **4** ㉯

1 '나'는 고모들은 할머니와 놀고 엄마 혼자 일하고 있는 상황에 대해 의문을 가지게 되었고, 혼자 일하는 엄마를 보며 화가 났습니다. 이러한 내 질문에 엄마는 고모들은 할머니 딸이고, 엄마는 며느리이기 때문에 엄마만 일을 하는 것이 당연하다고 이야기하고 있습니다.

2 주로 부부를 중심으로 한 친족 관계에 있는 사람들의 집단을 '가족'이라고 합니다. 엄마는 남자와 아들 위주의 전통적인 가부장적인 가치관을 가지고 있습니다. 그러므로 엄마는 결혼하는 것을 엄마가 아빠의 가족에 합해지는 것이라고 생각합니다.

3 엄마는 할머니는 성이 다르지만 아빠랑 고모들을 낳은 분이고, 이 집의 제일 어른이시기 때문에 일을 하지 않아도 된다고 이야기하였습니다. 이 부분에서도 며느리만 일하는 것을 당연하게 여기는 엄마의 생각을 알 수 있습니다.

오답 풀이

① 성이 다른 것은 피가 다르다는 뜻이라고 생각합니다.
② 고모들은 왜 일하지 않냐는 '나'의 질문에 엄마는 할머니 딸이므로 일하지 않아도 된다고 말했습니다.
④ 아빠가 외동아들이라 며느리가 하나이므로 며느리인 엄마 혼자 일하는 것이 맞다고 생각합니다.
⑤ 아빠네 가족으로 엄마가 들어왔기 때문에 태어나는 아이들이 모두 아빠 성씨를 따르는 것이 당연하다고 생각합니다.

4 '나'는 고모들은 놀고 엄마만 일해야 하는 상황을 이해할 수 없고 억울하고 부당하다고 생각합니다. ㉯의 경우에서 '나'도 이 글의 '나'처럼 억울한 마음을 느꼈을 것입니다.

유형 분석/적용

작품 내용을 구체적인 상황에 적용해 봅니다. 작품 속 인물의 성격과 특성을 잘 파악하여 가장 비슷한 마음이 드는 상황이 무엇인지 찾아 봅니다.

042쪽 지문 분석

1

인물	한 일	인물의 성격
막내 고모	막내 고모는 혼자 일하는 엄마를 도와주지 않으면서 음식 타박을 함.	• 다른 사람의 처지를 잘 이해하고 배려할 줄 앎. ( ) • 다른 사람의 처지를 잘 이해하지 못하고 배려하지 않음. (○)
엄마	엄마는 며느리가 혼자 일하는 것을 당연하게 생각함.	• 자신에게 맡겨진 역할에 불만을 표현하지 않고 묵묵히 함. (○) • 자신에게 맡겨진 역할에 의문을 가지고 부당함을 해결하고자 함. ( )

2

엄마	↔	'나'
아이가 아빠 성씨를 따르는 전통적 가치관이 (당연)하다고 생각함.	↔	무조건 아빠의 성을 따르는 전통적 가치관이 (부당)하다고 생각함.

1 고모는 다른 사람의 처지를 잘 이해하거나 배려하지 않는 사람이고, 엄마는 며느리로서 자신에게 맡겨진 일들을 불만 없이 묵묵히 해내는 사람입니다.

2 엄마는 엄마가 아빠의 집으로 시집와 아빠네 가족으로 들어왔기 때문에 태어나는 아이들이 모두 아빠의 성씨를 따르는 것이 당연하다고 생각하고 있습니다. '나'는 그것은 부당하며 만약 그렇다면, 자신은 시집을 안 가고 남자한테 장가를 오라고 해서 아기에게 자신의 성을 붙여 줄 것이라고 이야기하고 있습니다.

043쪽 오늘의 어휘

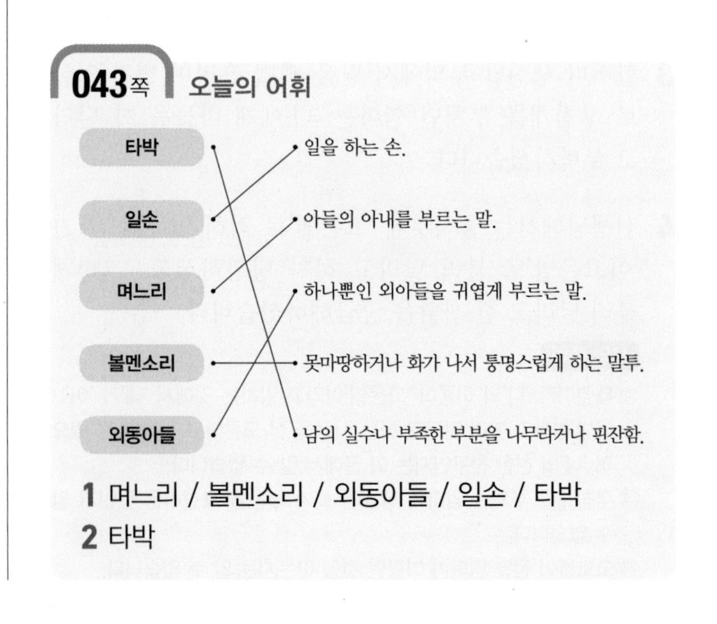

1 며느리 / 볼멘소리 / 외동아들 / 일손 / 타박
2 타박

• **글 ❸ 중심 내용** '내'가 자신을 이고은별이라고 소개하기로 한 사연을 듣고 선생님은 '나'를 칭찬하셨고, '나'를 고은별이라고 부르는 태영이에게 선생님은 '나'를 앞으로도 계속 이고은별이라고 부를 것이라고 말씀하셨습니다.

045쪽 지문 독해

1 ⑤ **2** (2) ○ **3** ⑤ **4** (1) ○

1 작가는 스스로 전통적인 가치관에서 벗어나서 아빠와 엄마의 성을 모두 쓰겠다고 하는 은별이의 모습을 보여 주고, 은별이가 사용하는 두 이름인 '고은별 이고은별'을 제목으로 사용하여 우리 사회에 존재하는 전통적인 가족 문화에 대해 이야기하고 있습니다.

2 은별이가 자신의 이름을 바꾸게 된 계기를 듣게 된 선생님은 은별이의 마음을 이해하게 되었고, 선생님이 개구쟁이처럼 '나'에게 눈을 찡긋거린 것으로 보아 마음과 마음으로 서로 뜻이 통하는 사이가 되었음을 알 수 있습니다.

3 선생님은 '내'가 아빠 엄마의 성씨를 둘 다 쓰겠다고 생각한 것에 놀랐다고 하시며 대단한 아이라고 칭찬을 해 주셨습니다.

오답 풀이

① '나'에게 쌍둥이 언니가 있다는 내용은 이 글에서 찾을 수 없습니다.
② 선생님의 집도 엄마 혼자만 성이 다르다고 하였습니다.
③ '나'처럼 이름에 성을 두 개 붙이는 사람이 아주 적은 수라고 하였습니다.
④ 선생님이 개구쟁이처럼 '나'에게 눈을 찡긋거린 것은 '나'와 선생님만이 알고 있는 이야기임을 표현한 것입니다.

4 선생님은 은별이가 아빠 엄마의 성을 모두 쓴다는 말을 무시하거나 못 들은 척하지 않고 왜 그렇게 행동했는지 그 까닭을 잘 들어주시고, 그렇게 행동한 마음도 이해하며 칭찬과 공감을 해 주셨습니다. 이러한 선생님의 모습에 대해 자신의 생각을 알맞게 말한 친구는 선우입니다.

유형 분석/감상

작품의 내용을 제대로 이해하고 그 속에 등장하는 인물에 대해 알맞게 평가한 사람은 누구인지 살펴봅니다. 작품 속 인물의 특징, 말과 행동을 통해 어떤 인물인지 파악한 후 가장 알맞게 말한 사람을 고릅니다.

046쪽 지문 분석

1

'나'의 이야기를 듣기 전		'나'의 이야기를 들은 후
'내'가 '고은별'이 아닌 '이고은별'이라고 불러 달라는 말을 듣고 (불쾌해함, (당황함)).	→	'내'가 이름에 아빠 엄마의 성을 다 쓰게 된 까닭을 듣고, '나'의 생각에 ((공감함), 반대함).

2 할머니 생신날 엄마가 할머니의 딸이 아니고 (며느리)(이)라서 혼자 일하시는 것은 옳지 않아요. 할머니 생신은 가족 모두가 함께 축하하는 날이에요. 그러니까 앞으로는 모든 (가족)이/가 함께 음식을 준비하면 좋겠어요.

1 선생님은 '내'가 아빠 엄마의 성을 모두 붙여서 불러 달라고 하는 말을 듣고 당황했다가, '나'의 이야기를 듣고 '내' 생각에 공감해 주시며 대단하다고 칭찬해 주셨습니다.

2 '나'는 며느리 혼자 일해야 한다는 전통적 가족 제도에 대해 비판적 태도를 보이고 있습니다. 이런 모습으로 비추어 보아 '나'는 가족에게 의견을 전하는 편지에 가족 행사에서는 남녀 구분이나, 딸과 며느리의 구분 없이 함께 힘을 합쳐 일을 해야 한다는 내용을 썼을 것입니다.

047쪽 오늘의 어휘

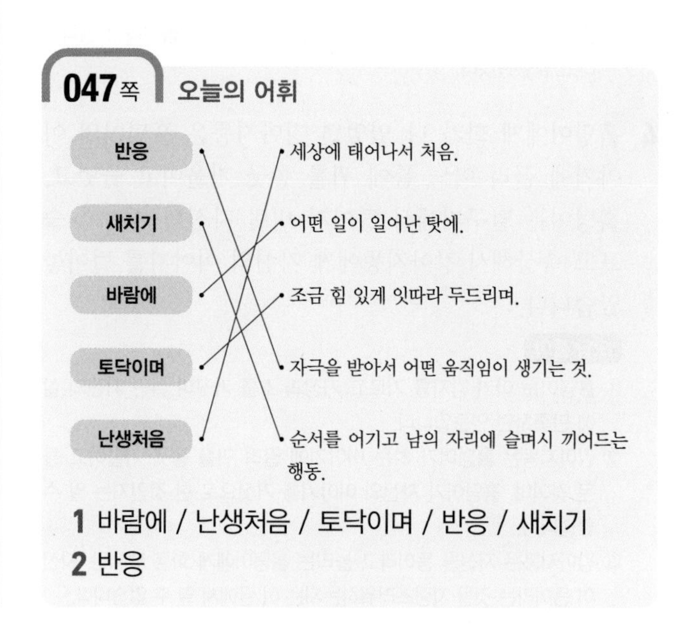

1 바람에 / 난생처음 / 토닥이며 / 반응 / 새치기
2 반응

- **글의 종류** 창작 동화
- **글의 특징** 못생기고 더럽다며 모두에게 놀림을 받아 슬픈 강아지똥이 아름다운 민들레꽃을 자라게 하는 거름이 된다는 내용으로 '세상에 존재하는 모든 것은 소중하다'는 깨달음을 줍니다.
- **글의 주제** 이 세상에 존재하는 모든 것은 쓸모가 있는 소중한 존재입니다.
- **글 ❶ 중심 내용** 강아지똥은 흙덩이의 놀림에 화가 났고, 흙덩이는 강아지똥에게 사과하며 신세타령을 합니다.

049쪽 지문 독해

1 강아지똥, 흙덩이 **2** (1) ○ **3** ⑤ **4** ④, ⑤

1 이 글의 중심인물은 '강아지똥'과 '흙덩이'입니다.

유형 분석/갈래

이야기는 때와 장소, 인물을 알아야 정확한 내용을 파악할 수 있습니다. 어떤 인물이 이야기 속에 자주 등장하는지, 어떤 말과 행동을 하는지 꼼꼼하게 살펴봅니다.

2 '눈도 깜짝 않는다.'는 조금도 놀라거나 신경 쓰지 않고 태연하다는 뜻입니다.

3 흙덩이는 집 짓는 곳으로 옮겨 간다는 말에 무척 기뻤는데 가는 길에 혼자 소달구지에서 떨어져 버렸습니다.

오답 풀이

① 흙덩이는 강아지똥을 놀린 것을 사과했습니다.

②, ③ 흙덩이는 원래 산 밑 따뜻한 양지에서 아기 감자, 기장, 조를 가꾸던 흙입니다.

④ 자신을 강아지똥처럼 못생기고 더럽고, 버림받은 몸이라고 생각한다고 말했습니다.

4 흙덩이에게 화가 나 있었던 강아지똥은 흙덩이의 이야기에 끌려 어느 틈에 귀를 쫑긋 기울이고 들었고, 흙덩이는 달구지에서 떨어져 버린 자신의 처지가 슬프고 속상해서 강아지똥에게 자신의 이야기를 털어놓았습니다.

오답 풀이

① 흙덩이는 아기 감자를 기르고 기장과 조를 가꾸며 살던 자신의 삶에 만족하던 인물입니다.

② 강아지똥은 흙덩이가 하는 이야기에 끌려 귀를 쫑긋 기울이고 들은 것이며, 흙덩이가 자신의 이야기를 거짓으로 한 것인지는 알 수 없습니다.

③ 강아지똥은 자신을 똥이라고 놀리는 흙덩이에게 화를 냈지만, 자신이 똥이라는 것을 자랑스러워하는지는 이 글에서 알 수 없습니다.

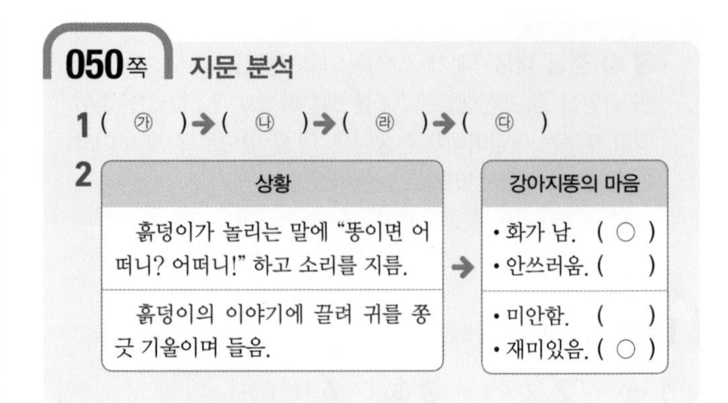

050쪽 지문 분석

1 (㉮) → (㉯) → (㉱) → (㉰)

2

상황		강아지똥의 마음
흙덩이가 놀리는 말에 "똥이면 어떠니? 어떠니!" 하고 소리를 지름.	→	• 화가 남. (○) • 안쓰러움. ( )
흙덩이의 이야기에 끌려 귀를 쫑긋 기울이며 들음.		• 미안함. ( ) • 재미있음. (○)

1 흙덩이가 강아지똥을 놀려서 강아지똥은 흙덩이에게 화를 내며 눈물을 글썽였습니다. 그러자 흙덩이는 강아지똥에게 용서를 빌고, 자신의 이야기를 털어놓기 시작했습니다.

유형 분석/사건 전개

이야기에서 사건이 어떻게 전개되는지 살펴볼 때에는 중심인물이 누구인지 그 인물이 한 행동이 무엇인지 파악해 보아야 합니다. 인물의 행동을 통해 사건을 파악할 수 있기 때문입니다. 이 글에서는 강아지똥과 흙덩이가 중심인물로 등장하여 이야기를 끌어가고 있습니다.

2 흙덩이가 "똥을 똥이라 않고, 그럼 뭐라고 부르니?"라며 웃었을 때 강아지똥은 화가 났고, 흙덩이가 자신의 이야기를 들려줄 때에는 귀를 쫑긋 기울이며 재미있게 들었습니다.

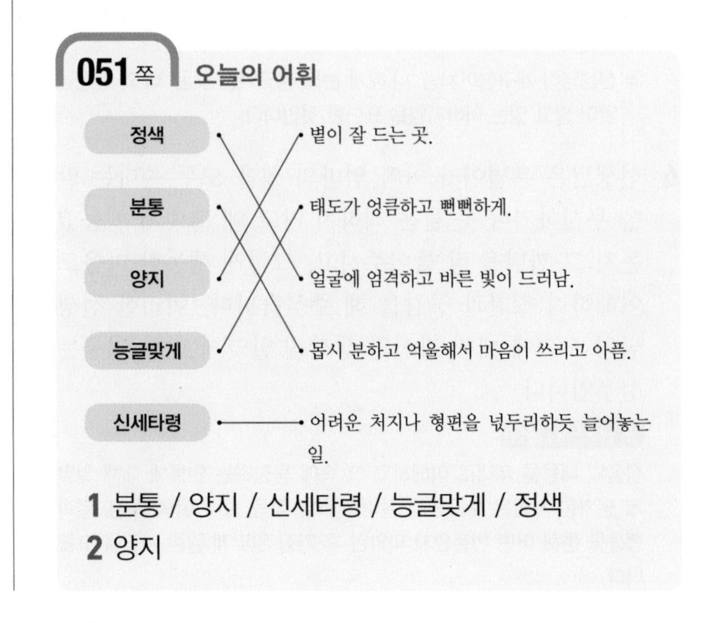

051쪽 오늘의 어휘

1 분통 / 양지 / 신세타령 / 능글맞게 / 정색

2 양지

• **글 ❷ 중심 내용** 소달구지를 몰고 오던 아저씨가 흙덩이를 가져갔고, 혼자 남겨진 강아지똥은 밤하늘의 별을 가질 수 있다면 더러운 똥이라도 덜 슬플 것이라고 생각하였습니다.

053쪽 지문 독해

1 ⑤ **2** ① **3** 별 **4** ④

1 강아지똥과 흙덩이가 이야기를 나누던 중, 소달구지를 몰고 오던 아저씨가 어제 떨어뜨린 흙을 밭에 가져다 놔야겠다며 흙덩이를 데리고 가는 바람에 강아지똥이 혼자 남게 된 것이 이 글에서 가장 중요한 일입니다.

오답 풀이

① 아저씨가 흙덩이를 알아보고 소달구지를 멈추었기 때문에 흙덩이는 산산조각나지 않았습니다.

②, ③ 흙덩이만 소달구지에 실려 갔습니다.

④ 아저씨는 자신의 밭에 있던 흙덩이를 알아보고 멈추었습니다.

2 흙덩이는 자신이 언제 달구지 바퀴에 치여 죽어 버릴지 모르는 운명이라고 생각했습니다. 그때 소달구지가 가까이 다가오자 흙덩이는 이제 곧 소달구지에 치일 것이라고 생각하여 눈을 꼭 감고 치여 죽을 준비를 했습니다.

3 '영원히 꺼지지 않는 아름다운 불빛'은 강아지똥이 밤하늘에 아름답게 반짝이고 있는 별을 보며 한 생각입니다. 그러므로 ㉠이 빗대어 나타낸 것을 한 글자로 표현하면 '별'입니다.

4 흙덩이는 자신이 버림받았다고 생각하고 있었는데 소달구지를 몰고 오던 아저씨에게서 좋은 흙이라는 칭찬을 들었습니다. 아저씨의 말로 인해 흙덩이 역시 스스로가 소중한 존재라는 것을 깨달았을 것입니다. 그러므로 흙덩이는 강아지똥에게 언젠가, 누구에게는 소중한 존재가 되는 날이 올 것이므로 실망하지 말고 기다리라는 말을 해 주었을 것이라고 짐작할 수 있습니다.

유형 분석/추론

인물이 한 말과 행동을 통해 인물의 가치관을 짐작해 보고, 인물의 생각을 가장 잘 나타내는 말을 찾아봅니다. 이 글에서 흙덩이가 자신이 겪은 일을 통해 어떤 생각을 하게 되었을지 떠올려 보면 답을 쉽게 찾을 수 있습니다.

054쪽 지문 분석

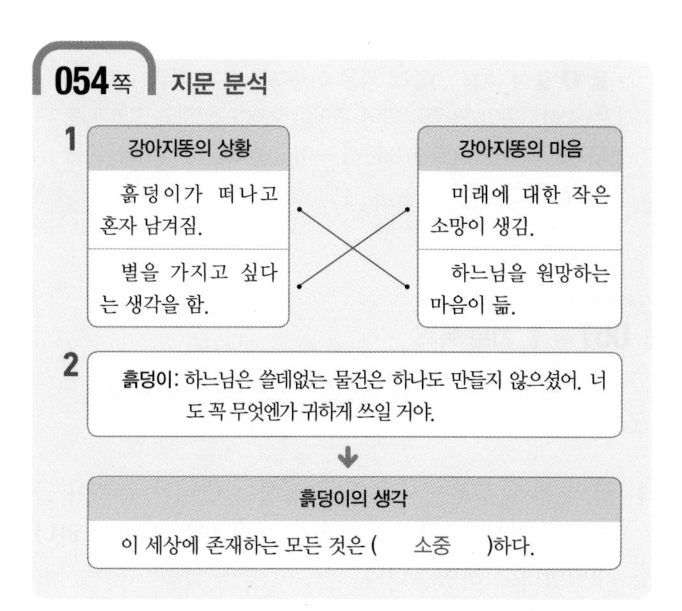

1 강아지똥은 흙덩이가 떠나고 혼자 남자, 자신이 더럽고 쓸데없는 똥이라는 생각에 하느님이 원망스러워졌습니다. 그러나 밤하늘에 반짝이는 별을 보면서 영원히 꺼지지 않는 아름다운 불빛인 별을 가질 수 있다면 더러운 똥이라도 조금도 슬프지 않을 것 같다는 작은 소망이 생겼습니다.

2 하느님은 쓸데없는 물건은 하나도 만들지 않으셨으므로 강아지똥도 꼭 무엇엔가 귀하게 쓰일 것이라는 흙덩이의 말에서 '이 세상에 존재하는 모든 것은 소중하다.'라는 말하는 이의 생각을 알 수 있습니다.

055쪽 오늘의 어휘

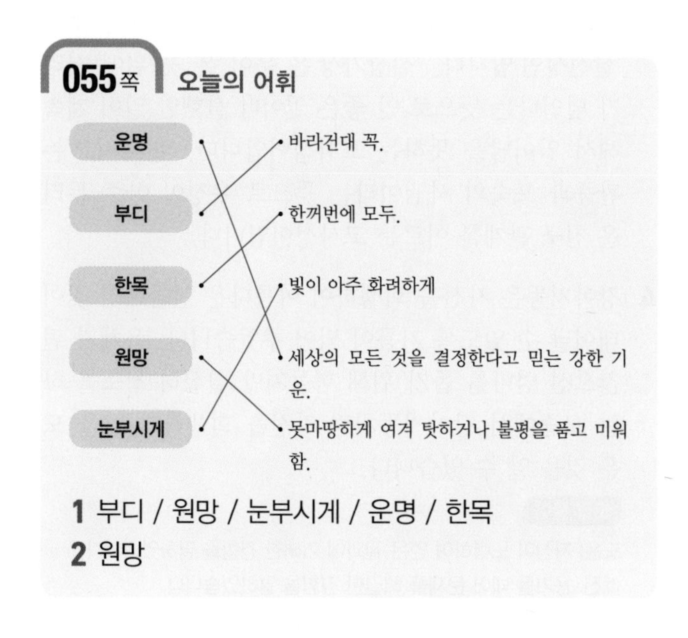

1 부디 / 원망 / 눈부시게 / 운명 / 한목
2 원망

• **글 ❸ 중심 내용** 민들레 싹은 아름다운 꽃을 피우기 위해서는 강아지똥이 거름이 되어 주어야 한다고 말하고, 강아지똥은 자신의 몸뚱이를 고스란히 녹여 민들레꽃이 피어날 수 있게 해 주었습니다.

057쪽 지문 독해

1 봄, 골목길 **2** ①, ④, ⑤ **3** ㉯ **4** 은혜

1 글의 맨 앞부분에서 봄을 치장하는 단비가 촉촉이 골목길을 적셨고, 강아지똥 앞에 파란 민들레 싹이 하나 내밀었다고 하였습니다.

유형 분석/갈래

이야기에서 일이 일어나는 시간과 장소 등을 이야기의 배경이라고 하는데, 일이 일어나는 시간을 시간적 배경, 일이 일어나는 장소를 공간적 배경이라고 합니다.

2 민들레 싹은 어떻게 예쁜 꽃을 피울 수 있냐는 강아지똥의 말에 하느님께서 비를 내리시고 따뜻한 햇빛을 비추시기 때문이라고 하였습니다. 그리고 강아지똥에게 네가 거름이 되어 줘야 한다고 하였습니다. 이 말에서 민들레 싹이 꽃을 피우기 위해서는 비, 햇빛, 거름이 필요하다는 것을 알 수 있습니다.

오답 풀이

②, ③ 바람과 별빛은 민들레 꽃을 피우기 위해 필요한 것이 아닙니다.

3 민들레 싹이 꽃을 피우는 것을 돕기 위해 자신의 몸을 희생하는 강아지똥의 모습과 가장 관련 있는 고사성어는 자기의 몸을 희생하여 옳은 일을 한다는 뜻의 '살신성인'입니다. '설상가상'은 눈이 온 곳 위에 서리가 덮인다는 뜻으로 안 좋은 일이나 불행한 일이 계속해서 일어남을 뜻하는 고사성어입니다. '관포지교'는 관중과 포숙의 사귐이라는 뜻으로 우정이 아주 두터운 친구 관계를 이르는 고사성어입니다.

4 강아지똥은 자신을 희생하여 아름다운 민들레의 꽃이 태어날 수 있도록 거름이 되어 주었습니다. 은혜가 편찮으신 엄마를 돕기 위해 힘들지만 열심히 청소를 하는 모습에서 강아지똥처럼 자신을 희생하여 남을 도운 것을 알 수 있습니다.

오답 풀이

도윤: 자신이 노력하여 얻은 결과에 기뻐한 경험을 말하였습니다.
예진: 용기를 내어 문제를 해결한 경험을 말하였습니다.

058쪽 지문 분석

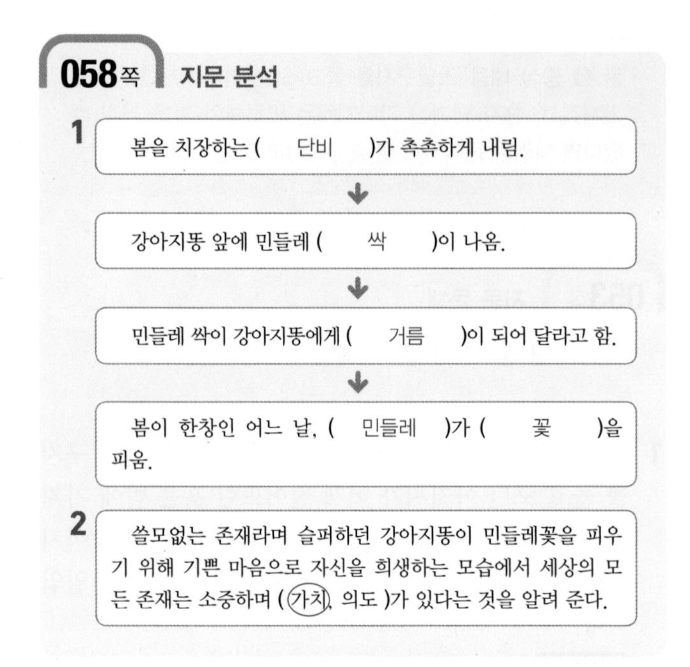

1 봄비가 내린 골목길에 민들레 싹이 나왔습니다. 민들레 싹은 강아지똥에게 거름이 되어 달라고 부탁했고, 강아지똥은 온몸에 비를 맞아 거름이 되어 주었습니다. 따뜻한 햇빛과 비를 맞은 민들레는 강아지똥의 도움을 받아 한 송이 아름다운 꽃을 피웠습니다.

2 이 이야기는 강아지똥의 모습을 통해 작고 보잘것없어 보이는 존재라도 모두 소중하며 가치가 있다는 것을 말하고 있습니다.

059쪽 오늘의 어휘

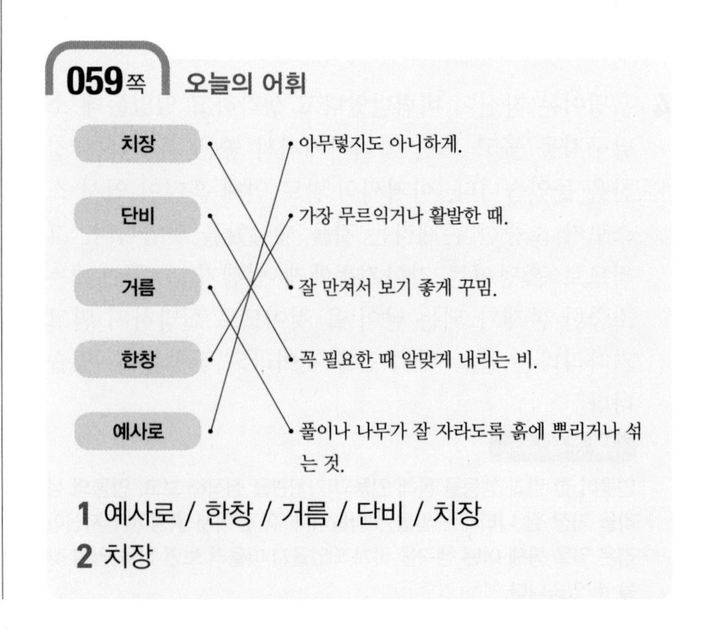

1 예사로 / 한창 / 거름 / 단비 / 치장
2 치장

- **글의 종류** 창작 동화
- **글의 특징** 엄지네 엄마 소가 먼저 송아지를 낳게 되면서 친한 친구인 엄지와 구만이는 서로 싸우게 됩니다. 그래서 그동안 들락날락하던 두 집 사이의 울타리 구멍을 막아 버렸는데, 그 구멍을 구만이네 송아지가 다시 뚫어 버려서 둘은 서로 화해하고 좋은 친구가 됩니다.
- **글의 주제** 순박한 아이들의 순수하고 아름다운 우정을 보여 줍니다.
- **글 ❶ 중심 내용** 엄지네와 구만네는 이웃사촌인데 엄지네 소가 먼저 송아지를 낳아 엄지가 이를 뽐내자 구만이는 엄지네 엄마 소가 자기네 엄마 소를 이긴 것 같아 화가 났습니다.

061쪽 지문 독해

1 (2) ○ **2** 어깨동무 **3** ④ **4** ⑤

1 이웃사촌인 엄지네와 구만네 두 집의 소가 모두 새끼를 뱄는데 엄지네 엄마 소가 먼저 송아지를 낳으면서 중심 사건이 전개됩니다.

2 글의 가장 앞부분에서 엄지네와 구만네 초가집은 울타리 하나를 사이에 둔 이웃사촌이며, 멀리서 바라보면 꼭 어깨동무를 하고 있는 쌍둥이 형제 같다고 하였습니다.

3 구만이는 엄마 소가 엄지네 엄마 소보다 먼저 새끼를 낳기를 바라는 마음에 엄마 소한테 붙은 쇠파리를 쫓아 주고 시원스레 콧잔등도 긁어 주었습니다. 그리고 쇠죽을 끓일 때 비싼 콩을 한 움큼씩 더 넣어 주며 정성껏 돌봐 주었습니다.

오답 풀이

⑤ 구만이는 쇠죽을 끓일 때마다 아버지 몰래 비싼 콩을 한 움큼씩이나 더 넣어 주었습니다.

4 구만이는 비슷하게 송아지를 밴 엄지네 엄마 소가 자기네 소보다 더 빨리 송아지를 낳아서 샘이 났습니다. 피아노를 같이 배운 동생이 자신보다 잘 치는 모습을 본 혜지는 구만이처럼 샘이 나고 부러운 마음을 가졌을 것입니다.

유형 분석/적용

비슷한 경험을 한 친구를 찾는 문제를 풀 때에는 먼저 작품 속에 등장하는 인물의 성격과 특성을 잘 파악해야 합니다. 그리고 문항에 제시된 각각의 상황에서 친구들의 마음이 어떨지 파악하여 작품 속 인물과 가장 비슷한 일을 겪은 친구를 찾아봅니다.

062쪽 지문 분석

1

등장인물	(엄지), 구만이
인물들 간의 관계	(울타리) 하나를 사이에 둔 이웃사촌
공간적 배경	엄지네 초가집과 (구만네) 초가집

2

사건		엄지와 구만이의 관계
• 엄지는 자기네 엄마 소가 먼저 송아지를 낳은 것을 마구 뽐냄. • 구만이는 자기네 엄마 소에게 왜 엄지네 엄마 소한테 지냐고 화를 냄.	→	울타리에 구멍을 낼 만큼 서로 친하지만, 상대방에게 지기 싫어하는 (경쟁심, 자립심)도 가지고 있음.

1 울타리 하나를 사이에 둔 이웃사촌인 엄지는 자기네 엄마 소가 먼저 송아지를 낳은 것을 자랑할 만큼 구만이와 가깝고 친한 사이입니다.

2 엄지네 엄마 소가 먼저 송아지를 낳은 상황에서 엄지는 자기네 송아지가 예쁘다며 뽐내고 있습니다. 이 모습을 본 구만이는 자기네 엄마 소에게 자신은 엄지보다 달음박질도 빠르고 공부도 더 잘하는데 왜 엄지네 엄마 소한테 지냐고 화를 냅니다. 이 모습에서 두 아이는 친한 사이지만 누가 잘하고 빨리 하는지에 대한 경쟁심이 있음을 알 수 있습니다.

063쪽 오늘의 어휘

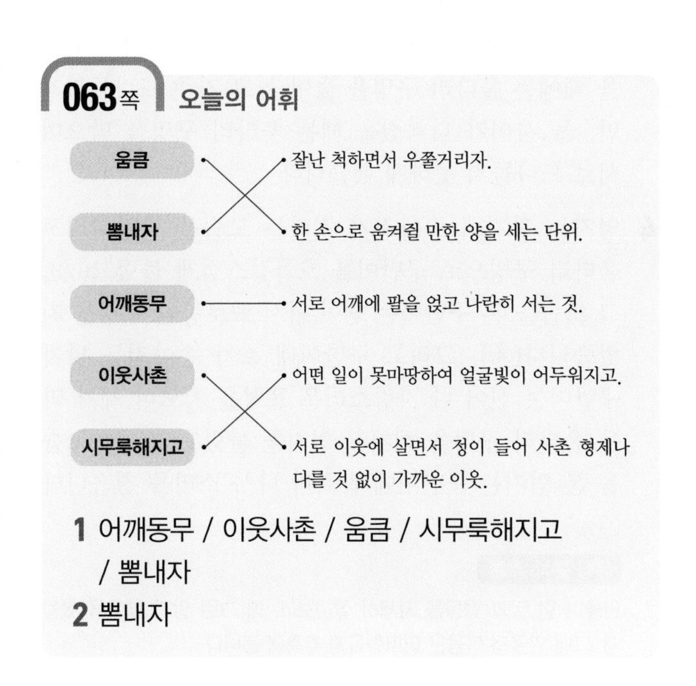

1 어깨동무 / 이웃사촌 / 움큼 / 시무룩해지고 / 뽐내자

2 뽐내자

• **글 ❷ 중심 내용** 엄지에게 샘이 난 구만이가 울타리 구멍을 막았다가 자기네 엄마 소가 송아지를 낳자 다시 울타리를 헤치고 엄지를 불렀고, 엄지는 화를 내며 울타리 구멍을 다시 막아 버립니다.

065쪽 지문 독해

1 (2) ○ **2** ⑤ **3** ⑤ **4** ③

1 엄지는 자기네 집 소가 송아지를 낳자 울타리 구멍으로 구만이에게 자랑을 했고, 그 모습이 보기 싫었던 구만이는 엄지에게 울타리 구멍으로 엿보지 말라며 울타리 구멍을 마음대로 막아 버렸습니다. 하지만 구만이는 자기네 소가 송아지를 낳자 자신이 막았던 구멍을 다시 뚫고 엄지를 불렀습니다. 그 모습에 화가 난 엄지는 다시 울타리 구멍을 막아 버렸습니다.

2 구만네 엄마 소는 엄지네 엄마 소보다 나흘(사 일) 뒤에 새끼를 낳았습니다.

오답 풀이

①, ④ 엄지가 송아지를 자랑하자 구만이는 샘이 나서 울타리 구멍으로 엿보지 말라며 화를 냈습니다.

② 구만이는 엄지가 자기 마음을 알아채자 화를 내며 먼저 울타리 구멍을 막아 버렸습니다.

③ 구만이는 자기네 엄마 소가 송아지를 낳자 울타리 구멍을 헤치고 엄지를 불렀습니다.

3 울타리 구멍은 엄지와 구만이의 사이가 얼마나 친밀한지를 나타내 줍니다. 엄지와 구만이는 둘 사이가 좋을 때에는 울타리 구멍을 뚫어 놓고 자주 드나들었지만, 둘 사이가 나빠졌을 때는 울타리 구멍을 막으며 서로 드나들지 못하게 했습니다.

4 엄지는 자기네 송아지가 젖빠는 모습을 자랑하려고 울타리 구멍으로 구만이를 호들갑스럽게 불렀고(②), 그 모습을 본 구만이는 샘이 나서 뾰로통한 표정을 지었습니다(④). 그리고 구만이네 소가 송아지를 낳자 구만이는 신이 나 자랑스러운 표정을 지으며 제가 막은 울타리 구멍을 헤치고 엄지를 불렀고(⑤) 그 모습을 본 엄지는 구만이에게 화가 나서 소리를 쳤습니다(①).

유형 분석/추론

인물이 한 말과 행동을 자세히 살펴보고, 왜 그런 말과 행동을 했을지, 그때 인물의 마음은 어떠했을지 추측해 봅니다.

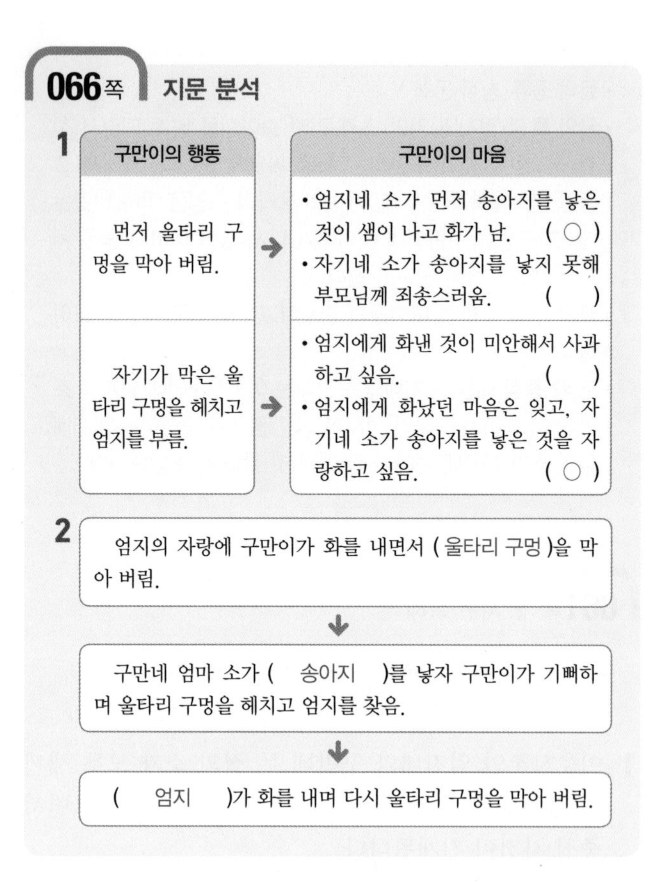

066쪽 지문 분석

1

구만이의 행동		구만이의 마음
먼저 울타리 구멍을 막아 버림.	➔	• 엄지네 소가 먼저 송아지를 낳은 것이 샘이 나고 화가 남. (○) • 자기네 소가 송아지를 낳지 못해 부모님께 죄송스러움. ( )
자기가 막은 울타리 구멍을 헤치고 엄지를 부름.	➔	• 엄지에게 화낸 것이 미안해서 사과하고 싶음. ( ) • 엄지에게 화났던 마음은 잊고, 자기네 소가 송아지를 낳은 것을 자랑하고 싶음. (○)

2

엄지의 자랑에 구만이가 화를 내면서 (울타리 구멍)을 막아 버림.

↓

구만네 엄마 소가 (송아지)를 낳자 구만이가 기뻐하며 울타리 구멍을 헤치고 엄지를 찾음.

↓

(엄지)가 화를 내며 다시 울타리 구멍을 막아 버림.

1 엄지네 소가 먼저 송아지를 낳아 엄지가 뽐을 내자, 자신과 자신의 소가 진 것 같아 샘이 나고 화난 구만이는 울타리 구멍을 막아 버렸습니다. 하지만 구만이는 자기네 소가 송아지를 낳자 엄지에게 화난 마음은 잊고 울타리 구멍을 헤치고 엄지를 불렀습니다.

2 엄지와 구만이 사이에 있었던 일을 정리해 봅니다.

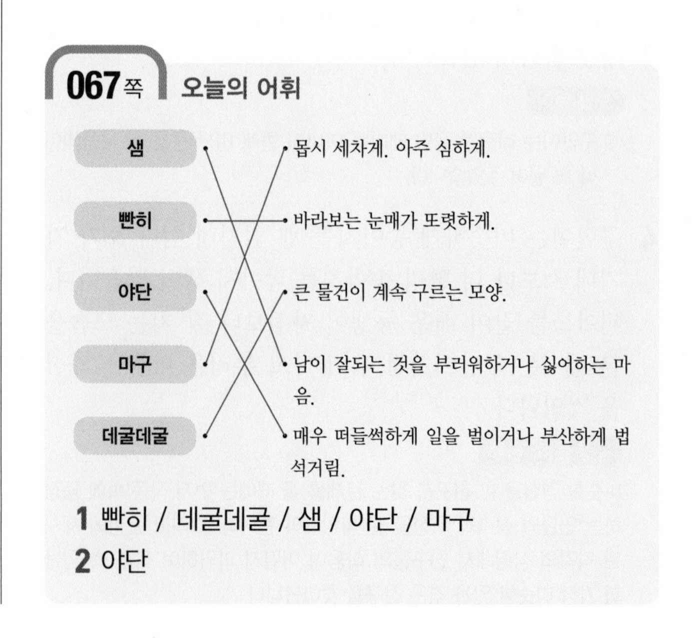

• **글 ❸ 중심 내용** 구만이네 송아지가 울타리 구멍을 뚫고 엄지네 송아지를 데려와 엄마 소의 젖을 정답게 빨고 있었고, 그 모습을 본 구만이와 엄지의 사이도 다시 풀어져 그 후 울타리 구멍은 다시 막히지 않았습니다.

069쪽 지문 독해

1 울타리 구멍, 송아지 **2** ④ **3** (2) ○
4 봄이

1 사이가 나빠져 막혔던 구만이와 엄지 사이의 울타리 구멍을 송아지가 풀어 주며 뚫리게 되었다는 뜻의 제목입니다.

유형 분석/중심 내용

제목은 이야기의 내용을 함축적으로 표현합니다. 이야기 속 인물들에게 어떤 일이 있었는지 잘 파악해 보고, 제목이 뜻하는 내용을 생각해 봅니다.

2 혼자 있던 엄지네 송아지가 울자 구만네 송아지가 울타리 구멍을 뚫고 달려왔습니다.

오답 풀이

① 모두 들일을 나가 버려 혼자서 집을 지키던 엄지네 송아지는 심심하고 젖이 먹고 싶어 울고 있었습니다.
② 엄지도 자기네 송아지를 모르겠다고 했습니다.
③ 엄지네 송아지와 구만네 송아지는 크기도 똑같고, 털 빛깔도 똑같고, 젖 빠는 모습까지 똑같았습니다.
⑤ 엄지네 엄마 소가 집으로 들어오며 울자, 그 소리를 들은 엄지네 송아지가 울타리 구멍으로 빠져 나가 엄지네로 갔습니다.

3 한번 다투고 난 뒤 엄지와 구만이의 사이는 더욱 돈독해졌습니다. 둘의 사이와 가장 관련 있는 속담은 어려움을 겪고 나면 더 강해진다는 뜻의 '비 온 뒤에 땅이 굳어진다'입니다.

오답 풀이

(1) 소 잃고 외양간 고친다: 소를 도둑맞은 다음에서야 빈 외양간의 허물어진 데를 고치느라 수선을 떤다는 뜻으로 일이 이미 잘못된 뒤에 손을 써도 소용이 없음을 뜻함.
(3) 콩 심은 데 콩 나고 팥 심은 데 팥 난다 : 콩 심은 데 콩이 자라고 팥 심은 데 팥이 자라는 것은 당연한 일인 것처럼 모든 일은 원인에 따라 거기에 맞는 결과가 나타난다는 것을 뜻함.

4 쌍둥이처럼 똑 닮고 정다운 송아지 두 마리는 친한 이웃사촌인 구만이와 엄지를 닮았습니다. 두 사람에게 앞으로도 싸우지 말고 친하게 지내라는 말을 해 주는 것이 가장 적절합니다.

070쪽 지문 분석

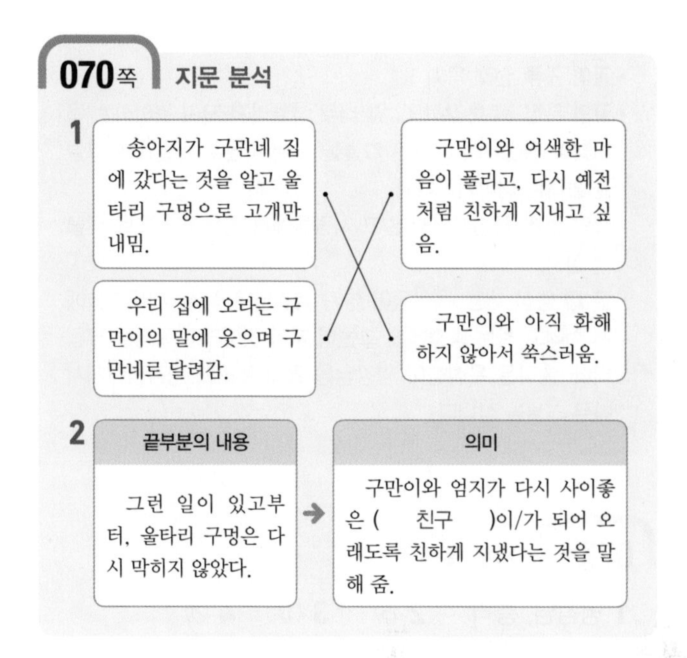

1 엄지는 구만이네 집에 자기네 송아지가 있다는 것을 알았지만 싸운 뒤에 화해하지 않아서 쑥스러워 멀뚱멀뚱해 있었습니다. 하지만 구만이가 웃으며 우리 집으로 빨리 오라고 말하자 기분이 풀어져 웃으며 구만이네 집으로 달려갔습니다.

2 울타리 구멍은 구만이와 엄지가 친했던 때에 들락날락거리던 곳입니다. 따라서 울타리 구멍이 다시 막히지 않았다는 것은 구만이와 엄지가 다시 좋은 친구 사이가 되어 잘 지냈다는 뜻입니다.

071쪽 오늘의 어휘

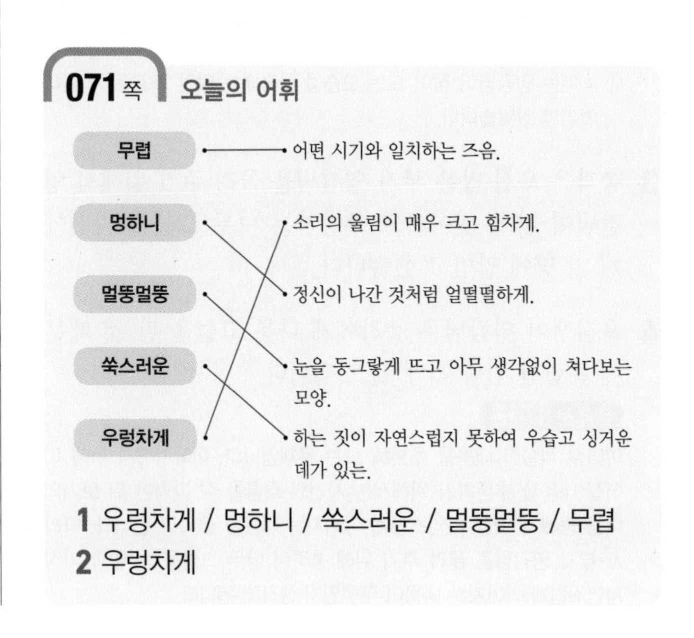

1 우렁차게 / 멍하니 / 쑥스러운 / 멀뚱멀뚱 / 무렵
2 우렁차게

- **글의 종류** 전래 동화
- **글의 특징** 한 총각이 집 앞 나무 그늘마저 자기 것이라는 욕심쟁이 영감님에게 나무 그늘을 사서 마을 사람들에게 그늘을 돌려준 이야기입니다.
- **글의 주제** 욕심부리지 말고 사람들에게 넓은 마음으로 베풀며 살자.
- **글 ❶ 중심 내용** 욕심쟁이 부자 영감님은 집 앞 나무그늘에서 쉬려고 하는 총각에게 그늘이 자기 것이라고 욕심을 부립니다. 총각은 욕심쟁이 영감님을 골려 주려고 영감님에게서 나무 그늘을 삽니다.

073쪽 지문 독해

1 영감님, 총각 **2** ⑤ **3** ① **4** ㉮

1 옛날 어느 마을에 살고 있는 욕심 많은 부자 영감님과 총각이 등장합니다.

2 ㉤에는 웃음을 참느라 입이 움직이는 모습을 표현하는 말이 들어가야 하므로, '씰룩씰룩'과 같은 표현이 들어가기에 알맞습니다. '사각사각'은 벼, 보리, 밀 따위를 계속 벨 때, 또는 과자나 배, 사과 따위를 자꾸 씹을 때 나는 소리를 흉내 내는 말입니다.

오답 풀이

① ㉠에는 부자 영감님이 사는 기와집의 모습을 나타내는 말인 '으리으리'가 들어가기에 알맞습니다.
② ㉡에는 나뭇잎들이 바람에 흔들리는 모습을 나타내는 말인 '팔랑팔랑'이 들어가기에 알맞습니다.
③ ㉢에는 매미가 우는 소리를 흉내 내는 말인 '맴맴'이 들어가기에 알맞습니다.
④ ㉣에는 영감님이 잠이 드는 모습을 나타내는 말인 '스르르'가 들어가기에 알맞습니다.

3 총각은 욕심 많은 부자 영감님을 골려 주기 위해서 영감님이 자기 것이라고 주장하는 나무 그늘을 자신에게 열 냥에 팔라고 했습니다.

4 욕심쟁이 영감님은 총각에게 나무 그늘을 판 것 때문에 곤란한 일을 겪게 될 것입니다.

유형 분석/추론

이어질 적절한 내용을 추론해 보는 문제입니다. 이야기에서 뒤에 이어질 내용을 추론하기 위해서는 사건의 흐름을 잘 파악한 뒤 보기의 내용 중에서 가장 자연스럽게 이어지는 내용을 골라야 합니다. 따라서 부자 영감님을 골려 주기 위해 총각이 나무 그늘을 산 일과 가장 자연스럽게 이어지는 내용이 무엇인지 생각해 봅니다.

074쪽 지문 분석

1

인물	의견	까닭
총각	누구든지 나무 그늘에서 쉴 수 있다.	이 나무는 (마을 사람) 모두의 것이다.
욕심쟁이 영감님	나무와 그늘 모두 (내 것)이다.	이 나무는 우리 증조 할아버지께서 심으신 것이다.

2

이야기의 흐름		욕심쟁이 영감님의 마음
나무 그늘에 들어와 쉬는 총각을 발견함.	➔	• 화가 남. (○) • 겁이 남. ( )
총각이 나무 그늘을 사겠다고 함.		• 실망함. ( ) • 매우 기쁨. (○)

1 총각은 "이 나무는 마을 사람 모두의 것이니, 누구든지 이곳에서 쉴 수가 있지요."라고 말하였고, 욕심쟁이 영감님은 "이 나무는 우리 증조 할아버지께서 심으신 거야. 그러니 이 나무도, 이 그늘도 내 것이란 말이다."라고 말하였습니다.

2 욕심쟁이 영감님은 총각이 나무 그늘에서 잠시 쉬려고 하자 나무 그늘은 자기 것이라며 화를 냈는데, 총각이 욕심쟁이 영감님을 골려 주기 위해 나무 그늘을 팔라고 하자 속으로 기뻐했습니다.

075쪽 오늘의 어휘

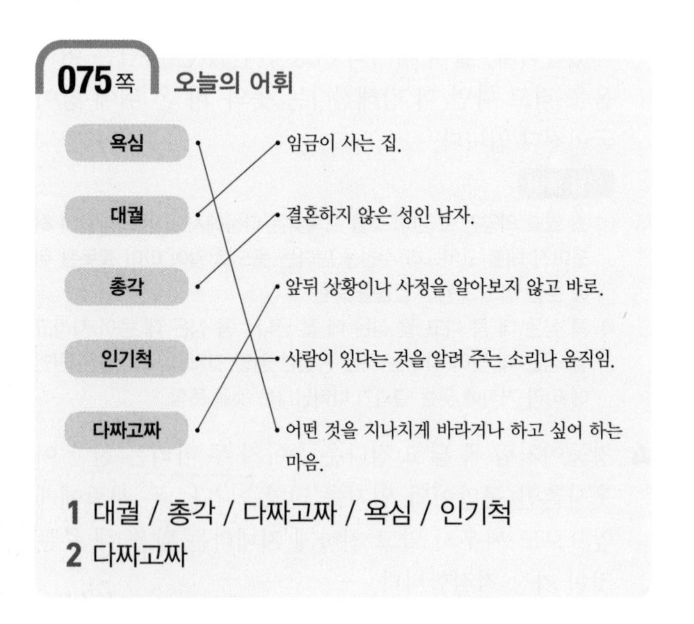

1 대궐 / 총각 / 다짜고짜 / 욕심 / 인기척
2 다짜고짜

• **글 ❷ 중심 내용** 마을 사람들은 총각 덕분에 한낮에 나무 그늘에서 쉴 수 있게 됩니다. 해가 기울어 총각이 나무 그림자를 따라 욕심쟁이 영감님 집의 안방까지 들어가며 자신은 나무 그늘을 따라왔을 뿐이라고 말하였습니다.

077쪽 지문 독해

1 (1) ○ **2** 담, 마당, 안방 **3** ⑤ **4** ㉯

1 이 글에서 가장 중심이 되는 사건은 총각이 나무 그늘을 따라 욕심쟁이 영감님 집의 안방으로 들어가는 것입니다. (2)와 (3)은 이 글에서 일어난 일이기는 하지만 가장 중요한 사건은 아닙니다.

유형 분석/중심 내용

이야기를 읽고 사건을 중심으로 내용을 간추리기 위해서는 인물에게 일어난 가장 중요한 사건이 무엇인지 알아야 합니다.

2 해가 뉘엿뉘엿 기울기 시작하자 나무 그림자가 욕심쟁이 영감님의 집 쪽으로 길게 드리워졌고, 결국 욕심쟁이 영감님 집의 담을 넘어 마당을 덮고 곧 안방의 지붕까지 덮어 버렸습니다.

3 욕심쟁이 영감님은 나무 그늘을 따라 집으로 들어온 것이라는 총각의 말이 조금도 틀리지 않아 할 말을 잃고 우두커니 서 있었습니다.

오답 풀이

① 총각은 나무 그림자가 욕심쟁이 영감님 집 안방의 지붕까지 덮어 버리자 나무 그림자를 따라 욕심쟁이 영감님 집 안방으로 들어갔습니다.
② 욕심쟁이 영감님에게 나무 그늘을 산 다음 날부터 마을 사람들은 나무 그늘 아래에서 낮잠을 자기도 하고, 즐겁게 이야기도 나누었습니다.
③ 욕심쟁이 영감님과 부인은 총각에게 나무 그늘을 열 냥에 판 것을 공짜로 돈을 번 것이라고 생각했습니다.
④ 나무 그림자가 욕심쟁이 영감님의 집 쪽으로 점점 길게 드리워졌지만 총각은 나무 그림자가 욕심쟁이 영감님 집 안방까지 덮기를 기다렸습니다.

4 총각은 욕심쟁이 영감님 집 안방까지 들어가기 위해 나무 그림자가 길어질 때까지 기다렸고, 나무 그림자가 안방의 지붕까지 덮자 ㉠과 같이 말한 것입니다.

오답 풀이

㉮ 해가 뉘엿뉘엿 지면서 나무 그늘이 점점 길어지고 있었습니다.
㉰ 총각은 나무 그늘을 따라 욕심쟁이 영감님의 안방까지 들어가서 욕심쟁이 영감님을 골려 주어야겠다는 생각을 하고 있습니다.

078쪽 지문 분석

1

때	일어난 일
이튿날 한낮	마을 사람들은 (나무 그늘)에 모여 앉아 낮잠도 자고 이야기를 나눔.
해가 기울기 시작하자	총각이 나무 그림자를 따라 욕심쟁이 영감님의 집 (안방)으로 들어감.

2

총각이 마음대로 자신의 집으로 들어오자 (궁금함, 화가 남).

↓

총각에게 자신은 온통 나무 그늘로 뒤덮여 있는 집 안으로 들어온 것이라는 말을 듣자 (고마웠지만, 분노했지만) 할 말을 잃음.

1 이튿날 한낮이 되자, 마을 사람들은 나무 그늘에 모여 앉아 낮잠도 자고 이야기도 나누었습니다. 해가 지기 시작하자 총각은 욕심쟁이 영감님의 집 안방으로 들어갑니다.

2 욕심쟁이 영감님은 마음대로 자신의 집으로 들어온 총각을 보고 화를 냈다가 총각이 나무 그늘이 집을 모두 덮어 따라 들어온 것이라는 대답에 할 말을 잃었습니다.

079쪽 오늘의 어휘

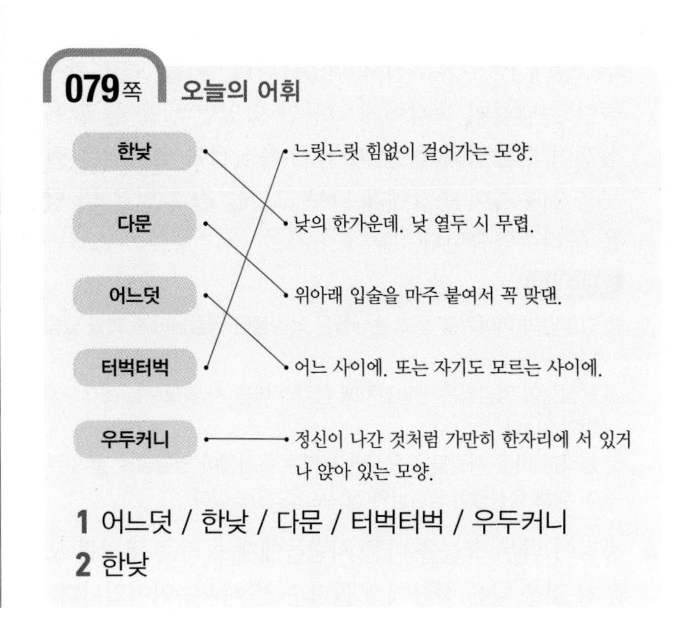

1 어느덧 / 한낮 / 다문 / 터벅터벅 / 우두커니
2 한낮

- **글 ❸ 중심 내용** 욕심쟁이 영감님의 생일잔치 날, 마을 사람들이 그늘을 따라 욕심쟁이 영감의 집으로 몰려왔습니다. 깜짝 놀란 손님들에게 총각이 그동안의 일을 설명하자 손님들은 화를 내며 가 버리고, 욕심쟁이 영감님은 잘못을 뉘우치고 총각에게 나무 그늘을 판 돈을 돌려주며 누구든지 나무 그늘에 와서 쉬라고 이야기했습니다.

081쪽 지문 독해

1 마을 사람들 **2** ③ **3** ①, ④ **4** ④

1 생일잔치 날에 있었던 일로 잘못을 뉘우친 욕심쟁이 영감은 총각에게 나무 그늘을 팔고 받은 열 냥을 돌려주며 누구든지 와서 쉬어도 된다고 하였습니다. 이것으로 보아 욕심쟁이 영감은 나무 그늘이 마을 사람들의 것이라고 인정하였음을 짐작할 수 있습니다.

2 ㉠에 들어가기에 알맞은 말은 '그러면'입니다. '그러면'은 앞의 내용을 받아들이거나 그 내용을 바탕으로 하여 새로운 주장을 할 때 쓰는 말입니다.

오답 풀이

①, ② 앞의 내용과 뒤의 내용이 서로 반대될 때 쓰는 이어 주는 말입니다.

④ 이야기를 앞의 내용과 관련시키면서 다른 방향으로 이끌어 나갈 때 쓰는 이어 주는 말입니다.

⑤ 앞의 내용을 인정하면서 앞의 내용과 뒤의 내용이 대립될 때 쓰는 이어 주는 말입니다.

3 마을 사람들은 욕심쟁이 영감님의 생일잔치 날에도 영감님의 집으로 몰려가 흙투성이 차림으로 마당, 마루, 방에 앉거나 누워서 쉬었습니다. 이를 보고 깜짝 놀란 손님들이 총각에게 그동안 있었던 일을 듣고 욕심쟁이 영감님의 집을 떠나자, 욕심쟁이 영감님은 잘못을 뉘우치며 총각에게 나무 그늘을 팔고 받은 열 냥을 돌려주었습니다.

오답 풀이

② 그동안의 이야기를 듣고 손님들은 욕심쟁이 영감님에게 화를 냈습니다.

③ 욕심쟁이 영감님은 생일잔치에 총각과 마을 사람 모두를 초대하지 않았습니다.

⑤ 총각과 마을 사람들은 욕심만 부리는 욕심쟁이 영감님을 골려 주기 위해 욕심쟁이 영감님의 집으로 몰려갔습니다.

4 총각이 나무 그늘을 마을 사람들에게 돌려준 것처럼 모두의 것을 다른 사람에게 돌려준 친구는 수민이입니다.

082쪽 지문 분석

1 (㉯) → (㉮) → (㉱) → (㉰) → (㉲)

2

주제
• 지나친 (관심, (욕심)) 때문에 더 큰 것을 잃을 수도 있다. • ((넓은), 미안한) 마음을 갖고 베풀며 살자.

1 총각이 계속해서 욕심쟁이 영감의 집을 찾아왔고 욕심쟁이 영감님의 생일잔치 날에도 마을 사람들이 몰려와 마음대로 행동하자 손님들은 깜짝 놀랐습니다. 총각에게 그동안의 일을 듣고 화가 난 손님들이 욕심쟁이 영감의 집을 떠났고 욕심쟁이 영감님은 자신의 잘못을 인정하고 나무 그늘을 마을 사람들에게 돌려주었습니다. ㉮~㉲를 일이 일어난 차례대로 정리하여 봅니다.

2 욕심쟁이 영감님은 사소한 나무 그늘조차도 다른 사람과 나누지 못하고 욕심을 부리다가 총각이 자신의 집 안방까지 들어와도 아무 말을 하지 못하였고, 자신의 생일잔치에 온 손님들까지 모두 잃었습니다. 욕심쟁이 영감님의 행동을 통해 넓은 마음을 갖고 베풀며 살자는 깨달음을 얻을 수 있습니다.

083쪽 오늘의 어휘

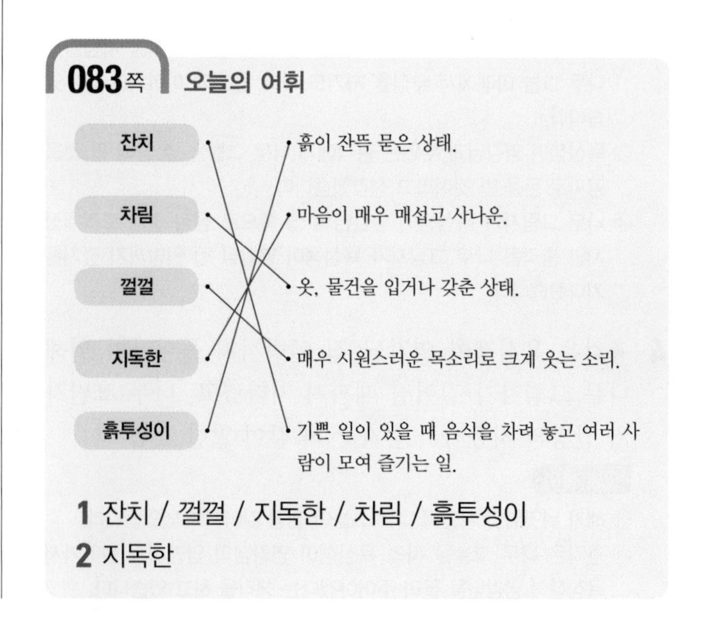

1 잔치 / 껄껄 / 지독한 / 차림 / 흙투성이

2 지독한

- **글의 종류** 전래 동화
- **글의 특징** 금강산 비로봉의 금강초롱꽃과 돌 줄기인 은사다리 금사다리에 얽힌 옛이야기(전설)입니다.
- **글의 주제** 사이좋은 남매의 서로를 위하는 애틋한 마음을 보여 줍니다.
- **글 ❶ 중심 내용** 금강산 골짜기에 살던 사이좋은 남매의 누나가 병에 걸렸고, 동생은 누나의 병을 낫게 하기 위해 하늘나라의 달에 있는 계수나무 열매를 구하려고 금강산 봉우리 가운데 가장 높은 비로봉으로 올라갑니다.

085쪽 지문 독해

1 금강산, 남매 **2** ④ **3** ④, ⑤ **4** ㉮

1 이 이야기는 금강산 골짜기에 사는 사이좋은 남매의 이야기입니다. 누나는 어린 동생을 잘 보살펴 주고, 동생은 누나를 엄마처럼 의지하며 따랐습니다.

유형 분석/갈래

이 글과 같은 전설이나 전래 동화는 글의 처음 부분에 일이 일어난 때와 곳 또는 등장인물에 대해 설명하는 내용이 나오는 경우가 많습니다. 이 글의 첫 문장에서도 일이 일어난 때와 곳, 등장인물에 대해 설명하였습니다.

2 ㉠은 동생이 손을 뻗는 모습을 달을 잡는 모습에 빗대어 설명하였습니다. 이와 같이 대상을 비슷한 점이 있는 다른 대상에 빗대어 설명하는 방법을 '비유법'이라고 하며, ①, ②, ③, ⑤는 모두 비유법이 사용된 표현입니다. 하지만 ④는 강아지가 하는 행동을 그대로 표현하였습니다.

3 동생은 의원으로부터 누나를 낫게 할 수 있는 약은 하늘나라의 달에 있는 계수나무 열매라는 말을 들었습니다. 동생은 계수나무 열매를 구하기 위해 금강산의 봉우리 가운데 가장 높은 봉우리인 비로봉에 가면 그만큼 하늘이 가까울 것이라고 생각해 비로봉에 올라갔습니다.

오답 풀이

① 계수나무 열매는 하늘나라의 달에 있습니다.
② 동생이 비로봉에 가는 것은 누나의 소원이 아닙니다.
③ 계수나무 열매를 딸 수 있는 방법을 생각하다가 비로봉으로 올라갔습니다.

4 엄마처럼 의지했던 누나의 병이 점점 깊어져서 동생은 정말 슬펐을 것입니다.

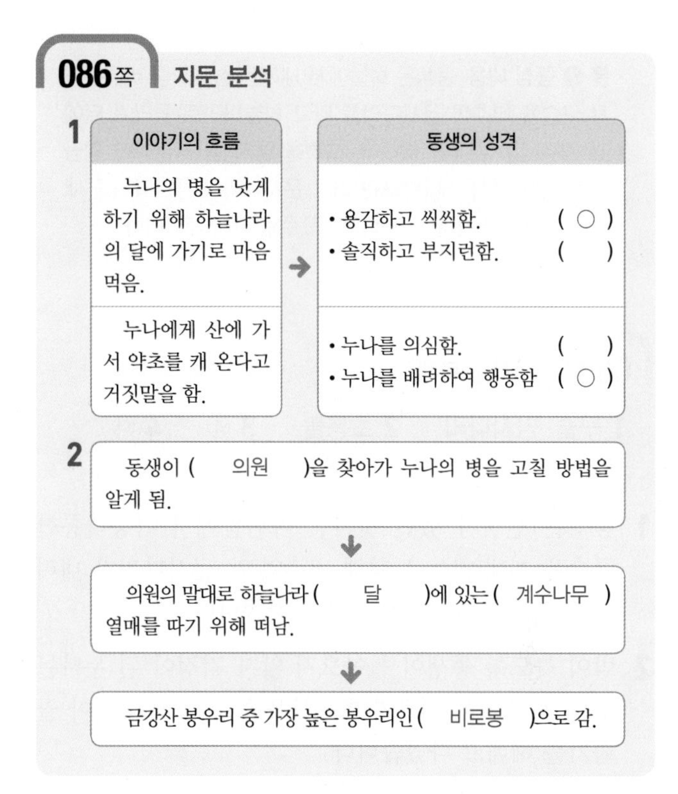

1 동생은 누나의 병을 낫게 하기 위해 계수나무 열매를 구하러 하늘나라의 달에 갈 만큼 용감합니다. 하지만 누나가 걱정할까 봐 배려하는 마음으로 산에 가서 약초를 캐 온다고 거짓말을 하였습니다.

2 동생은 누나의 병을 낫게 할 수 있는 약인 하늘나라의 달에 있는 계수나무 열매를 구하려고 금강산 봉우리 가운데 가장 높은 비로봉으로 갔습니다.

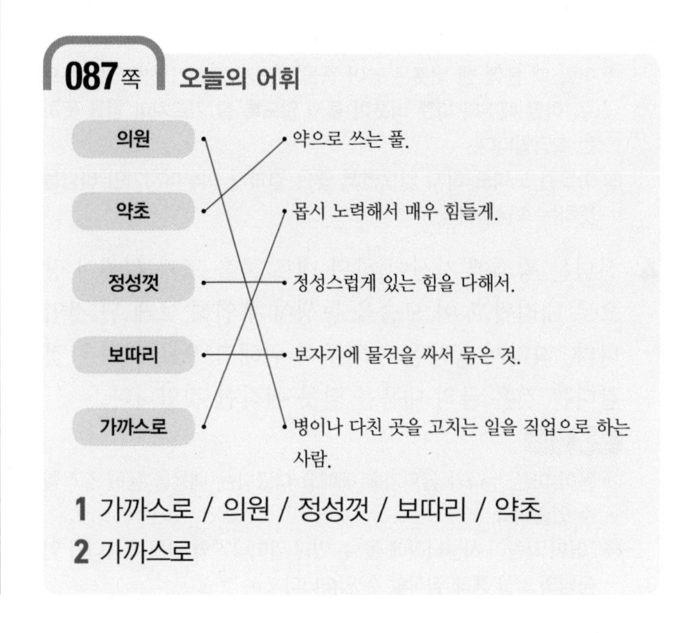

1 가까스로 / 의원 / 정성껏 / 보따리 / 약초
2 가까스로

• **글 ❷ 중심 내용** 동생은 하늘에서 내려온 선녀처럼 바위틈에서 구슬을 비추어 금사다리를 타고 하늘나라로 올라가 달에서 계수나무 열매를 땁니다. 그것을 알게 된 하늘나라 임금님이 화가 나서 커다란 지팡이로 은사다리와 금사다리를 내려쳤고, 사다리가 부서져 비로봉으로 쏟아져 내립니다.

089쪽 지문 독해

1 구슬, 금사다리 **2** 초롱불 **3** ④ **4** ㉰

1 동생은 선녀가 했던 것처럼 바위틈에서 아롱다롱한 구슬을 꺼내 하늘을 향해 비추었고, 금사다리가 내려오자 그것을 타고 하늘로 올라갔습니다.

2 밤이 늦도록 동생이 돌아오지 않자 걱정이 된 누나는 병든 몸을 겨우 일으켜 초롱불을 들고 동생을 찾아 골짜기를 헤매고 다녔습니다.

3 누나의 병을 낫게 하기 위해 쉽게 갈 수 없는 하늘나라의 달에 가야만 하는 동생은 하늘나라에서 내려온 선녀를 보고 하늘로 가는 길이 있다는 것을 알게 됩니다. 이러한 상황에 가장 잘 어울리는 속담은 하늘이 무너지는 것 같은 어려운 상황에 처하더라도, 그것을 벗어날 방법은 분명히 있다는 뜻의 '하늘이 무너져도 솟아날 구멍이 있다'입니다.

오답 풀이

① 바늘이 가는 데 실이 항상 뒤따른다는 뜻으로, 몹시 친한 사람의 관계를 뜻하는 속담입니다.
② 강한 사람들끼리 싸우는 바람에 아무 상관도 없는 약한 사람이 중간에 끼어 피해를 입게 됨을 뜻하는 속담입니다.
③ 어릴 때 몸에 밴 버릇은 늙어 죽을 때까지 고치기 힘들다는 뜻으로, 어릴 때부터 나쁜 버릇이 들지 않도록 잘 가르쳐야 함을 뜻하는 속담입니다.
⑤ 아무런 노력도 하지 않으면서 좋은 결과가 이루어지기만 바람을 뜻하는 속담입니다.

4 선녀는 평소에 자신이 하던 대로 물을 뜨기 위해서 땅으로 내려왔고 이 모습을 동생이 우연히 보게 된 것입니다. 따라서 동생을 도와주기 위해 땅으로 내려온 것 같다는 것은 글의 내용을 잘못 짐작한 것입니다.

오답 풀이

㉮ 몸이 아픈 누나가 골짜기를 헤매고 다녔다는 내용을 통해 짐작할 수 있습니다.
㉯ "어찌 사람이 하늘나라에 올 수 있단 말이냐?"와 같은 하늘나라 임금님의 말을 통해 짐작할 수 있습니다.

090쪽 지문 분석

1 (㉱) → (㉮) → (㉯) → (㉰)

2

상황	동생의 마음
갑자기 '쿵' 하는 소리가 울려 퍼짐.	깜짝 (놀람).
하늘로 가는 길을 발견함.	너무 (기쁨).
달의 계수나무에 주렁주렁 매달린 열매를 봄.	누나를 살릴 수 있게 되었다는 생각에 (안심함).

1 선녀가 은사다리를 타고 하늘에서 내려온 후 금사다리를 타고 다시 하늘에 올라가는 것을 본 동생 역시 금사다리를 타고 하늘로 올라가 달에 있는 계수나무에서 열매를 땁니다. 동생이 하늘나라에 온 것을 알고 화가 난 하늘나라 임금님이 은사다리와 금사다리를 내려쳤고 은사다리와 금사다리는 조그만 돌들로 부서져 비로봉으로 쏟아져 내렸습니다.

2 동생은 '쿵' 하는 소리에 놀라 얼른 바위 뒤에 숨었고, 하늘로 가는 길을 발견해서 너무나 기뻤으며, 계수나무에 달린 열매를 보고 누나를 살릴 수 있다는 생각에 기뻐하며 안심했습니다.

091쪽 오늘의 어휘

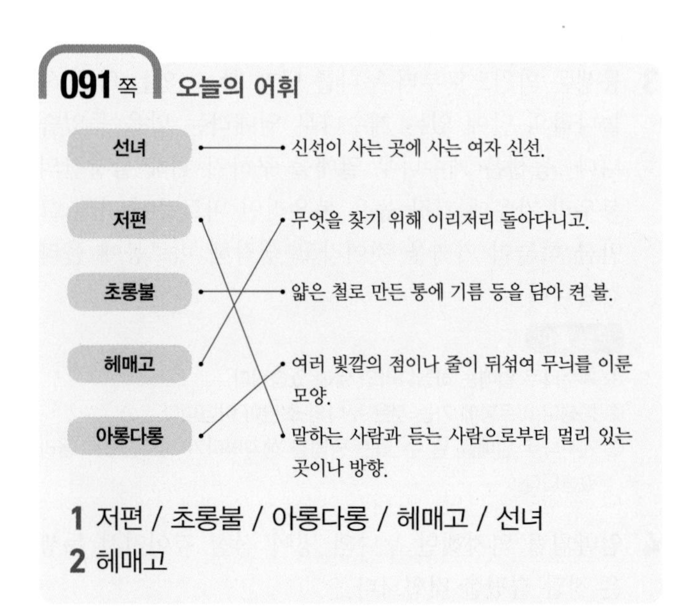

1 저편 / 초롱불 / 아롱다롱 / 헤매고 / 선녀
2 헤매고

• **글 ❸ 중심 내용** 동생은 임금님이 내어 준 용마를 타고 집으로 갔지만 이미 누나는 이미 숨을 거둔 뒤였고, 동생은 누나를 비로봉 양지바른 곳에 묻어 줍니다. 시간이 지나 사람들은 누나가 들고 있던 초롱불이 변하여 만들어진 꽃을 '금강초롱꽃'이라고 불렀고, 비로봉에 두 갈래로 쏟아져 내린 돌줄기를 '은사다리', '금사다리'라고 불렀습니다.

093쪽 지문 독해

1 (3) ○ **2** ②, ⑤ **3** ③ **4** 새이

1 이 글은 금강산 비로봉 골짜기에 핀 '금강초롱꽃'과 '은사다리', '금사다리'에 얽혀 전해 오는 이야기를 쓴 전설입니다.

유형 분석/갈래

전설은 바위나 연못, 오래된 나무와 같은 사물이나 특정한 장소에 얽혀 전해 내려오는 이야기를 말합니다. 그래서 사람들은 전설을 사실로 믿기도 합니다.

2 임금님은 누나를 생각하는 동생의 갸륵한 마음에 감동해서 열매를 가지고 집으로 돌아가라고 하였습니다. 그런데 은사다리와 금사다리 모두 금강산에 버려졌다고 하자 임금님은 자신만 탈 수 있는 용마를 동생에게 내어 주어 동생이 집으로 돌아 갈 수 있도록 해 주었습니다.

오답 풀이

① 임금님은 동생이 하늘나라에 온 것을 보고 화가 나서 은사다리와 금사다리를 지팡이로 내려쳤습니다.
③ 누나가 용마를 타야한다는 내용은 이 글에서 찾을 수 없습니다.
④ 임금님은 누나를 위하는 동생의 마음에 감동했지만 용마를 동생에게 상으로 준 것은 아닙니다.

3 동생이 용마를 타고 집에 왔지만 이미 누나는 마당에 쓰러져 숨을 거둔 뒤였습니다. 동생은 누나를 붙잡고 한참 동안 울다가 비로봉 골짜기 양지바른 곳에 묻어 주었습니다.

4 글의 끝부분에서 비로봉에 두 갈래로 쏟아져 내린 돌줄기가 아침이면 은빛으로 빛나고 저녁이면 황금빛으로 물들어 사람들이 '은사다리', '금사다리'라고 불렀다고 하였습니다. 따라서 새이가 사람들이 하늘나라 임금님을 존경하는 마음을 담아서 이름을 붙였다고 한 것은 짐작한 내용으로 알맞지 않습니다.

094쪽 지문 분석

1

임금님은 (누나)를 위하는 동생의 마음에 감동하여 동생을 용서함.

↓

동생은 임금님의 (용마)를 타고 훨훨 날아 집으로 돌아감.

↓

동생을 기다리던 누나는 (초롱불)을 손에 꼭 쥔 채 숨을 거두었고, 동생이 슬퍼하며 누나를 묻어 줌.

↓

누나가 들고 있던 초롱불은 꺼지지 않았고, 사람들은 그 초롱불이 변하여 핀 꽃을 '(금강초롱꽃)'이라고 부름.

2

마지막 장면		꽃에 담긴 의미
누나가 손에 꼭 쥐고 있던 초롱불은 이상하게도 꺼지지 않고 아름다운 꽃으로 변함.	→	(동생)을 기다리는 (누나)의 애틋한 마음이 담겨 있음.

1 누나를 위하는 동생의 마음에 감동한 임금님은 동생을 용서하였고, 동생은 임금님의 용마를 타고 집으로 돌아왔지만 초롱불을 손에 쥔 채 숨을 거둔 누나를 발견하고 슬퍼하며 누나를 비로봉 골짜기에 묻었습니다.

2 누나가 동생을 기다리면서 들고 있었던 초롱불은 아름다운 꽃으로 변했습니다. 이 꽃에는 동생을 기다리는 누나의 애틋한 마음이 담겨 있습니다.

095쪽 오늘의 어휘

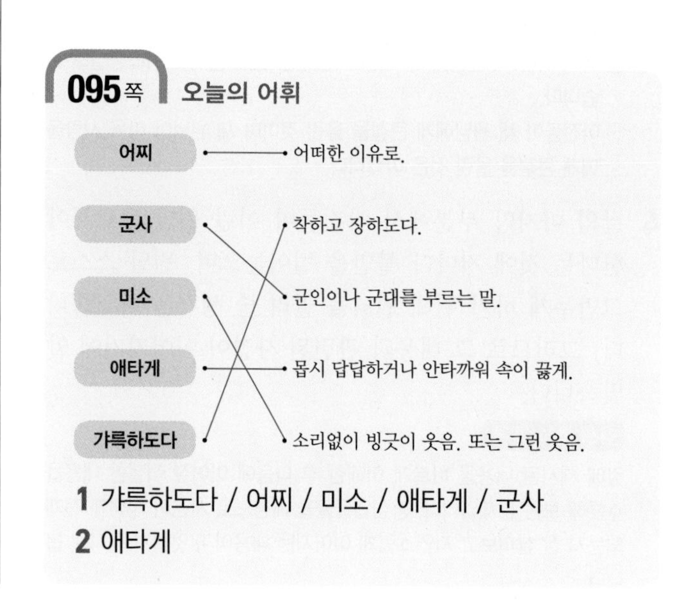

1 갸륵하도다 / 어찌 / 미소 / 애타게 / 군사
2 애타게

- **글의 종류** 전래 동화
- **글의 특징** 지혜로운 원님이 나이가 어리다는 이유로 원님을 얕잡아 보는 아전들의 죄를 뉘우치게 만든다는 내용의 이야기입니다.
- **글의 주제** 겉모습만 보고 사람을 판단하지 말자. / 어리다는 이유로 업신여기지 말자.
- **글 ❶ 중심 내용** 나이가 어린 원님이 새로 오자, 원님 앞에서는 성심성의껏 돕겠다던 아전들이 뒤에서 불만을 털어놓으며 원님을 골려 줄 생각에 즐거워 하였습니다.

097쪽 지문 독해

1 ③ **2** ㉣ **3** ①, ④ **4** ㉮

1 어느 마을에 나이가 어린 새 원님이 온 일이 이 글에서 일어난 가장 중요한 일입니다. ①, ②, ④, ⑤는 이 글에서 일어난 일이기는 하지만 중심이 되는 사건은 아닙니다.

2 '성심성의껏'은 '참되고 성실한 마음과 뜻을 다하여.'라는 뜻을 가진 낱말입니다.

3 마을 사람들의 이야기를 통해 새 원님이 장원 급제를 한 사람이라는 것을 알 수 있습니다. 또 새 원님은 관가에서 아전들을 한 자리에 모아 놓고 자신은 아직 어려서 부족한 점이 많으니, 잘 도와 달라고 부탁하였습니다.

오답 풀이

② 아전들은 겉으로는 아닌 척하지만 속으로는 어린 원님을 업신여겼습니다.

③ 나이 어린 새 원님을 본 마을 사람들은 깜짝 놀라고 어리둥절해 했습니다.

⑤ 아전들이 새 원님에게 큰절을 올린 것이며 새 원님이 마을 사람들에게 큰절을 올린 것은 아닙니다.

4 글의 마지막 부분에서 아전들이 어린 원님을 모셔야 한다는 것에 저마다 불만을 털어놓으며, 원님 스스로 그만두게 하기 위해 원님을 골려 줄 생각을 하였습니다. 그러므로 그 내용과 관련된 사건이 이어지기에 알맞습니다.

유형 분석/추론

앞에 제시된 내용을 바르게 이해한 후 다음에 이어질 적절한 내용을 추론해 보는 문제입니다. 중심인물들을 배경으로 사건이 어떻게 전개되는지 잘 살펴보고 자연스럽게 이어지는 내용이 무엇일지 짐작해 봅니다.

098쪽 지문 분석

1

등장인물	(원님), 마을 사람들, 아전들
일이 일어난 곳	어느 (마을)
일어난 일	나이가 어린 원님이 새로 오자, 원님 앞에서는 성심성의껏 돕겠다던 (아전)들이 뒤에서는 불만을 털어놓으며 원님을 스스로 돌아가게 만들려고 함.

2

원님이 앞에 있을 때	원님이 앞에 없을 때
성심성의껏 돕겠다며 큰절을 올림.	애송이를 원님으로 모실 수 없다고 말함.

↓

마음속으로 하는 생각과 겉으로 하는 행동이 (같은, (다른)) 사람들임.

1 어느 마을에 나이가 어린 원님이 새로 오자, 아전들이 불만을 털어놓으며 원님을 골려 줄 생각을 하였다는 내용의 이야기입니다.

2 아전들은 원님 앞에서는 성심성의껏 돕겠다며 큰절을 올렸지만, 원님이 자리를 떠나자 불만을 털어놓았습니다. 이와 같은 행동으로 보아 아전들은 마음속으로 하는 생각과 겉으로 하는 행동이 다른 사람들임을 알 수 있습니다.

099쪽 오늘의 어휘

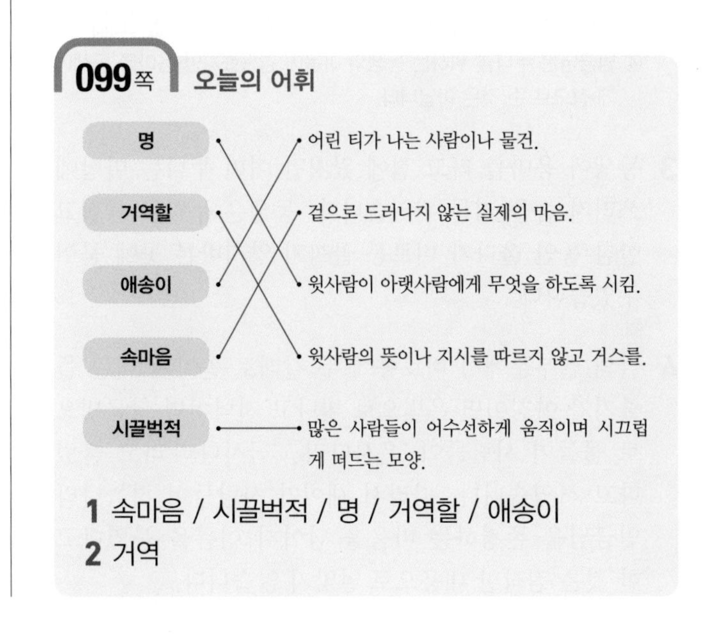

1 속마음 / 시끌벅적 / 명 / 거역할 / 애송이

2 거역

- **글 ❷ 중심 내용** 마을 사람들이 마을의 어려운 일들을 현명하게 처리하는 원님을 존경하게 되자, 아전들은 이를 시기하며 원님을 얕잡아 보았고, 원님은 아전들의 못된 버릇을 고쳐 주기로 하였습니다.

101쪽 지문 독해

1 존경, 시기 **2** ④ **3** (3) ○ **4** ㉯

1 어린 원님이 쌀 도둑을 잡고 마을의 어려운 일들을 현명하게 처리하며 마을 사람들로부터 칭찬과 존경을 받자, 아전들이 원님을 시기한 것이 이 글에서 가장 중요한 일입니다.

유형 분석/중심 내용

글에서 중심인물이 누구인지, 한 일이 무엇인지 파악하고 이해할 수 있어야 합니다. 핵심 내용은 모든 글을 읽을 때 가장 우선적으로 파악해야 할 내용입니다.

2 원님은 마을 사람들을 관가로 모두 모아 놓고 마을의 곳간을 모두 뒤지면 누가 도둑인지 알 수 있다고 말했습니다. 그러자 쌀 도둑이 스스로 나서서 농부의 쌀을 훔쳤다고 말하였으므로, 원님이 마을의 곳간을 모두 뒤져 쌀 도둑을 찾아낸 것은 아닙니다.

오답 풀이

① 원님은 쌀 도둑을 잡고 다시 찾은 쌀을 농부에게 돌려주었습니다.
② 원님은 자신의 죄를 밝힌 가난한 도둑에게 관가의 쌀을 나누어 주었습니다.
③ 원님은 이방을 시켜 아침 일찍 마을 사람들을 불러 모았습니다.
⑤ 원님은 관가에 모인 마을 사람들에게 농부의 쌀 가마니에 표시를 해 두었다고 말했습니다.

3 '얕잡다'는 '남의 재주나 노력 따위를 실제보다 낮추어 보아 하찮게 대하다.'라는 뜻입니다. 따라서 ㉠과 바꾸어 쓰기에 알맞은 말은 '우습게 생각하고 하찮게 여기는군.'입니다.

4 아전들은 마을 사람들에게 칭찬과 존경을 받는 어린 원님을 시기하였습니다. 이런 아전들과 가장 비슷한 행동을 한 친구는 선생님께 칭찬을 받은 수진이를 질투하는 미정이입니다.

오답 풀이

어려운 친구를 도와준 유성이와 경진이, 시합에서 이긴 친구를 진심으로 축하한 경현이는 어린 원님을 시기한 아전들과 비슷한 행동을 한 친구가 아닙니다.

102쪽 지문 분석

1 (㉲) → (㉮) → (㉰) → (㉱) → (㉯)

2

이야기의 흐름		원님의 성격
농부의 쌀 가마니에 표시를 해 두어서 마을의 곳간을 모두 뒤지면 누가 도둑인지 알 수 있다고 말함.	→	해결하기 어려운 일을 처리하는 것으로 보아 (지혜로움).
가난한 도둑에게 관가의 쌀을 나누어 줌.		도둑에게 무조건 벌을 주지 않고 사정을 헤아려 주는 것으로 보아 (배려심)이 있음.

1 쌀 도둑을 잡은 원님이 마을 사람들에게 칭찬과 존경을 받았지만 이런 원님을 아전들이 시기하고 얕잡아 보았고, 원님이 아전들을 혼내 줄 방법을 생각하였다는 내용의 글입니다. 일이 일어난 차례대로 ㉮~㉲를 정리해 봅니다.

2 나이는 비록 어리지만 문제를 현명하게 해결하는 모습에서 지혜로운 원님의 모습을 볼 수 있습니다. 또, 식구들이 굶주려 쌀을 훔쳤다는 가난한 도둑에게 관가의 쌀을 나누어 주는 모습에서 배려심이 많은 원님의 모습을 볼 수 있습니다.

103쪽 오늘의 어휘

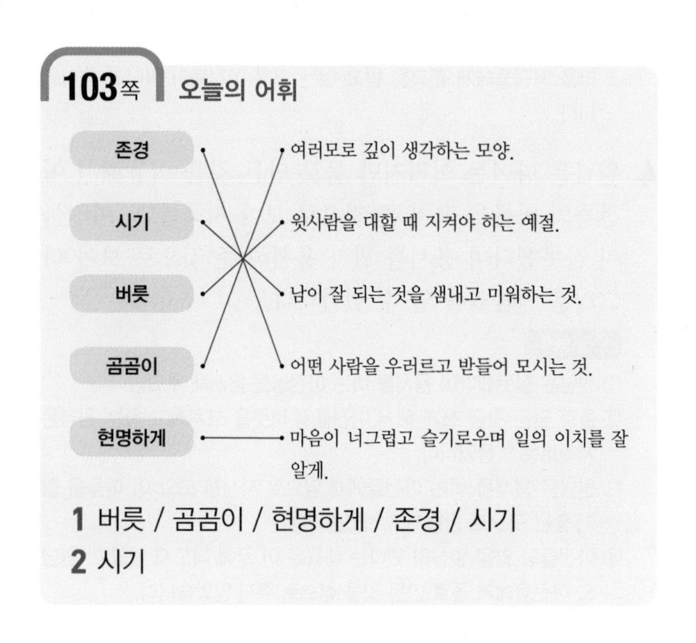

1 버릇 / 곰곰이 / 현명하게 / 존경 / 시기
2 시기

• **글 ❸ 중심 내용** 원님이 아전들에게 돌로 만든 갓을 쓰면 자신에게 인사할 수 있을 것이라며 돌로 만든 갓을 쓰게 했고, 아전들은 원님에게 용서를 빌며 어린 원님을 도와 열심히 일했습니다.

105쪽 지문 독해

1 돌 **2** 돌장이 **3** ④, ⑤ **4** ⑤

1 이 글에서 가장 중요한 일은 원님이 자신을 업신여기고 인사를 하지 않는 아전들을 혼내 주기 위해 아전들에게 돌로 만든 갓을 쓰게 한 일입니다.

2 돌장이는 '돌을 다루어 물건을 만드는 사람.'이라는 뜻입니다.

유형 분석/어휘

낱말은 문장을 이루는 가장 작은 기본 단위입니다. 그러므로 정확한 낱말의 뜻을 아는 것이 문장을 이해하고 글의 내용을 파악하는 첫걸음입니다. 낱말의 뜻을 파악하기 위해서는 앞뒤 문장이나 낱말이 사용된 예를 떠올려 봅니다.

3 원님은 어리다는 이유로 자신을 업신여기며 인사도 제대로 하지 않는 아전들을 혼내 주기 위해 아전들에게 돌로 만든 갓을 쓰게 했습니다. 돌로 만든 갓을 쓰게 되면 머리가 무거워서 목이 절로 숙여질 것이기 때문입니다.

오답 풀이

① 원님은 아전들의 버릇을 고치기 위해서 아전들에게 돌로 만든 갓을 쓰게 하였습니다.
② 원님은 아전들에게 멀리 떠나라고 하지 않았습니다.
③ 마을 사람들에게 존경을 받고 있는 것은 아전들이 아니라 원님입니다.

4 원님은 나이는 어리지만 돌로 만든 갓을 이용해서 아전들의 버릇을 고쳐 준 것으로 보아 지혜롭고, 아전들이 잘못했다며 용서를 빌자 용서해 준 것으로 보아 너그러운 인물임을 알 수 있습니다.

오답 풀이

① 원님은 잘못했다며 용서를 비는 아전들을 용서해 주었습니다.
② 돌로 만든 갓을 쓰게 해서 아전들의 버릇을 고치려고 하는 원님은 지혜로운 인물입니다.
③ 원님은 용서를 비는 아전들에게 앞으로 자신을 도와 이 마을을 살기 좋은 곳으로 만들자고 하였습니다.
④ 아전들이 일을 열심히 했다는 내용은 이 글에 나오지 않았고, 원님도 아전들에게 돌로 만든 갓을 상으로 주지 않았습니다.

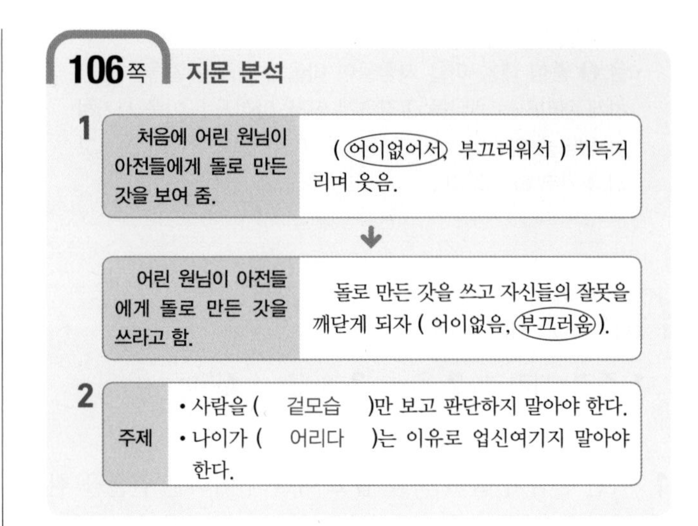

1 처음에 갓처럼 생긴 돌을 보았을 때 아전들은 어이없다는 듯이 키득거렸습니다. 그러나 돌로 만든 갓을 쓰고 난 후에는 자신들의 잘못을 깨닫고 부끄러워 눈물을 흘리며 용서해 달라고 빌었습니다.

2 원님은 아전들에게 겉모습만 보고 그 사람을 판단하지 말아야 하며, 어리다는 이유로 업신여겨서는 안 된다고 하였습니다.

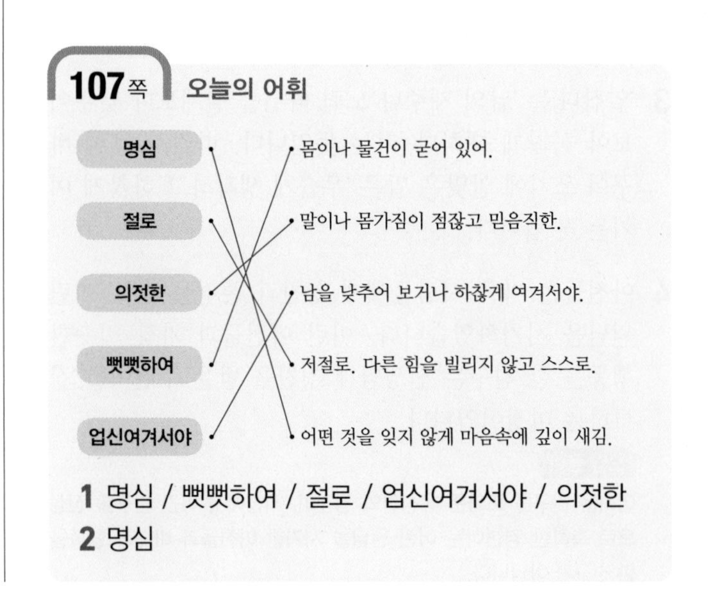

1 명심 / 뻣뻣하여 / 절로 / 업신여겨서야 / 의젓한
2 명심

- **글의 종류** 외국 동화
- **글의 특징** 도시의 불행한 사람들을 보고 마음 아파하며 눈물을 흘리고, 자신이 가진 것들을 모두 내어 주는 행복한 왕자의 이야기를 통해 사회에서 도움을 필요로 하는 사람들에게 관심을 기울이고, 나눔의 행복을 실천하자는 교훈을 주는 글입니다.
- **글의 주제** 소외된 이웃을 돌아보고 나누는 따뜻한 마음이 필요합니다.
- **글 ❶ 중심 내용** 남쪽 나라로 날아가던 제비가 행복한 왕자를 만나 왕자가 눈물을 흘리는 까닭을 알게 됩니다.

109쪽 지문 독해

1 행복한 왕자, 제비 **2** (2) ○ **3** ⑤ **4** ⑤

1 이 글에 나오는 인물은 도시 한복판의 높은 곳에 서 있는 동상인 행복한 왕자와 따뜻한 남쪽 나라인 이집트로 날아가다가 잠시 쉬기 위해 행복한 왕자 동상의 어깨에 앉은 제비 한 마리입니다.

2 왕자는 동상이 되기 전에는 담 너머에 어떤 사람들이 사는지, 그들이 어떤 생활을 하는지 전혀 몰랐습니다. 이러한 왕자의 상황과 가장 관련 있는 속담은 "바늘구멍으로 하늘 보기"입니다.

3 왕자는 동상이 되어 높은 곳에 세워진 뒤 비로소 자신이 살던 궁궐 담 너머에 비참하게 사는 사람들, 배고픔으로 괴로워하는 사람들, 몸이 아파 고생하는 사람들에 대해 알게 되어 눈물을 흘렸습니다.

오답 풀이

① 왕자는 동상이 된 뒤 온 도시를 내려다볼 수 있는 높은 곳에 세워 놓았습니다.
② 왕자는 사람이었을 때 아름다운 정원에서 뛰어놀았지만 그 생활이 그리워 운 것은 아닙니다.
③ 동상이 된 왕자가 연회장에서 사람들과 어울려 멋진 춤을 추던 때를 그리워했다는 내용은 글에 나오지 않습니다.
④ 사람일 때는 담장 밖 사람들의 슬픔을 몰랐지만, 동상이 된 뒤 담장 밖을 보게 되면서 불행한 사람들이 너무나 많다는 것을 알게 되었습니다.

4 동상이 된 왕자가 불행한 사람들을 보고 눈물을 흘린 것처럼 정아도 텔레비전 뉴스에서 아프리카 어린이들이 먹을 것이 없어 고통 받는 모습을 보고 눈물을 흘렸습니다. 동상이 된 왕자와 정아 모두 다른 사람의 아픔에 공감하였습니다.

110쪽 지문 분석

1

	인물들이 한 일	마음
사람들	온갖 보석으로 장식한 왕자를 봄.	((부러워함), 질투함)
왕자	담 너머에 사는 사람들을 봄.	((슬픔), 외로움)

2

- 왕자가 사람이었을 때 — 눈물이 무엇인지 모름. / 담 너머 사람들이 어떻게 생활하는지 모름.
- 왕자가 동상으로 만들어졌을 때 — 눈물을 흘리게 됨. / 도시에 불행한 사람들이 너무나 많다는 것을 알게 됨.

1 사람들은 겉모습이 아름답고 온 도시를 내려다 볼 수 있는 왕자가 행복할 것이라고 생각했지만, 배고픔으로 괴로워하며 몸이 아픈 비참한 사람들의 모습을 보게 된 왕자는 마음이 아프고 슬퍼 눈물을 흘렸습니다.

2 오래 전 왕자가 사람이었을 때 왕자는 담 너머 사람들이 어떻게 생활하는지 전혀 몰랐고, 눈물이 무엇인지도 몰랐습니다. 그러나 왕자가 죽고 동상으로 만들어져 높은 곳에서 도시를 보게 된 이후에 불행한 사람들을 보고 왕자는 마음이 아파 눈물을 흘리게 되었습니다.

111쪽 오늘의 어휘

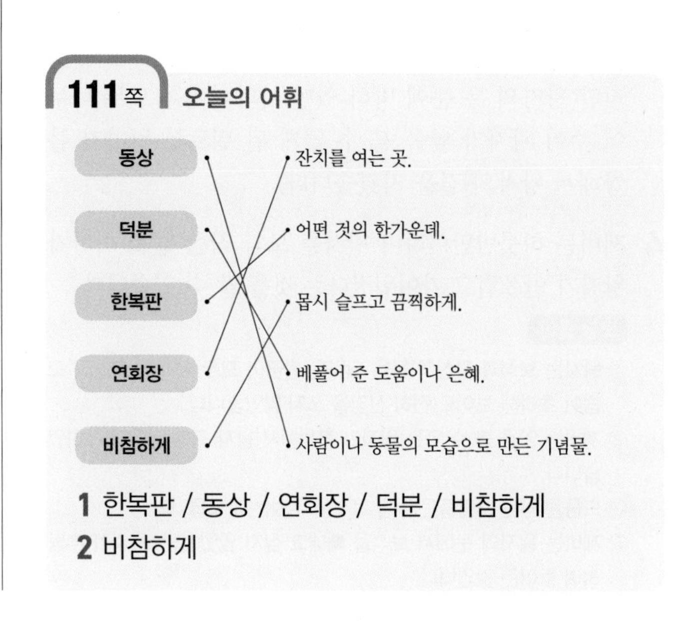

1 한복판 / 동상 / 연회장 / 덕분 / 비참하게
2 비참하게

• **글 ❷ 중심 내용** 왕자는 병들어 있는 아이에게 칼자루에 있는 루비를, 추워서 글을 쓸 수 없는 젊은이에게 눈에 박힌 사파이어를, 성냥팔이 소녀에게 남은 사파이어를 가져다주라고 제비에게 부탁합니다. 제비는 남쪽으로 떠나지 않고 왕자와 함께 불쌍한 사람들을 도와줍니다.

113쪽 지문 독해

1 기쁨과 행복, 초라한 **2** (2) ○ **3** ④ **4** ④

1 이 글의 중심 내용은 제비가 나누어 준 왕자의 보물들이 사람들에게 기쁨과 행복을 주는 동안 왕자는 점점 초라한 모습으로 변해 간 것입니다.

유형 분석/중심 내용

글의 전개상 가장 중요한 핵심 내용을 정리할 수 있어야 합니다. 이 글에서는 왕자가 제비를 통해 자신의 칼자루와 몸에 박힌 보물들을 모두 가난한 사람들에게 전해 주고, 자신은 점점 초라한 모습으로 변한다는 것이 중심 내용입니다.

2 왕자가 제비에게 병에 걸려 신음하고 있는 아이에게 칼자루에 있는 루비를 뽑아다가 전해 주라며 자신의 발은 받침대에 단단히 붙어 있어서 움직일 수가 없다고 말했습니다.

오답 풀이

(1) 제비는 도시를 날아다니며 보고 들은 일들을 왕자에게 이야기해 주었습니다.

(3) 왕자는 제비에게 자신의 양쪽 눈에 박힌 사파이어를 빼서 추워서 글을 쓸 수 없는 젊은이, 광장에 있는 성냥팔이 소녀에게 갖다 주라고 하였습니다.

3 제비는 며칠 동안 왕자의 부탁으로 왕자를 도와주었지만 왕자의 두 눈에 박혀 있던 사파이어를 모두 나누어 주어 왕자가 앞을 볼 수 없게 된 뒤로는 왕자가 불쌍해서 왕자의 곁을 지켰습니다.

4 제비는 하룻밤만이라며 왕자를 도와 착한 일을 하다가 왕자가 안쓰럽고 가여워졌다는 것을 알 수 있습니다.

오답 풀이

① 왕자는 보석과 자신의 몸을 뒤덮은 황금이 모두 사라져 자신의 모습이 초라해 보여도 전혀 신경을 쓰지 않았습니다.

② 제비는 앞을 볼 수 없는 왕자가 불쌍해서 왕자 곁에 남겠다고 하였습니다.

③ 도움을 받은 사람들은 누가 보석을 주었는지 모릅니다.

⑤ 제비는 왕자의 눈에서 보석을 빼내고 싶지 않았지만, 왕자가 부탁하여 들어준 것입니다.

114쪽 지문 분석

1

인물	인물의 행동	인물의 성격
왕자	자신이 가진 보석들을 가난한 사람들에게 모두 나누어 줌.	다른 사람의 아픔에 (공감(○), 공유)하고, 자신을 희생하면서까지 다른 사람을 (돕는(○), 부러워하는) 성격임.
제비	왕자의 부탁을 거절하지 못하고, 자신의 모든 것을 나누어 준 왕자의 곁을 지키겠다고 함.	다른 사람을 (무시, 배려(○)) 하며 (자신감 , 책임감(○))이 강함.

2

병에 걸린 아이에게 칼자루에 있는 (루비)를 줌.

↓

추워서 글을 쓸 수 없는 젊은이에게 (눈)에 박힌 사파이어를 줌.

↓

성냥팔이 소녀에게 한쪽 눈에 남아 있던 (사파이어)를 줌.

↓

자신의 몸을 뒤덮고 있던 (황금)을 사람들에게 조금씩 나누어 줌.

1 자신이 가진 보석들을 나누어 준 왕자는 다른 사람의 아픔에 공감하고 자신을 희생하는 사람입니다. 또 앞을 볼 수 없게 된 왕자의 곁을 지키겠다고 말한 제비는 다른 사람을 배려하고 책임감이 강한 성격입니다.

2 왕자는 병에 걸린 아이에게 루비를 주었고, 젊은이와 성냥팔이 소녀에게는 사파이어를 주었습니다.

115쪽 오늘의 어휘

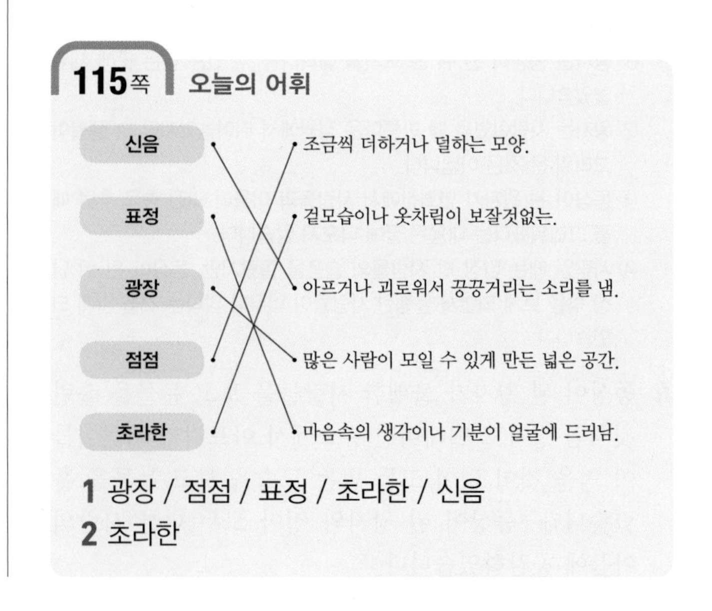

1 광장 / 점점 / 표정 / 초라한 / 신음

2 초라한

• **글 ❸ 중심 내용** 남쪽 나라로 날아가지 못한 제비는 그만 얼어 죽게 되고, 그 순간 동상의 가슴 속에 있던 심장은 두 조각이 납니다. 용광로에서도 왕자의 심장은 녹지 않았고, 천사는 세상에서 가장 아름다운 두 가지로 왕자의 심장과 죽은 제비를 하느님께 가져갑니다.

117쪽 지문 독해

1 심장, 제비 **2** ②, ③ **3** ③, ④ **4** ㉮

1 도시로 내려가 세상에서 가장 귀한 것 두 가지를 가져오라는 하느님의 명령에 천사는 행복한 왕자의 심장과 죽은 제비를 가져갔습니다.

2 '볼품없다'는 '겉으로 드러나 보이는 모습이 초라하다.'라는 뜻으로, '멋없다', '초라하다', '보잘것없다'와 뜻이 비슷하여 바꾸어 쓸 수 있습니다.

오답 풀이

② 섬세하다: 곱고 가늘다.
③ 빈틈없다: 어떤 것이 빠져 있거나 어떤 부분이 비어 있지 않다.

3 제비가 죽자, 동상에 있던 납으로 만든 심장이 두 조각으로 깨지는 소리가 들렸습니다. 또한 제비는 진심으로 왕자를 사랑하게 되었기 때문에 차마 왕자를 떠나지 못하고 왕자의 곁에서 죽음을 맞이했습니다.

오답 풀이

① 동상을 녹이기 위해 용광로에 넣었지만 납으로 만든 왕자의 심장은 녹지 않았습니다.
② 사람들은 초라해진 왕자의 동상을 철거하기로 결정했습니다.
⑤ 광장을 지나가던 사람들은 볼품없이 변한 동상의 겉모습만 보고 보기 흉하다고 말하였습니다.

4 궁궐 안에 살 때 자신의 행복밖에 몰랐던 '행복한 왕자'였다면, 동상이 된 후 다른 사람의 아픔에 공감하고, 자신이 가진 것을 나누어 주며, 상대방이 행복해하는 모습을 보면서 더 큰 행복을 느끼는 '행복한 왕자'가 되었다고 할 수 있습니다. 왕자와 제비가 서로 사랑하고 살아 있을 때 사랑을 이루었다는 것은 글의 내용과 맞지 않습니다.

유형 분석/감상

작품 내용을 잘 이해하고 감상한 뒤 제목이 가진 의미를 알맞게 파악한 것을 골라야 합니다. 사람들이 부러워한 '행복한 왕자'와 왕자가 깨달음을 통해 스스로 행복해져 진짜 '행복한 왕자'가 된 것이 어떻게 다른지 생각해 봅니다.

118쪽 지문 분석

1

이야기 속 사건	까닭
제비가 쓰러져 숨을 거두자, 왕자 동상의 가슴 속 심장이 두 조각 남.	다른 사람의 아픔에 공감하고, 자신을 희생했던 왕자의 사랑이 너무 따뜻하고 단단해서
왕자의 동상을 용광로에 넣자, 다른 곳은 다 녹았지만 납으로 만든 심장만 녹지 않음.	사랑하는 제비의 죽음으로 인한 왕자의 슬픔이 너무 커서

2

주제	주변에 (도움)을 필요로 하는 어려운 이웃들에게 관심을 갖고, (나눔)의 행복을 실천하자.

1 동상의 가슴 속 심장이 두 조각 난 것은 제비를 사랑했던 왕자의 슬픔이 너무 컸기 때문이고, 왕자의 동상 중에서 납으로 만든 심장만 녹지 않은 것은 다른 사람의 아픔에 공감하고 자신을 희생했던 왕자의 마음이 따뜻하고 단단했기 때문입니다.

2 다른 사람의 슬픔을 알고 자신의 것을 나누어 주면서 진정한 행복을 알게 되는 '행복한 왕자'의 이야기를 통해 '도움이 필요한 주변의 이웃을 돌아보고 나눔의 행복을 실천해 보자.'라는 주제를 말하고 있습니다.

119쪽 오늘의 어휘

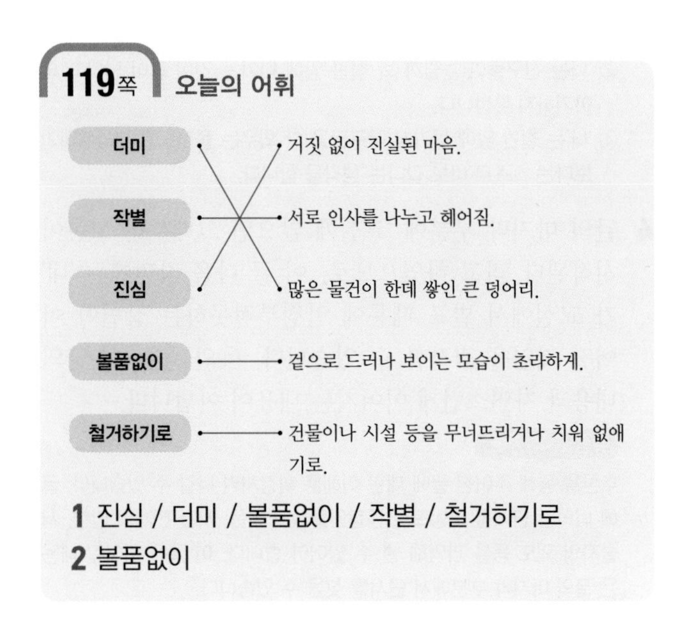

1 진심 / 더미 / 볼품없이 / 작별 / 철거하기로
2 볼품없이

- **글의 종류** 외국 동화
- **글의 특징** 칠판 앞에 나가 발표하는 것이 겁나서 목요일마다 배가 아픈 '내'가 겁이 많은 선생님을 만나게 되면서 용기를 얻게 되는 이야기로, 발표에 대한 아이들의 두려움과 용기에 대해 생각해 볼 수 있는 글입니다.
- **글의 주제** 수업 시간 발표가 어려운 친구들은 한번쯤 용기를 내 보자.
- **글 ❶ 중심 내용** '내'가 목요일마다 배가 아픈 이유는 목요일마다 선생님께서 칠판 앞에 나가 수학 문제를 풀게 하시기 때문인데, '나'는 칠판 앞에 나가는 것이 아주 겁이 납니다.

121쪽 지문 독해

1 ⑤ **2** (3) ○ **3** ③ **4** ㉯

1 이 글은 작가의 상상력으로 만들어 낸 동화로 아이들에게 교훈과 재미를 느끼게 합니다.

2 선생님께서는 목요일마다 학생 한 명을 불러서 칠판 앞에 나가 수학 문제를 풀게 하시는데, '나'는 칠판 앞에 나가서 문제를 풀게 될까 봐 아주 겁이 나서 목요일마다 배가 아프다고 느낍니다.

3 '나'의 어머니는 '내'가 목요일마다 배가 아픈 까닭을 초콜릿을 많이 먹어서라고 생각하시고, 아버지는 '내'가 게을러서 집에서 놀고 싶어서 핑계를 댄다고 생각하시지만 그것은 배가 아픈 진짜 이유가 아닙니다.

오답 풀이

①, ⑤ '나'는 칠판 앞에 나가면 겁이 나고, 겁이 나면 숫자도 제대로 안 세어진다고 하였습니다.

② '나는 친구들이 놀릴까 봐 칠판 앞에 나가는 것이 겁이 난다고 이야기하지 못합니다.

④ '나'는 칠판 앞에 나가서 구구단을 다 외우는 폴린느를 부러워하기보다는 스스로 바보 같다는 생각을 합니다.

4 글의 마지막 부분에 '교실에 앉으면 그때부터 고통이 시작된다.'라고 하였으므로, 이 글 다음 장면에는 '내'가 교실에서 발표 때문에 안절부절못하는 장면이 이어질 것임을 짐작할 수 있습니다. ㉮와 ㉰는 이 글의 내용과 자연스럽게 이어지는 내용이 아닙니다.

유형 분석 / 추론

추론을 통해 주어진 글에 대한 이해를 확장시켜 나갈 수 있습니다. 글에 나타난 단서를 바탕으로 등장인물들의 마음, 사건 전개의 방향, 서술자의 의도 등을 파악해 낼 수 있어야 합니다. 이 글에 이어질 내용은 글의 마지막 부분에서 단서를 찾을 수 있습니다.

122쪽 지문 분석

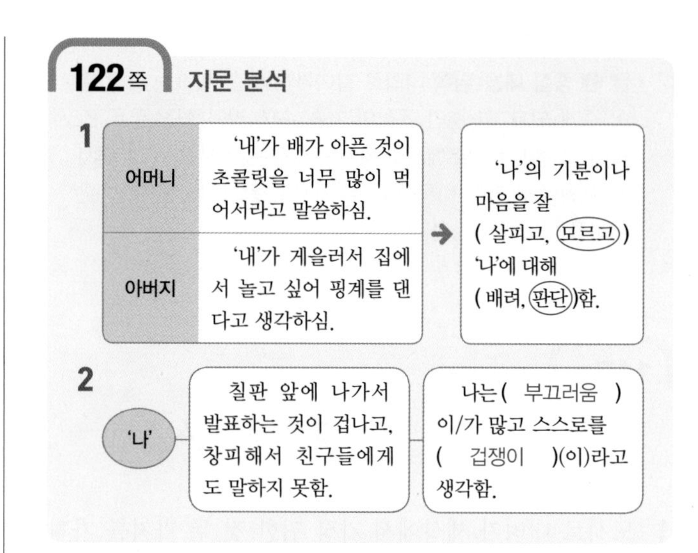

1 '내'가 초콜릿을 많이 먹어서 배가 아프다고 생각하시는 어머니, '내'가 집에서 놀고 싶어서 핑계를 댄다고 생각하시는 아버지는 '나'의 기분이나 마음을 알려고 하지 않으시고 짐작만 하십니다.

2 '나'의 행동과 말을 통해서 부끄러움과 겁이 많고 소심한 성격임을 알 수 있습니다.

123쪽 오늘의 어휘

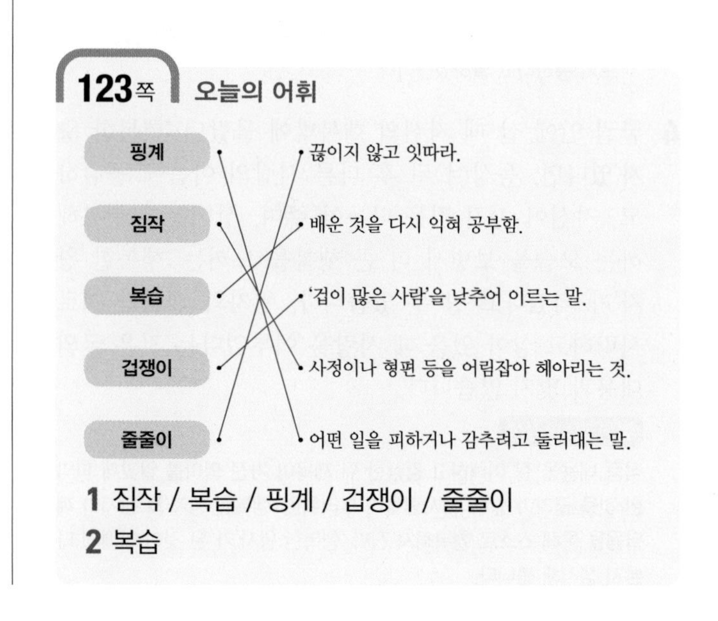

1 짐작 / 복습 / 핑계 / 겁쟁이 / 줄줄이

2 복습

• **글 ❷ 중심 내용** 선생님께서 '내' 쪽으로 다가오실 때, '나'는 선생님께서 '나'를 못 보시게 하려고 몸을 낮추었는데, 갑자기 오늘 연수를 가셔야 한다며 새로운 선생님을 소개하셨습니다.

125쪽 지문 독해

1 ③ **2** ③ **3** 라디오 **4** ⑤

1 선생님께서 '나'에게 칠판 앞에 나가 수학 문제를 풀라고 시키실까 봐 걱정하며 몸을 낮추는 것, 새로운 선생님이 오셨다는 것 등을 통해 일이 일어난 장소가 '학교 교실'임을 짐작할 수 있습니다. 글의 내용, 글에 나온 낱말 등을 통해 어디에서 일어난 일인지를 파악해 봅니다.

2 오늘 연수를 받으러 가시는 담임 선생님을 대신해서 두 뺨이 발그레한 곱슬머리 비숑 선생님이 새로 오셨습니다.

오답 풀이

①, ② 선생님께서는 오늘 아무에게도 수학 문제를 풀라고 시키지 않으셨습니다.
④ 선생님께서는 오늘 연수를 받으러 가야 한다고 말씀하셨습니다.
⑤ '나'는 오늘 수학 문제를 풀지도 않았고, 선생님께 칭찬을 받지도 않았습니다.

3 이 글에서 엉망이 된 '나'의 머릿속을 고장 난 라디오에 직접 빗대어 표현하였습니다. '나'는 칠판 앞에 나가게 될까 봐 겁이 나서, 아버지께서 수리를 하시기 전 지지직거리는 소리만 내던 고장 난 라디오처럼 머릿속이 뒤죽박죽인 상태가 되었습니다.

4 이 글에서 '나'는 선생님께서 앞으로 나오라고 부르실까 봐 걱정하며 안절부절못하였습니다. 따라서 '나'처럼 불안하고 초조한 마음을 느낀 친구는 내일 있을 수학 시험이 걱정되는 영진이입니다. 이 글에서 '나'는 민지처럼 속상한 마음, 정민이처럼 설레는 마음, 경태처럼 아쉬운 마음, 혜수처럼 화가 난 마음이 들지는 않았습니다.

유형 분석/적용

먼저 글에 나타난 인물의 말과 행동을 통해 인물의 마음이 어떤지, 인물이 어떤 생각을 하였을지 파악해 봅니다. 그리고 친구들이 겪은 일을 통해 느꼈을 마음을 생각하여 가장 비슷한 마음을 느낀 친구를 고릅니다.

126쪽 지문 분석

1 (1) 선생님께서 '나' 대신 폴린느의 이름을 부르심. ( )
(2) 오랫동안 몸을 낮추고 있어서 엉덩이가 아파짐. ( )
(3) 담임 선생님께서 연수를 가셔야 해서 다른 선생님께서 오셨다는 소식을 들음. (○)

2 선생님께서 내 쪽으로 다가오시자 (긴장)되고 불안함.
↓
발표를 하지 않을 수도 있다는 생각에 (안심)이 됨.

1 '나'는 발표를 하게 될까 봐 선생님의 눈에 보이지 않으려고 몸을 낮추었지만, 자리를 비우시는 담임 선생님 대신 새로운 선생님이 오셨다는 말을 듣고 다시 허리를 쭉 펴고 앉았습니다.

2 선생님께서 '나'를 발표할 사람으로 부르실지 모른다는 생각에 긴장되고 불안하였다가, 다른 선생님께서 오셔서 칠판 앞에 나가도 되지 않을 거라는 생각이 들자 마음이 편해지고 안심이 되었습니다.

127쪽 오늘의 어휘

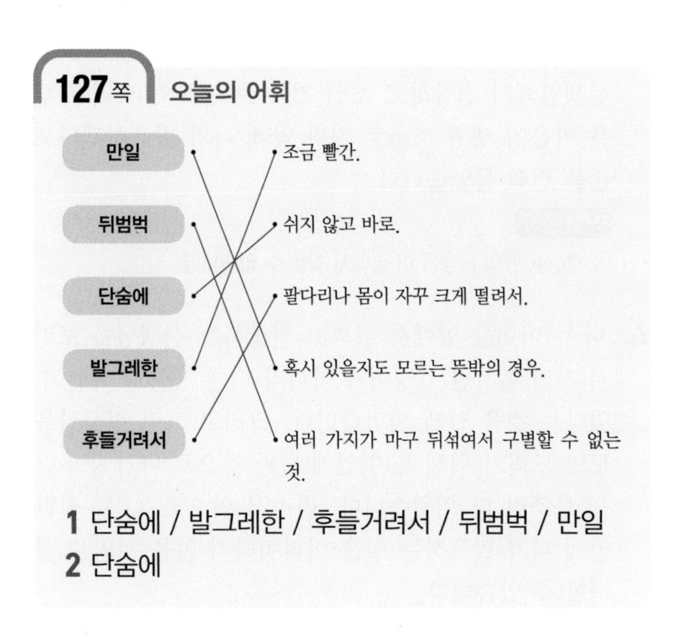

1 단숨에 / 발그레한 / 후들거려서 / 뒤범벅 / 만일
2 단숨에

- **글 ❸ 중심 내용** 나처럼 긴장한 것 같아 보이시는 선생님을 도와 드리기 위해 '나'는 손을 번쩍 들고 칠판 앞으로 나가 선생님께서 질문하시기도 전에 구구단을 다 외워 버렸습니다. 비숑 선생님 덕분에 혼자만 겁쟁이가 아니라는 것을 알게 된 '나'는 으쓱해졌습니다.

129쪽 지문 독해

1 긴장, 손 **2** ㉤ **3** ③ **4** ⑤

1 이 글에서 가장 중요한 일은 '내'가 새로 오신 선생님께서 긴장하고 계시다는 것을 알고, 선생님을 도와 드리고 싶은 마음이 생겨 용기를 내어 손을 들어 발표하겠다고 한 것입니다. '내'가 한 일을 중심으로 글의 중심 내용을 정리해 봅니다.

유형 분석/중심 내용

글의 중심 인물이 누구인지 먼저 살펴보고, 그 인물이 한 행동, 인물이 처한 상황을 정리합니다. 그리고 문제에 제시된 내용과 비교하며 빈칸에 들어갈 알맞은 낱말을 찾아봅니다.

2 ㉠~㉣의 '나'는 칠판 앞에 나가기를 두려워하는 마음을 가진 '나'입니다. 하지만 ㉤의 '나'는 선생님께서 손수건을 돌돌 말고, 눈을 어디에다 두어야 할지 모르고 있는 것을 보고 선생님께서 긴장하고 계신 것을 알게 되어 선생님을 돕고 싶은 마음이 든 '나'입니다.

3 '내'가 손을 번쩍 들고 말하였다는 내용 바로 앞에 그러한 행동을 한 까닭이 나와 있습니다. '나'는 평소에는 칠판 앞에 나가는 것을 두려워하였는데 새로 오신 선생님께서 긴장하고 계신 것을 보고 도와 드리고 싶은 마음이 생겨 스스로 칠판 앞에 나가 발표하겠다고 손을 번쩍 들었습니다.

오답 풀이

①, ②, ④, ⑤의 내용은 이 글에서 찾을 수 없습니다.

4 '나'는 아이들 앞에서 겁먹고 긴장하는 선생님을 보면서 자기 혼자만 겁쟁이가 아니라 다른 사람도 그럴 수 있다는 것을 알게 되었습니다. 그리고 그런 선생님을 도와 드리기 위해 용기 있게 칠판 앞으로 나가 구구단을 모조리 다 외웠습니다. 따라서 앞으로 '나'는 칠판 앞에 나가 발표하는 일을 어려워하지 않을 것임을 짐작할 수 있습니다.

130쪽 지문 분석

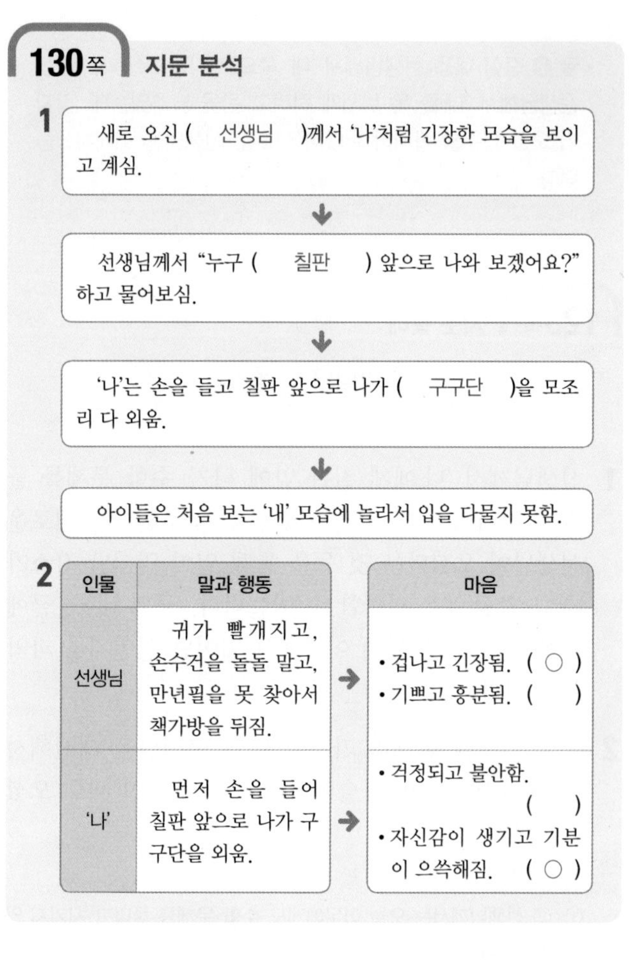

1 새로 오신 선생님께서 '나'처럼 긴장하시자, '나'는 선생님을 돕기 위해 칠판 앞으로 나가서 구구단을 외웠고 아이들은 처음 보는 '내' 모습에 모두 놀랐습니다.

2 선생님의 행동을 통해 겁나고 긴장된 마음을, 손을 들고 앞으로 나가 구구단을 외운 '나'의 행동을 통해 자신감이 생기고 기분이 으쓱해진 마음을 알 수 있습니다.

131쪽 오늘의 어휘

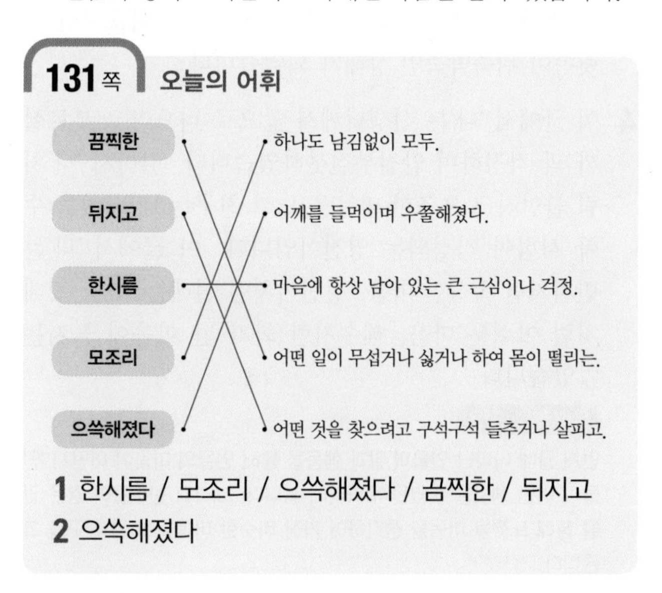

1 한시름 / 모조리 / 으쓱해졌다 / 끔찍한 / 뒤지고
2 으쓱해졌다

- **글의 종류** 시
- **글의 특징** 달도 뜨지 않는 그믐밤에 유일하게 반짝이는 존재인 '반딧불'을 '부서진 달 조각'에 빗대어 나타내었습니다.
- **글의 주제** 반딧불을 찾으러 숲으로 가자.
- **글의 짜임** 3연 10행

135쪽 지문 독해

1 ③ **2** ⑤ **3** ③ **4** ㉰

1 이 시는 그믐밤에 반짝이는 반딧불을 표현한 것으로, 말하는 이는 2연에서 '~은 ~(이)다'의 방법을 사용하여 '그믐밤 반딧불은/부서진 달 조각'이라고 표현했습니다.

오답 풀이

① 배경이 되는 장소가 분명히 드러나 있지 않습니다.
② 흉내 내는 말이 사용되지 않았습니다.
④ 3연 10행으로 짜여져 있는 시입니다.
⑤ 1연과 3연이 반복되는 구조입니다.

2 '부서진 달조각'은 달도 뜨지 않은 깜깜한 그믐밤에 달빛 대신 반짝이고 있는 반딧불을 빗대어 표현한 대상입니다.

유형 분석/표현

비유적 표현은 어떤 사물을 그것과 비슷한 다른 사물에 빗대어 표현하는 방법입니다. 이 시에서는 반딧불과 달 조각이 캄캄한 어둠 속에서 빛난다는 점이 비슷하다는 것을 생각하여 빗대어 표현하였습니다.

3 이 시의 말하는 이는 1연과 3연에 반복되는 구조를 사용하여 리듬감을 주고, 숲으로 가자는 자신의 생각을 강조하여 나타냈습니다. 하지만 '반딧불'은 2연에 한 번만 나오는 말입니다.

오답 풀이

①, ②, ④ 1연과 3연에 반복되어 나옵니다.
⑤ 1연, 2연, 3연에 반복되어 나옵니다.

4 시의 내용을 이해하고, 시의 내용에 맞게 자신의 생각이나 느낀 점을 바르게 말한 것을 찾아봅니다. 반딧불을 보며 달조각이 부서져 반짝이는 것이라고 표현한 것에서 말하는 이의 성품을 짐작해 볼 수 있습니다.

오답 풀이

㉮ 이 시는 반복되는 말을 사용하여 리듬감을 살리고 뜻을 강조하여 표현하였습니다.
㉯ 그믐밤은 달이 뜨지 않은 깜깜한 밤으로, 반짝이는 반딧불을 더 빛나게 만들어 주는 시간적 배경입니다.

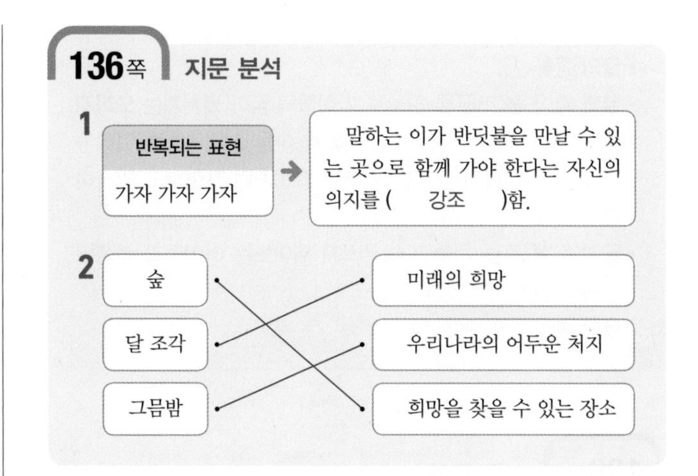

1 이 시의 1연과 3연에 계속 반복되어 쓰인 '가자'는 우리 모두 반딧불을 만날 수 있는 곳으로 함께 가자는 것을 강조하는 말입니다.

2 이 시를 쓴 시대의 상황을 생각하며 이 시를 읽어 보면 '숲'은 우리나라의 희망을 찾을 수 있는 장소, '달 조각'은 미래의 희망, 깜깜한 '그믐밤'은 우리나라의 어두운 현실을 뜻한다고 볼 수 있습니다.

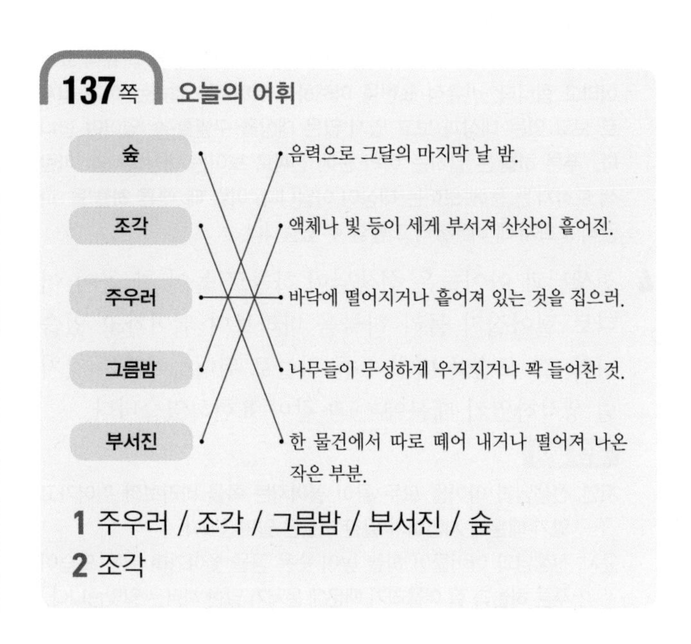

- **글의 종류** 시
- **글의 특징** 높고 푸른 하늘을 아이들의 꿈이 펼쳐지는 도화지에 비유한 시로, 푸른 하늘 속에서 마음껏 뛰어노는 아이들과 선생님의 즐거운 모습을 예쁜 그림처럼 표현하고 있습니다.
- **글의 주제** 푸른 하늘과 어우러져 뛰어노는 아이들과 선생님의 모습을 나타내었습니다.
- **글의 짜임** 4연 12행

139쪽 지문 독해

1 아이들 **2** ③ **3** 도화지 **4** 준서

1 이 시는 푸른 하늘과 어우러져 마음껏 뛰어노는 아이들과 선생님의 즐거운 모습을 예쁜 그림처럼 표현하였습니다.

2 '하늘 속으로 / 야아 / 선생님 찬 공이 / 쏘옥 들어간다.'라는 부분을 통해, 선생님이 하늘로 올라갈 만큼 공을 높이 차올렸다는 것을 알 수 있습니다.

오답 풀이

① 2연에서 하늘은 금 그을 수 없다고 하였습니다.
② 4연에서 아이들이 푸른 하늘을 쳐다보며 뛰어가고 있음을 알 수 있습니다.
④ 푸른 하늘로 공이 솟아오른 것입니다.
⑤ 선생님과 아이들은 공을 차며 함께 뛰어놀고 있습니다.

3 1연에서 하늘은 파란색 도화지 한 장이라고 표현하였습니다.

유형 분석/표현

대상을 공통점이 있는 다른 사물에 빗대어 표현한 것을 비유적 표현이라고 합니다. 비유적 표현을 이해하기 위해서는 말하는 이가 실제로 보고 있는 대상과 보고 있지 않은 대상을 구별할 수 있어야 합니다. '푸른 하늘'은 말하는 이의 눈에 진짜로 보이는 대상이지만 '파란색 도화지'는 눈에 보이는 대상이 아닙니다. 이럴 때 '푸른 하늘'을 '파란색 도화지'에 비유했다고 말할 수 있습니다.

4 선생님과 아이들은 선생님이 하늘로 높이 찬 공이 어디로 떨어질지 몰라 하늘을 바라보며 뛰어가고 있습니다. 그 모습을 마치 푸른 하늘로 뛰어들어가는 것처럼 생각하였기 때문에 ㉠과 같이 표현하였습니다.

오답 풀이

지연: 선생님과 아이들 모두 공이 떨어지는 쪽을 바라보며 뛰어가고 있기 때문에 지연이가 말한 까닭은 알맞습니다.
윤서: 선생님과 아이들이 하늘 높이 솟은 공을 쫓아가며 뛰는 모습이 푸른 하늘과 잘 어울리기 때문에 윤서가 말한 까닭은 알맞습니다.

140쪽 지문 분석

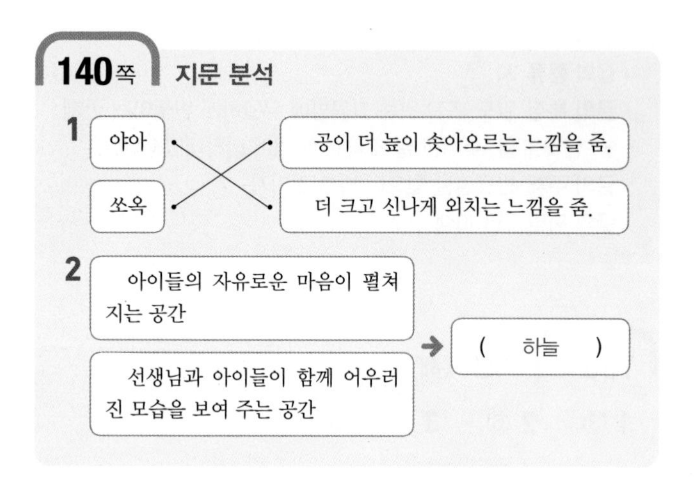

1 '야아'는 '야'를 늘여 말한 것으로, 더 크고 신나게 외치는 느낌을 줍니다. '쏘옥'은 '쏙'을 길게 늘여 말한 것으로, 공이 더 높이 솟아오르는 느낌을 줍니다.

2 땅빼기를 하던 아이들은 선생님이 차올린 공을 함께 가지고 놀며 자유로운 마음을 펼치고 있습니다. 이러한 모습이 잘 나타난 장소는 '하늘'입니다.

141쪽 오늘의 어휘

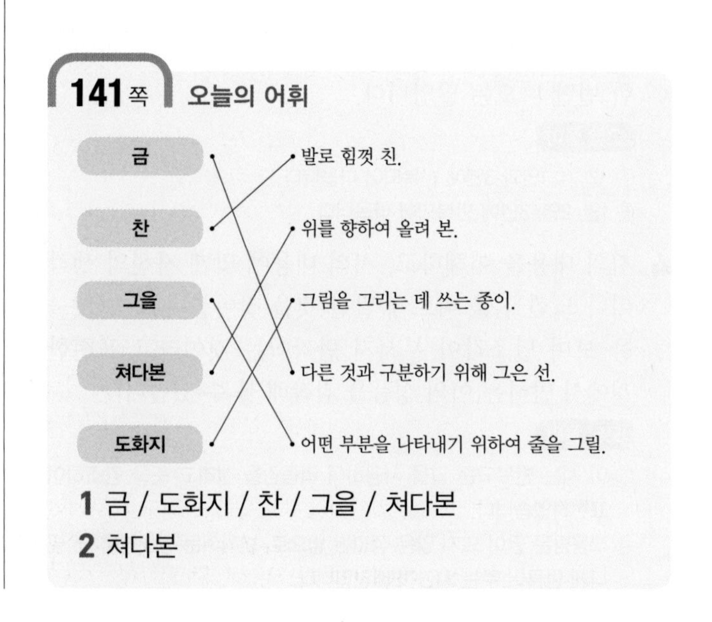

1 금 / 도화지 / 찬 / 그을 / 쳐다본
2 쳐다본

- **글의 종류** 시
- **글의 특징** 말하는 이가 혼자 앉아 있는 비비새를 걱정하는 마음과 외로운 분위기가 잘 나타나 있습니다.
- **글의 주제** 혼자 앉아 있는 비비새를 보고 느낀 외로움을 표현하였습니다.
- **글의 짜임** 4연 13행

143쪽 지문 독해

1 ① **2** ② **3** 동그마니 **4** 유라

1 이 시는 4연 13행으로 이루어진 시입니다.

오답 풀이

②, ④ 설명하는 글에 대한 설명입니다.
③ 주장하는 글에 대한 설명입니다.
⑤ 이야기, 옛이야기에 대한 설명입니다.

2 이 시의 2연에서 비비새는 마을에서도 숲에서도 멀리 떨어진 논벌로 지나간 전봇줄 위에 앉아 있었다고 하였습니다.

오답 풀이

① 말하는 이는 혼자 비비새의 모습을 바라보고 있었습니다.
③ 비비새가 말하는 이를 바라보았는지는 알 수 없습니다.
④ 비비새는 숲에서도 멀리 떨어진 논벌로 지나간 전봇줄 위에 앉아 있었습니다.
⑤ 말하는 이가 한참을 가다 되돌아보아도 비비새는 그때까지 혼자서 앉아 있었습니다.

3 3연에서 혼자서 '동그마니' 앉아 있다고 표현하였습니다. '동그마니'는 사람이나 사물이 외따로 오뚝하게 있는 모양을 뜻하는 낱말입니다.

4 4연에서 한참을 걸어오다 되돌아봐도 그때까지 비비새가 혼자 앉아 있었다고 하였습니다. 따라서 비비새가 사라져 버려서 말하는 이가 안타까웠다고 말한 유라는 이 시의 내용을 잘못 이해한 것입니다.

오답 풀이

현진: 1연과 3연에 '혼자서 앉아 있었다'라는 표현이 반복되고 있으므로, 현진이는 시에 대한 생각이나 느낌을 바르게 말하였습니다.
민우: 비비새가 사람들이 사는 마을과 새들이 있는 숲에서도 멀리 떨어진 곳에 혼자 있어 더 외롭고 쓸쓸하게 느껴집니다.

유형 분석/감상

시를 읽고 감상을 말할 때에는 말하는 이가 시 속 인물을 어떤 관점으로 바라보는지 살펴보아야 합니다. 이 시에서 말하는 이는 혼자 앉아서 움직이지 않는 비비새를 보며 외로움, 쓸쓸함 등을 느끼고 있습니다.

144쪽 지문 분석

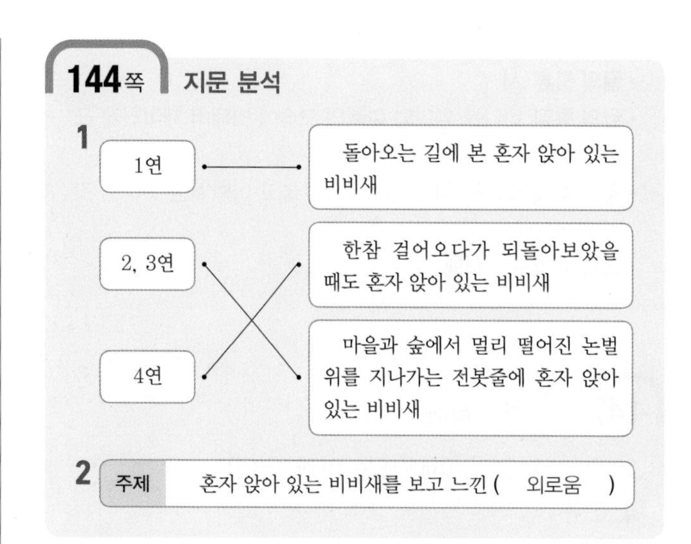

1 말하는 이는 돌아오는 길에 혼자 앉아 있는 비비새를 보았는데, 한참을 걸어오다 다시 되돌아보았을 때에도 비비새가 혼자 있었습니다.

2 이 시에는 말하는 이가 혼자 앉아 있는 비비새를 걱정하는 마음과 외로운 분위기가 잘 나타나 있습니다.

145쪽 오늘의 어휘

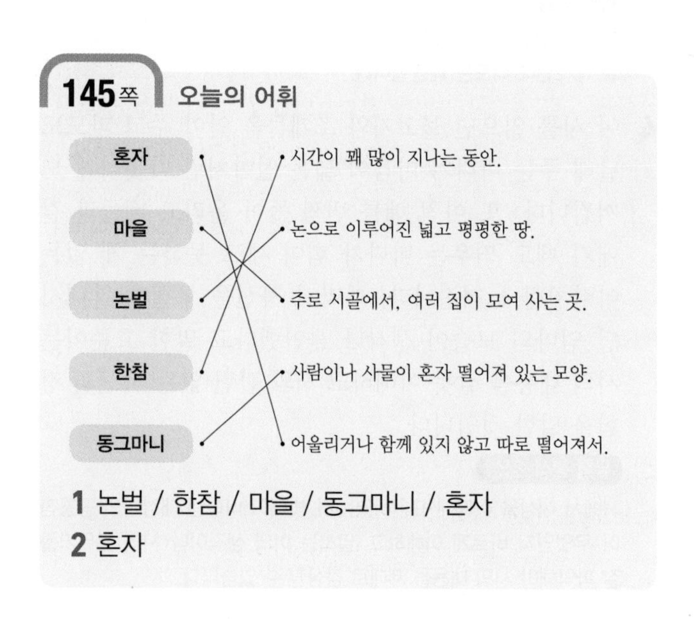

- **글의 종류** 시
- **글의 특징** 바다를 엄마와 아빠의 모습에 빗대어 재미있게 표현하였습니다.
- **글의 주제** 바다는 엄마처럼 가슴이 넓고 아빠처럼 못하는 것이 없습니다.
- **글의 짜임** 2연 14행

147쪽 지문 독해

1 ① **2** 엄마, 아빠(또는 아빠, 엄마) **3** ①
4 효준

1 이 시에서 말하는 이는 바다를 엄마처럼 가슴이 넓고, 아빠처럼 못하는 게 없다고 표현하였으므로, 시를 읽을 때 엄마와 아빠의 모습과 관련지어 읽으면 시의 내용을 더 잘 이해할 수 있습니다.

오답 풀이

②, ⑤ 주장하는 글을 읽을 때 알맞은 방법입니다.
③ 동화 등의 글을 읽을 때 알맞은 방법입니다.
④ 설명하는 글 읽을 때 알맞은 방법입니다.

2 1연에서는 바다를 가슴이 넓은 엄마에 빗대어 표현하였고, 2연에서는 못하는 게 없는 아빠에 빗대어 표현하였습니다.

3 바다는 엄마처럼 온갖 물고기와 조개를 품에 안고 파도를 달래고, 아빠처럼 아침 해를 번쩍 들어 올리고 배와 갈매기 떼를 띄운다고 하였습니다.

오답 풀이

②, ⑤ 1연에 나오는 내용입니다.
③, ④ 2연에 나오는 내용입니다.

4 이 시를 읽으면 물고기와 조개들을 안아 주고 파도도 달래 주는 바다가 마음이 넓은 엄마처럼 따뜻하게 느껴집니다. 또 아침 해를 번쩍 들어 올리고 배들과 갈매기 떼도 띄우는 바다가 힘이 세고 못하는 게 없는 아빠처럼 느껴집니다. 따라서 자신을 무섭게 혼내시던 엄마의 모습이 생각나 불안했다고 말한 효준이는 시의 내용을 잘못 이해하고 시와 관련 없는 자신의 경험을 말한 것입니다.

유형 분석/감상

시에서 대상을 어떻게 표현하였는지, 빗대어 나타낸 대상과의 공통점이 무엇인지 바르게 이해하고, 말하는 이의 생각이나 시의 분위기를 잘 파악해야 시의 내용을 제대로 감상할 수 있습니다.

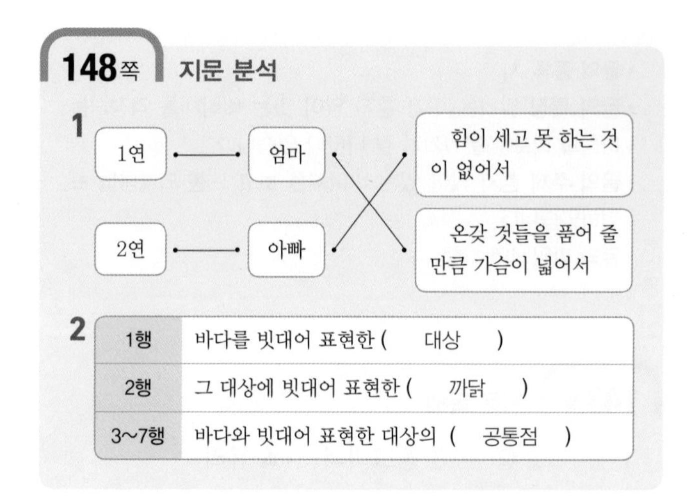

1 이 시의 1연에서는 바다가 엄마처럼 온갖 것들을 품어 주는 가슴이 넓은 존재라고 표현하였고, 2연에서는 바다가 아빠처럼 힘이 세고 못 하는 것이 없는 존재라고 표현하였습니다.

2 이 시는 1연과 2연이 비슷한 짜임으로 구성되어 있습니다. 각 연의 1행에서는 바다를 빗대어 표현한 대상, 2행에서는 그 대상에 빗대어 표현한 까닭, 나머지 행에서는 바다와 그 대상의 공통점이 나타나 있습니다.

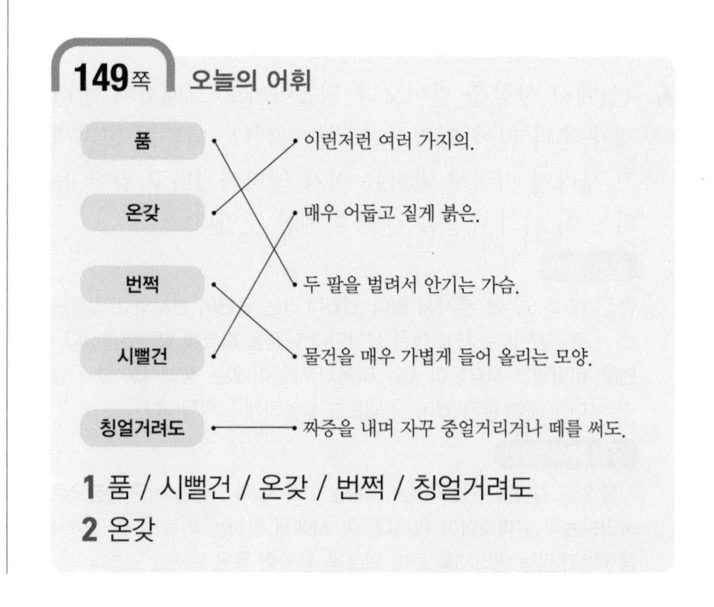

- **글의 종류** 시
- **글의 특징** 양말 구멍 사이로 삐져나온 발가락을 마치 사람처럼 표현한 시로, 방언을 사용하여 더 생생한 느낌이 들고 재미있습니다.
- **글의 주제** 자유롭게 세상 구경을 하고 싶은 발가락의 모습을 표현하였습니다.
- **글의 짜임** 5연 14행

151쪽 지문 독해

1 ⑤ **2** ① **3** (1) ㉰ (2) ㉮ (3) ㉯ **4** ②, ④

1 이 시는 양말에 구멍이 나 발가락들이 나온 일을 재미있게 표현하였습니다.

오답 풀이

① 양말에 구멍이 난 까닭은 알 수 없습니다.
② 엄마가 양말을 기운 방법은 나오지 않습니다.
③ 발가락들은 양말 밖의 세상을 구경하기 위해서 얼굴을 내밀고 있습니다.
④ 발가락들은 서로 밀치면서 다투고 있습니다.

2 발가락이 양말 밖으로 쏙 나왔다는 것은 발가락의 모습을 보이는 그대로 표현한 것입니다.

유형 분석/표현

사람이 아닌 것을 사람처럼 표현하는 것을 '의인법'이라고 합니다. 이 시에서 '발가락'이 할 수 없는 행동을 보여 주는 부분을 찾아봅니다.

3 (1) '뽕'은 작은 구멍이 뚫릴 때 나는 가벼운 소리나 모양을 흉내 내는 말로, 이 시에서는 양말에 구멍이 난 모양을 나타냅니다.
(2) '쏙'은 안으로 깊이 들어가거나 밖으로 볼록하게 내미는 모양을 흉내 내는 말로, 이 시에서는 발가락이 양말 밖으로 삐져나온 모양을 나타냅니다.
(3) '꼼틀꼼틀'은 몸의 한 부분을 비틀거나 구부리며 조금씩 자꾸 움직이는 모양을 흉내 내는 말로, 이 시에서는 발가락이 자꾸 움직이는 모양을 나타냅니다.

4 엄마가 양말을 신겨 주는 장면과 양말을 서랍 깊숙한 곳에 넣어 두는 장면은 이 시를 읽고 떠오르는 장면으로 알맞지 않습니다.

오답 풀이

① 1연을 읽고 떠오르는 장면입니다.
③ 5연을 읽고 떠오르는 장면입니다.
⑤ 2연을 읽고 떠오르는 장면입니다.

152쪽 지문 분석

1

방언		효과
와 밀어내노	→	• 발가락들이 예쁜 척하는 모습을 재미있게 보여 줌. ( ) • 발가락이 토라진 듯한 느낌을 더 생생하게 표현함. (○) • 발가락들이 실제로 대화를 나누는 것처럼 자연스러운 느낌을 줌. (○)

2

1~4연		5연
양말 속 세상에 있다가 밖으로 나오니 (행복함).	→	다시 양말 속으로 들어가게 되어서 (답답함).

1 방언을 사용하여 발가락들이 진짜 대화를 주고받는 듯한 느낌을 주고, 서로 밀치다가 토라진 듯한 느낌을 생생하게 표현해 줍니다.

2 발가락들은 양말의 구멍으로 나올 수 있어서 행복했다가 다시 양말 속으로 들어가게 되어서 답답한 마음이 들었을 것입니다.

153쪽 오늘의 어휘

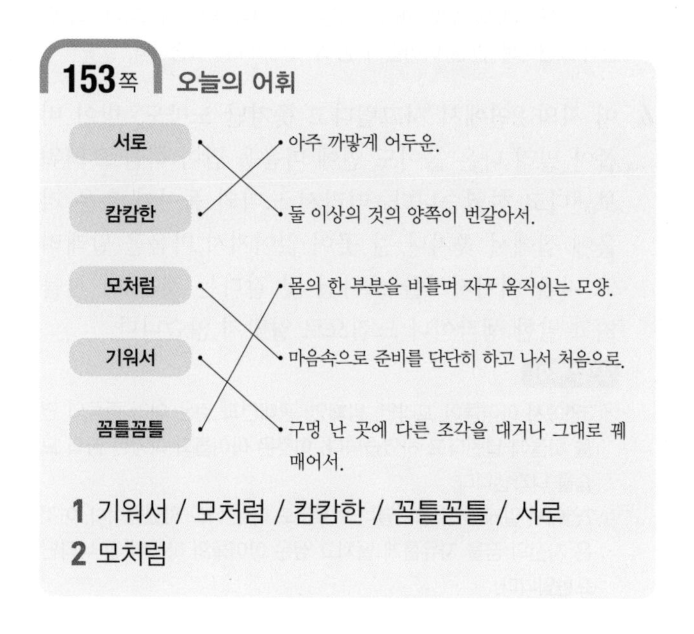

1 기워서 / 모처럼 / 캄캄한 / 꼼틀꼼틀 / 서로
2 모처럼

- **글의 종류** 시
- **글의 특징** '아이들의 꿈'을 상징하는 연을 날리는 모습을 다양한 사물을 사용하여 빗대어 표현하였고, 흉내 내는 말을 사용하여 생생하게 표현하였습니다.
- **글의 주제** 겨울 하늘에 연을 날리며 꿈을 키우는 아이들의 모습을 보여 줍니다.
- **글의 짜임** 9연 26행

155쪽 지문 독해

1 ⑤ **2** 마음의 놀이터 **3** ① **4** ㉯

1 이 시는 아이들이 겨울 하늘에 연을 날리는 모습을 표현하고 있습니다. ①~③은 시의 내용과 맞지 않고, ④는 이 시의 4연에 나오는 내용으로 연이 날아오르는 모습을 표현한 말입니다.

2 8연의 '겨울 하늘은 / 짓눌린 아이들의 / 마음의 놀이터'라는 부분에서 겨울 하늘을 무엇에 빗대어 나타내었는지 알 수 있습니다. 이와 같이 표현하려는 대상을 다른 대상에 빗대어 표현할 때에는 '~은/는 ……(이다)'를 사용할 수 있습니다.

3 이 시의 1연과 9연에서 '연'을 '꿈'에 빗대어 표현하고 있습니다.

유형 분석/세부 내용

시에서 '연'이 의미하는 것을 찾기 위해서는 말하는 이가 연을 어떤 것에 빗대어 표현했는지 찾아야 합니다. 이 시에서는 '바람에 연을 걸어 / 꿈을 올린다.'와 '연이 퍼드덕거린다. / 겨울 꿈이 퍼드덕거린다.'와 같이 표현하여 '연'을 아이들의 '꿈'에 빗대어 나타냈습니다.

4 이 시의 2연에서 시끄럽다고 쫓겨난 노마도, 방이 비좁아 밀려 나온 돌이도 연에 마음을 담아 하늘로 띄워 보낸다고 하였습니다. 따라서 노마와 돌이가 추운 겨울에 집에서 쫓겨나 갈 곳이 없어져서 마음을 달래려고 마을 여기저기를 쏘다닌 것 같다는 것은 이 시를 읽고 말한 생각이나 느낌으로 알맞지 않습니다.

오답 풀이

㉮ 3연에서 아이들이 꼬리연, 방패연, 광대연과 같은 여러 종류의 연을 하늘에 날린다고 하였습니다. 이것은 아이들의 다양한 꿈의 모습을 나타냅니다.

㉰ 7연에서 얼레를 감으며 달나라 로켓도 타 본다고 하였습니다. 이것은 자신의 꿈을 자유롭게 떨치고 싶은 아이들의 마음이 잘 나타난 표현입니다.

156쪽 지문 분석

1

여울물 차고 오르는 잉어 떼처럼 퍼드덕거리며 맴돌며 마구 하늘을 쏘다닌다.	→	연이 하늘로 올라가는 모습을 잉어 떼의 모습에 빗대어 표현해서 ((시각적), 후각적) 효과가 잘 나타남.

2

1~3연	아이들이 마음을 담아 (연)을 날림.
4~5연	(잉어) 떼처럼 힘차게 올라가 하늘을 날아다니는 연의 모습
6~7연	노마와 돌이의 연이 하늘에 뜨고, 아이들이 (얼레)를 감으며 하늘 높이 연을 날림.
8~9연	겨울 하늘은 아이들의 마음에 놀이터가 되어 주고, 연에 담긴 아이들의 (겨울 꿈)이 힘차게 날개를 침.

↓

주제	아이들이 겨울 (하늘)에 연을 날리며 꿈을 키우는 모습

1 연이 하늘로 올라가 떠다니는 모습을 여울물을 차고 오르는 잉어 떼의 모습에 빗대어 표현하여 눈에 보이는 것처럼 생생하게 표현하였습니다.

2 각 연의 내용을 정리하며 중요한 내용을 쓰고, 시에서 말하고자 하는 주제가 무엇인지 생각해 봅니다.

157쪽 오늘의 어휘

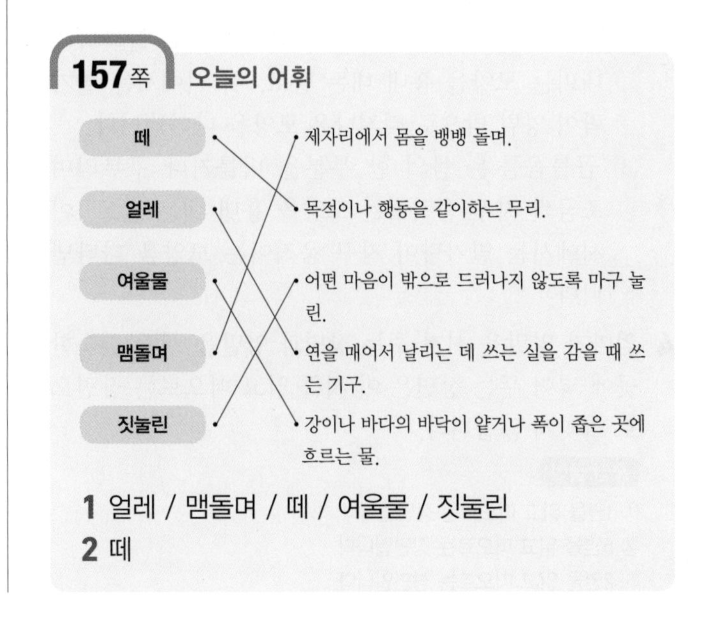

1 얼레 / 맴돌며 / 떼 / 여울물 / 짓눌린
2 떼

- **글의 종류** 수필
- **글의 특징** 작은 생명도 소중하게 생각하는 아이의 순수한 마음이 드러난 글입니다.
- **글의 주제** 작은 생명도 소중하게 생각할 줄 알아야 합니다.
- **중심 내용** 죽은 금붕어를 그냥 들고 나가시는 선생님을 본 '내'가 울음을 터뜨리고, '내'가 우는 까닭을 들은 선생님께서 아이들과 죽은 금붕어를 사랑 꽃 밑에 묻어 주셨습니다.

161쪽 지문 독해

1 ①, ③ **2** 금붕어 **3** ④ **4** ㉮

1 '내'가 죽은 금붕어를 발견한 곳과 또 선생님께서 죽은 금붕어를 뜰채로 떠 가지고 나가신 곳은 '학교 교실'입니다. 또 선생님과 '나', 반 친구들이 함께 쉬는 시간에 나가 죽은 금붕어를 묻어 주기 위해 간 곳은 '학교 화단'입니다.

유형 분석/갈래

글을 읽으며 일이 일어난 장소를 나타내는 말을 찾아 표시합니다. 이 글에서는 '학교', '교실', '화단'과 같은 말에서 일이 일어난 장소를 알 수 있습니다.

2 '나'는 학교에 오자마자 어항 속에 금붕어 한 마리가 죽어 있는 모습을 보았습니다.

3 선생님께서는 금붕어가 왜 죽었는지 우리들에게 물어 보시지 않고 뜰채로 죽은 금붕어를 떠 가지고 곧바로 나가 버리셨습니다.

오답 풀이

① 선생님께서는 '내'가 왜 우는지 그 까닭을 말하자 미안하다고 사과하셨습니다.
② 선생님께서는 쉬는 시간에 아이들과 화단에 가서 사랑 꽃 밑에다 금붕어를 묻으셨습니다.
③ 선생님께서는 아침에 교실에 들어와 금붕어가 죽은 것을 보고 뜰채로 떠서 교실 밖으로 나가셨습니다.
⑤ 선생님께서는 금붕어를 묻어 준 뒤, 다시는 죽은 금붕어를 아무 데나 버리지 않겠다고 약속하셨습니다.

4 이 글에서 '나'는 선생님께서 금붕어가 왜 죽었는지 우리들에게 묻지도 않으시고, 금붕어를 뜰채로 떠 가지고 곧바로 나가셔서 아무 데나 버리셨을까 봐 걱정이 되어 울었습니다. ㉯는 '내'가 운 까닭, ㉰는 '내'가 공부가 하나도 머리에 들어오지 않은 까닭에 대해 바르게 짐작하여 말했습니다.

162쪽 지문 분석

1

아침에 학교에 가 보니 (금붕어) 한 마리가 죽어 있었음.

↓

선생님께서 교실에 들어와 (뜰채)로 죽은 금붕어를 떠 가지고 나가셨다가 다시 돌아오셔서 아무 말씀이 없으심.

↓

'내'가 우는 바람에 (선생님)께서 금붕어에 대한 '나'의 마음을 알게 되심.

↓

쉬는 시간에 선생님, 친구들과 함께 (화단)에 금붕어를 묻어 줌.

2

일이 일어난 때	'나'의 마음
금붕어의 죽음을 본 후	너무 (외로움, (슬픔)).
선생님과 함께 금붕어를 묻고 난 후	기분이 ((좋아짐), 가라앉음).

1 일이 일어난 시간의 흐름에 따라 일어난 일을 정리해 봅니다.

2 이 글에서 '나'의 마음 변화는 '나는 너무너무 슬펐다.'와 '나는 겨우 기분이 좋아져서 집으로 돌아왔다.'라는 부분을 통해 알 수 있습니다.

163쪽 오늘의 어휘

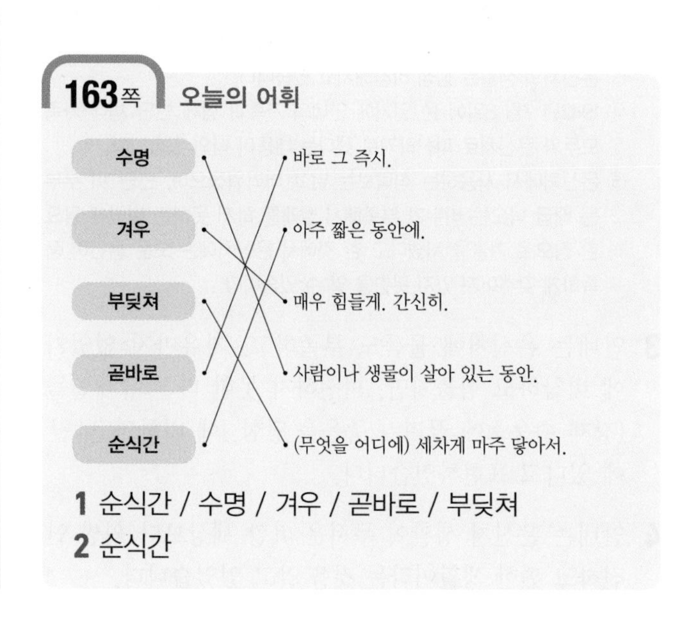

1 순식간 / 수명 / 겨우 / 곧바로 / 부딪쳐
2 순식간

- **글의 종류** 일기
- **글의 특징** 유대인인 안네가 독일 나치를 피해 가족을 비롯한 다른 사람들과 은신처 생활을 하는 동안 가상의 친구인 키티에게 이야기하는 형식으로 쓴 일기입니다.
- **글의 주제** 사춘기 소녀의 마음의 성장 과정, 어른들 세계에 대한 비판, 어려움 속에서도 꺾이지 않는 삶에 대한 꿋꿋한 용기 등이 잘 나타나 있습니다.
- **중심 내용** 아빠에게 호출장이 왔다는 소식에 안네는 두려워했지만 언니가 안네의 가족들은 은신처로 피신할 예정이라고 말해 주었습니다. / 은신처의 생활은 점점 힘들어지고 있지만, 은신처 식구들은 고통을 견딜 수 있을 것이라고 생각합니다.

165쪽 지문 독해

1 (3) ○ **2** ② **3** 낙원 **4** ③

1 이 글은 안네 프랑크라는 한 유대인 소녀가 나치를 피해 2년 동안 숨어 지내면서 자신이 겪은 일을 일기장과 대화하듯이 쓴 글입니다.

2 1942년 7월 8일 수요일에 쓴 일기와 1943년 5월 1일 토요일에 쓴 일기 모두 첫 부분을 '키티!'로 시작하고 있습니다. 안네가 일기장에 '키티'라는 이름을 붙였는데, 이를 통해 친구도 없이 숨어 지냈던 안네의 외로움을 엿볼 수 있습니다.

오답 풀이

① SS에서 아빠에게 호출장이 와서 가족들은 은신처로 피신합니다. (안네의 가족들이 강제 수용소로 보내지는 것은 2년 정도의 은신처 생활 이후입니다. 본문에는 나와 있지 않습니다.)
③ 은신처의 생활은 점점 비참해지고 있습니다.
④ 1942년 7월 8일에 쓴 일기에 안네의 가족과 함께 반단 씨네 가족 모두가 은신처로 피신하기로 했다는 내용이 나와 있습니다.
⑤ 은신처에서 사용하는 식탁보는 낡고 더러워졌으며, 반단 씨 부부는 배급 나오는 비누가 부족해서 빨래를 하지 못하는 바람에 담요 한 장으로 겨울을 지냈다고 한 것에서 은신처에는 모든 물건이 풍족하게 갖추어져 있지 못함을 알 수 있습니다.

3 안네는 은신처에 물품도 부족하고, 자유마저 없었기에 비참하고 힘들지만, 피신하지 못한 다른 유대인들(강제 수용소에 끌려가 죽음을 당함.)에 비하면 '낙원'에 있다고 표현하였습니다.

4 안네는 은신처 생활이 무서운 바깥 세상보다 훨씬 안전하고 편안한 생활이라는 것을 알고 있었습니다.

166쪽 지문 분석

1

안네가 겪은 상황		안네의 마음
SS(나치스의 친위대)에서 아빠에게 호출장을 보냈다는 소식을 들음.	→	• 긴장되고 설렘. ( ) • 놀랍고 두려움. (○)
은신처에서의 생활이 점점 눈에 띄게 나빠지고 있음.	→	• 슬프고 우울함. (○) • 궁금하고 떨림. ( )

2 모든 것이 부족하고 낡고 작았어. 하지만 은신처 식구들은 모두 이 정도의 고통은 견딜 수 있을 거야. 무서운 바깥세상보다 훨씬 (안전)하고 (편안한) 생활이라는 것을 알고 있었기 때문이야.

1 안네는 SS에서 아빠에게 호출장을 보냈다는 소식을 들었을 때, 아빠가 강제 수용소로 가게 될지 몰라 무섭고 두려운 마음에 온몸이 바르르 떨렸습니다. 은신처에서의 생활이 점점 눈에 띄게 나빠지고 있었을 때에는 슬프고 우울한 마음이 들었지만 꿋꿋하게 용기를 잃지 않았습니다.

2 은신처 식구들은 모든 것이 부족하고 낡고 작았지만 모두 이 정도의 고통은 견딜 수 있었습니다. 무서운 바깥세상보다 훨씬 안전하고 편안한 생활이라는 것을 알고 있었기 때문입니다.

167쪽 오늘의 어휘

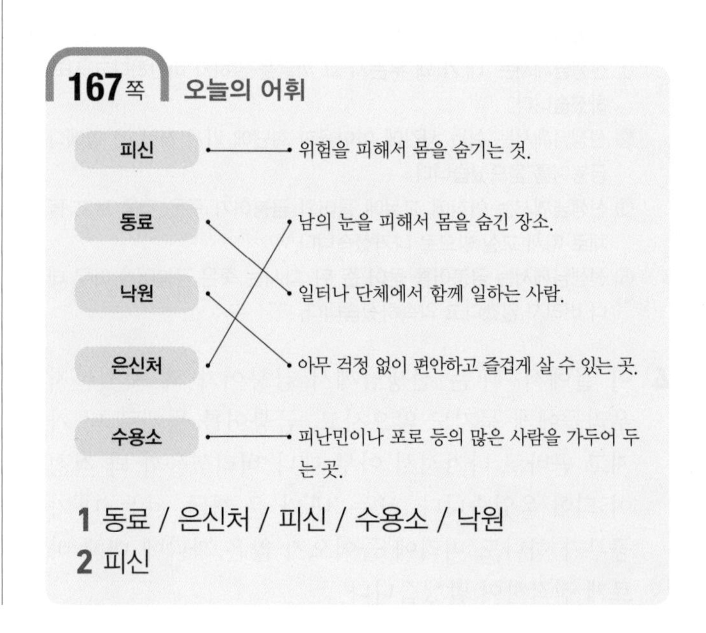

1 동료 / 은신처 / 피신 / 수용소 / 낙원
2 피신

- **글의 종류** 희곡
- **글의 특징** 〈오즈의 마법사〉 이야기를 무대에서 공연하기 위해 대본의 형식으로 쓴 글입니다.
- **글의 주제** 고향으로 돌아가고 싶어 하는 도로시를 통해 세상에 집만한 곳이 없다는 것을 알려 주고, 다른 인물들을 통해 지혜는 오랜 경험을 통해 얻어지는 것이고 사랑은 다른 이들을 배려하는 것이며 진정한 용기는 두려운 상황에서도 그것에 맞서는 것임을 말합니다.
- **중심 내용** 도로시와 허수아비가 몸을 움직일 수 없는 양철 나무꾼을 도와주고 양철 나무꾼의 이야기를 듣게 됩니다.

169쪽 지문 독해

1 ⑤ 2 나사 3 (1) ㉯ (2) ㉰ (3) ㉮ 4 유리

1 이 글은 희곡으로, 등장인물의 대사를 통해 이야기를 풀어 나갑니다. 희곡은 무대에서 공연하기 위해 쓰여진 연극의 대본으로, 무대에서 배우가 할 말이나 동작, 표정, 배경 등이 자세히 나와 있습니다.

오답 풀이

① 작가의 경험을 솔직하게 쓴 글은 수필입니다.
② 실제 일어난 일을 바탕으로 쓴 글은 전기문이나 설명문 등입니다.
③ 여행을 하면서 느낀 점을 적은 글은 기행문입니다.
④ 일을 하는 차례나 방법에 대해 알려 주는 글은 설명하는 글입니다.

2 양철 나무꾼은 소나기를 맞고 몸을 연결하는 나사가 녹슬어서 일 년째 움직이지 못하고 한자리에 서 있다고 하였습니다.

3 도로시는 고향에 가고 싶다는 소원을 빌기 위해, 허수아비는 똑똑한 머리를 갖고 싶다는 소원을 빌기 위해 마법사 오즈에게 가는 중이라고 하자, 양철 나무꾼은 자신은 마음을 갖는 게 소원이라고 하였습니다.

4 도로시와 허수아비는 도와 달라는 양철 나무꾼의 말을 듣고 움직이지 못하는 양철 나무꾼의 나사에 기름칠을 해 주어 다시 움직일 수 있도록 해 준 마음이 따뜻한 친구들입니다.

오답 풀이

우현: 도로시는 마법사 오즈에게 소원을 빌러 가는 중입니다. 집에 갈 수 없게 된 도로시가 함께 살 새 친구를 찾아 기뻐하지는 않았으므로, 우현이는 도로시에 대해 잘못 말하였습니다.
소진: 양철 나무꾼이 사랑하는 아가씨와 결혼을 못 하게 하려고 다리를 자른 사람은 동쪽 나라 마녀이므로, 유리는 노파에 대해 잘못 말하였습니다.

170쪽 지문 분석

1

상황		양철 나무꾼의 마음
지나가는 도로시와 허수아비를 보고 부름.	→	도로시와 허수아비에게 도움을 요청해야 해서 (속상함, (다급함)).
도로시와 허수아비가 양철 나무꾼이 움직일 수 있게 해 줌.	→	다시 몸을 움직일 수 있게 되어서 ((기쁨), 궁금함).

2 (㉮) → (㉱) → (㉰) → (㉯) → (㉲)

1 '다급한 목소리로', '활짝 웃으며'를 통해 양철 나무꾼의 마음을 짐작할 수 있습니다.

유형 분석 / 마음 변화

희곡에서 인물의 마음은 인물의 대사나 지문을 통해 짐작할 수 있습니다. 지문은 희곡에서 인물의 동작, 표정, 말투 등을 지시하는 부분으로 ( ) 안에 나타냅니다. 이 글에서 양철 나무꾼의 마음은 지문을 통해 짐작할 수 있습니다. 도로시와 허수아비에게 도와 달라는 말은 다급한 목소리로 하라고 지시하고 있고, 도움을 받아 움직일 수 있게 된 뒤에는 활짝 웃는 표정으로 말하라고 지시되어 있습니다.

2 희곡은 인물의 대사, 해설, 지문을 통해 이야기의 흐름을 알 수 있습니다. 일이 일어난 순서를 파악하여 기호를 알맞게 써 봅니다.

171쪽 오늘의 어휘

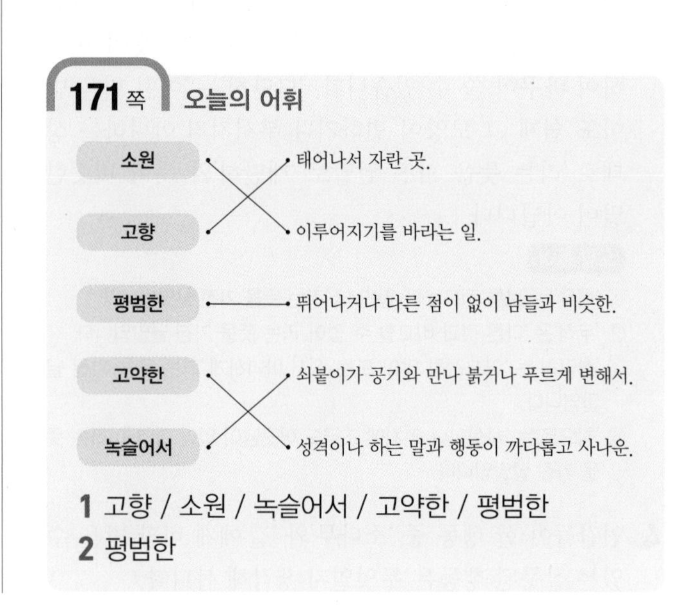

1 고향 / 소원 / 녹슬어서 / 고약한 / 평범한
2 평범한

- **글의 종류** 희곡
- **글의 특징** 은혜를 모르는 호랑이의 이야기로, 방정환 선생님이 1920년대에 발표한 글입니다. 모든 상황이 인물의 대화와 행동으로 제시되며 어린이들이 스스로 교훈을 생각해 볼 수 있도록 해 줍니다.
- **글의 주제** 은혜를 모르는 호랑이를 궤짝에 다시 가둔 토끼의 지혜를 보여 줍니다.
- **중심 내용** 호랑이와 나그네가 길을 가던 토끼에게 재판을 부탁하고, 토끼가 문제를 지혜롭게 해결해 줍니다.

173쪽 지문 독해

1 (3) ○ **2** ⑤ **3** ③ **4** (1) ㉯ (2) ㉮

1 희곡을 읽을 때에는 해설, 지문, 대사를 통해 사건의 흐름을 파악하고 인물이 왜 그런 행동을 하는지, 그렇게 행동한 까닭은 무엇인지 짐작하며 읽어야 합니다.

2 앞부분 이야기와 해설, 지문, 대사를 통해 사건의 흐름을 정리해 봅니다. 길을 가던 나그네가 사냥꾼이 궤짝 속에 가둬 둔 호랑이를 구해 준 일부터 다시 호랑이가 궤짝 속에 갇혀 울부짖게 되기까지 일어난 일을 순서대로 정리하면 ⑤ → ④ → ③ → ② → ①입니다.

유형 분석/세부 내용

모든 일은 원인과 결과가 있고, 항상 원인에 해당하는 일이 결과에 해당하는 일보다 먼저 일어나게 됩니다. 글을 읽으며 어떤 일이 일어났는지 정리하면 일의 원인과 결과를 파악하는 데 도움이 됩니다.

3 '대단히'는 '몹시 크거나 많은 정도로.'라는 뜻을 가진 낱말로 '매우', '무척', '상당히', '참으로'와 뜻이 비슷하여 바꾸어 쓸 수 있습니다. '단단히'는 '어떤 힘을 받아도 쉽게 그 모양이 변하거나 부서지지 아니하는 상태로.'라는 뜻을 가진 낱말로 '대단히'와 뜻이 비슷한 말이 아닙니다.

오답 풀이

① '매우'는 '보통 정도보다 훨씬 더.'라는 뜻을 가진 낱말입니다.
② '무척'은 '다른 것과 비교할 수 없이.'라는 뜻을 가진 낱말입니다.
④ '상당히'는 '어지간히 많이 또는 적지 아니하게.'라는 뜻을 가진 낱말입니다.
⑤ '참으로'는 '사실이나 이치에 조금도 어긋남이 없이 과연.'이라는 뜻을 가진 낱말입니다.

4 인간들이 한 행동 중 '소나무'와 '길'에게 비판 받을 수 있는 잘못된 행동은 무엇일지 생각해 봅니다.

174쪽 지문 분석

1

상황		호랑이의 마음	토끼가 말귀를 못 알아듣는 것이 (답답함(○), 속상함).
토끼가 상황을 설명하는 나그네의 말을 제대로 이해하지 못하는 척함.	→	호랑이의 행동	스스로 궤짝 (밖, 속(○))으로 들어감.

2

호랑이	자신을 도와준 사람에 대한 (은혜)를 저버리는 행동을 하면 결국 벌을 받게 된다.
토끼	어떤 일이든 (신중)하게 생각하여 판단하고, 지혜롭게 문제를 해결해야 한다.

1 나그네의 말을 일부러 못 알아듣는 척하는 토끼를 보며 답답해하던 호랑이는 스스로 궤짝 속으로 들어가는 어리석은 행동을 하게 됩니다.

2 자신을 구해 준 나그네를 잡아먹으려 한 호랑이의 행동을 통해 은혜를 저버리는 행동을 하면 결국 벌을 받게 된다는 사실을 배울 수 있습니다. 토끼의 행동을 통해서는 누군가의 잘못을 판단할 때에는 신중하게 생각하고, 지혜롭게 일을 해결해야 한다는 것을 알 수 있습니다.

175쪽 오늘의 어휘

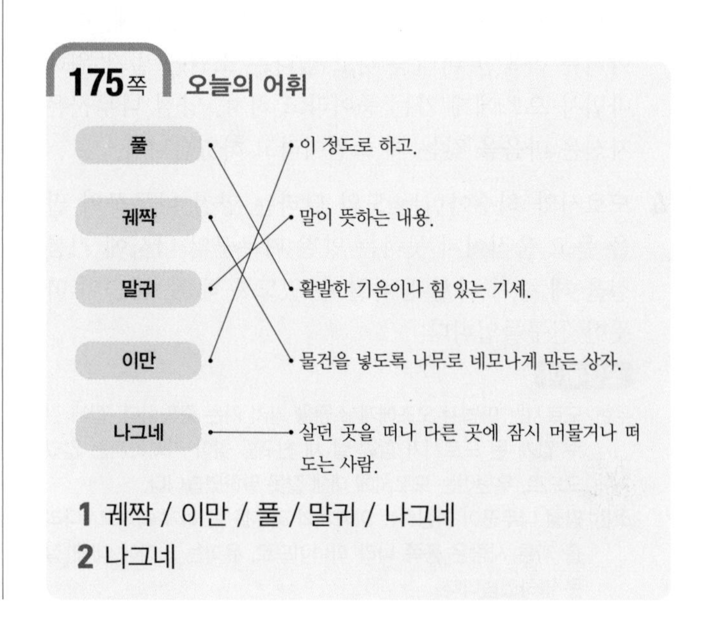

1 궤짝 / 이만 / 풀 / 말귀 / 나그네
2 나그네

정답과 해설